Erika Werner, chirurgienne

Editions J'ai Lu

HEINZ G. KONSALIK | *ŒUVRES*

En vente dans les meilleures librairies

HEINZ G. KONSALIK

Erika Werner,

chirurgienne

Traduit de l'allemand
par G. SELLIER-LECLERCQ

Ce roman a paru sous le titre original :

DR. MED. ERIKA WERNER
Roman einer jungen Ærztin

Elle attendait, un peu perdue et inquiète, dans le long couloir blanc aux parois de faïence vernissée. Personne ne faisait attention à elle.

Derrière les portes caoutchoutées et silencieuses, aux vitres opaques, le travail avait commencé. Deux groupes d'assistants se tenaient dans le couloir, fumant et discutant. Ils avaient laissé leurs blouses dans la salle de prénarcose. En pantalon de toile blanc et chemise à manches courtes, ils s'adossaient au mur et commentaient les opérations.

Personne n'avait remarqué l'arrivée de la jeune femme médecin. Lorsqu'elle s'approcha d'eux et salua ses collègues d'un signe de tête, ils lui rendirent un court salut et continuèrent leur conversation.

Le Dr Erika Werner lut attentivement le tableau des opérations de ce jour : *A 10 heures : névrome; chirurgien : Dr Bornholm; salle d'opération n° 1.*

Le cas pour lequel elle était désignée, sa première opération dans cette immense maison d'espoirs et de souffrances. Sa première tâche d'assistante. La veille au soir elle avait été désignée pour participer à l'opération. Vite, elle avait couru à la bibliothèque, et lu tout ce qu'elle avait pu trouver sur les névromes. Jusque-là elle savait seulement qu'il y avait des tumeurs de tissu nerveux. Elle avait passé la moitié de la nuit à étudier les opérations pratiquées. Sa lecture terminée elle ne savait

5

plus qu'une chose : « Il ne faut pas que le Dr Bornholm me regarde, sinon je ferai tout de travers. »

Elle jeta un coup d'œil sur l'horloge au bout du couloir. 9 heures et demie. Encore une demi-heure à attendre. Elle s'écarta du tableau pour laisser passer un chariot que l'on sortait d'une des salles. Un corps étendu à plat, râlant, couvert jusqu'au menton, laissant voir seulement le visage blême encore, anesthésié, d'un jeune garçon.

Les conversations se turent. La porte livra passage à un homme de taille moyenne et forte carrure. Ses cheveux blancs étaient collés de sueur, ses lunettes embuées. Il jeta un regard critique sur les médecins et assistants qui attendaient, puis il se détourna, sans dire un mot, et, à petits pas rapides, suivit le chariot de l'opéré.

Le patron. Le Pr Rahtenau, le caïd de l'hôpital. Lorsque la porte se referma derrière lui, les médecins respirèrent.

— Ça a l'air d'avoir marché, dit l'un deux. Le vieux ne bougonne pas. Il y a du bon.

Erika s'approcha du groupe qui se tenait devant la porte de la salle I. C'était l'équipe du Dr Bornholm, où elle était désignée. Un nouveau chariot passa dans le couloir. Une jeune fille de vingt ans, allongée, jeta un regard anxieux vers ces nombreuses silhouettes blanches.

Erika s'approcha du chariot. Elle avait vu la jeune fille deux jours avant dans son service. Le Dr Bornholm avait regardé les radios et dit, presque avec satisfaction : « Très volumineux névrome dans le médiastin postérieur. Nous allons enlever ça. Préparez la patiente pour l'opération. » Puis il avait continué sa visite sans faire attention à Erika. Elle était restée figée quelques minutes, la radio en main.

C'était lui, ce Dr Bornholm dont les malades parlaient avec adoration. Le médecin dont le Pr Rahtenau lui-même appréciait les diagnostics, le chirurgien dont la technique opératoire était sensationnelle.

Erika se pencha sur le chariot et mit la main sur le front moite de la jeune fille :

— N'ayez aucune inquiétude, dit-elle à mi-voix, puisque c'est le Dr Bornholm qui vous opère.

— Il a dit que j'avais une boule dans la poitrine. (La jeune fille cherchait à prendre les mains d'Erika :) J'ai si peur...

— C'est la manière de s'exprimer des médecins. Vous ne sentirez rien du tout. Quand vous vous réveillerez, après l'anesthésie, tout sera fait. Et dans six semaines d'ici, vous serez complètement guérie.

— Vous me le promettez ?

Erika fit un signe de tête affirmatif et caressa doucement le mince visage de la jeune fille.

La porte de la salle d'opération n° I s'entrouvrit, l'anesthésiste passa la tête :

— Où donc est la thoracotomie ? Faut-il que ce soit moi qui avale le tube ?

Erika se redressa :

— Vous êtes d'une politesse renversante, aujourd'hui.

— Tiens, tiens, qui est-ce ? (L'anesthésiste hocha la tête dans la porte entrebâillée.) Une tendre collègue ? Le médecin-chef sera là dans un quart d'heure. Si cette petite n'a pas encore ingurgité le tube, ça fera un beau tapage ! Mais je lui dirai : « Pourquoi donc un tube ? Notre collègue anesthésie par l'imposition des mains. »

Les médecins, dans le couloir, ricanèrent, Erika Werner se retourna, furieuse. Le chariot de la jeune fille inquiète entra dans la salle d'anesthésie du bloc n° I.

« Idiots, pensait Erika. Parce qu'il s'agit d'une femme, ils sont insolents. Que le patron paraisse, et ils seront plats comme des limandes. »

Tête baissée, elle allait retourner au tableau des opérations quand elle se cogna contre un torse blanc. Effrayée, elle leva les yeux : le Dr Bornholm se tenait devant elle, tout ébahi. Que sa taille de un mètre quatre-vingt-cinq puisse passer inaperçue, voilà qui était nouveau.

— Hé là! dit-il, vous avez l'habitude de défoncer le thorax de vos collègues ?

Erika recula d'un pas :

— Excusez-moi, monsieur, c'est seulement parce que je suis furieuse. J'ai l'impression que mes collègues ne sont que des gamins.

Bornholm jeta les yeux vers les médecins qui ricanaient, puis de nouveau sur Erika Werner. Elle avait rougi, ses yeux bleus étincelaient de colère. «Jolie, pensa-t-il, toute jeune... »

— C'est toujours la même histoire, chère collègue. Les hommes se croient infiniment supérieurs. N'y faites pas attention.

Il sortit un paquet de cigarettes de sa blouse et le tendit à Erika, qui secoua la tête.

— Depuis combien de temps êtes-vous ici ?

— Quinze jours, monsieur. Salle III. C'est mon premier stage.

— Quinze jours déjà ? Et je ne vous avais pas encore vue ?

— Si, dit Erika, baissant la tête. Je vous ai présenté les radios de l'opération de ce matin. Vous avez peut-être oublié...

— Quel crime ! dit Bornholm en riant. (Et donnant à Erika une petite tape sur l'épaule :) Ça changera. Je vais d'ailleurs avoir un bleu sur la poitrine. Je l'appellerai... quel est votre nom ?

— Erika Werner.

— Bien. Je l'appellerai : hématome d'Erika Werner.

Erika sentit qu'elle rougissait jusqu'à la racine des cheveux, mais Bornholm feignit de ne pas s'en apercevoir.

— Tout est prêt, messieurs ? demanda-t-il à son équipe.

— L'anesthésie est commencée.

Bornholm regarda sa montre.

— Encore dix minutes. Je vous présente une nouvelle collègue, le Dr Erika Werner. Votre accueil n'a pas été des plus chaleureux. J'espère qu'à l'avenir vous saurez vous tenir.

Il entra dans la salle d'anesthésie. Les autres attendirent, les yeux fixés sur Erika.

— Après vous, dit l'un d'eux, d'un air si railleur qu'Erika ne bougea pas et entra dans la salle la dernière.

— Nous allons pratiquer une médiastinotomie transpleurale postérieure, dit Bornholm, tandis qu'il se brossait les avant-bras et les tendait sous le robinet d'eau chaude. Le névrome est assez central. Couchez la patiente sur le ventre dans la position d'Overholt.

Le premier assistant opina d'un signe de tête et téléphona les instructions à la salle d'opération.

Bornholm attendait, les mains lavées, ruisselantes. Une infirmière lui passa le tablier de caoutchouc, une autre lui enfila les gants. Calot et bavette furent retirés des bocaux stérilisés. Le timbre du téléphone vibra : l'infirmière-chef avisait que tout était prêt.

— Ça y est, dit le premier assistant.

— Vous serez le n° 4, dit Bornholm à Erika. Lorsque je dirai « écartez », il faudra maintenir avec l'écarteur la plaie largement ouverte.

— Je ferai de mon mieux, dit Erika à voix basse.

— Courage ! dit Bornholm en lui faisant un petit signe de tête.

Fascinée, Erika regardait le chirurgien ouvrir le médiastin, découvrir la plèvre, et isoler l'énorme tumeur, grosse presque comme le poing, qui commençait de peser sur les veines du cou et du thorax.

— Elle est de belle taille hein ? dit Bornholm satisfait. Il y a vingt ans encore une intervention de ce genre était un prodige, nos parents étaient irrémédiablement perdus ; quant aux grands-parents, de leur temps on ne pouvait même pas faire le diagnostic. Tels sont nos admirables progrès ! Mais contre le rhume, il n'y a pas de remède.

Les médecins rirent. Il fallait rire aux plaisanteries de Bornholm. Il était le soleil levant.

Bornholm extirpa le névrome avec précaution. Le

saignement aussitôt arrêté et la cavité maintenue ouverte avec une canule aspiratrice, Bornholm fit les dernières incisions avec un bistouri électrique. Les petits vaisseaux sanguins se fermaient d'eux-mêmes.

Bornholm regarda Erika lorsqu'il eut détaché la tumeur. « Et alors ? disait ce regard, n° 4 à quoi penses-tu ? » Erika se pencha sur la cavité et saisit la tumeur qu'elle retira avec précaution. Elle sentait le regard de Bornholm posé sur elle et serrait dans ses doigts la grosseur.

— Doucement, dit Bornholm avec calme, n'écrasez pas cet objet.

Erika regarda ses mains, cette masse sanglante, la mort, que Bornholm avait extirpée, et qui n'était plus maintenant qu'une grosseur répugnante. Elle la jeta dans le baquet sous la table. Le premier assistant nettoya la plaie. L'anesthésiste était assis au-dessous de la tête de la jeune fille, le stéthoscope aux oreilles. Il avait fixé la membrane sur la poitrine de la patiente, et près de lui oscillaient les aiguilles du cadran de contrôle.

— Respiration normale. Pouls faible. Cœur irrégulier.

Sur un signe de Bornholm on fit une perfusion. Tandis qu'un sang frais coulait dans le corps, le chirurgien explorait la cavité, cherchant d'éventuelles tumeurs secondaires.

Erika éclairait la cavité avec un puissant projecteur.

— Rien, constata Bornholm, nous pouvons refermer.

Il fit un signe au premier assistant et s'écarta de la table d'opération. Sa tâche était achevée. La fermeture de la plaie était l'affaire des assistants.

— Venez, mademoiselle Werner, dit-il. Mes assistants feront le reste tout seuls.

Docile, Erika s'écarta de l'opérée, et ne vit pas le chirurgien la suivre des yeux tandis qu'elle quittait la salle.

— Qu'est-ce qui lui prend ? demanda le premier assistant tandis qu'il nouait un fil dans la cavité pleurale. Depuis quand s'occupe-t-il de la nouvelle vague ?

Le deuxième assistant tendit la main, et l'infirmière lui passa l'aiguille enfilée de soie.

— Quand elle est féminine et aussi bien roulée que cette petite...

— Tu parles! Bornholm a d'autres idées en tête: il va se farcir la fille du vieux. C'est encore l'échelon le plus sûr pour grimper à la célébrité.

— Taisez-vous! dit l'anesthésiste qui surveillait la respiration et le cœur. Dépêchez-vous de refermer la plaie. J'ai envie d'une tasse de café et d'un cognac. De toute façon, Bornholm est bien trop orgueilleux pour s'intéresser à une fille comme Werner.

Les médecins continuèrent à travailler en silence. De loin en loin, on entendait le cliquetis d'une paire de ciseaux ou des pinces qui tombaient dans les plateaux.

Un être humain était rappelé à la vie.

Dans le bureau du médecin-chef les fauteuils étaient si profonds que les visiteuses ne pouvaient s'y asseoir qu'en tirant leur jupe. Bornholm avait un faible pour les jolies jambes. Erika était assise au bord du fauteuil. Elle vit Bornholm sortir d'un placard un carafon de cristal et deux verres et y verser un cognac d'or roux.

— Mettez-vous à l'aise, chère collègue, dit-il.

«Elle a de belles jambes sveltes, pensait-il, les mollets musclés, les cuisses longues. Son visage aussi est agréable; pas beau, mais agréable, intelligent et jeune. De la fraîcheur, avec une nuance virginale; un visage comme on en voit mille, sauf les yeux. Dans leur lueur bleue, il y a de l'énergie et de la rêverie, curieux mélange.»

— A votre santé!

Erika avala une petite gorgée. Un goût sucré. «Du cognac français, pensa-t-elle, je n'en ai bu que trois fois jusqu'ici.»

— Vous venez de Munich? demanda le Dr Bornholm.

— Oui, mon père y était dans les affaires. Il a été tué dans un accident d'auto. Ma mère a ouvert une librairie, afin que je puisse continuer mes études. J'ai donné des leçons, travaillé dans des jardins d'enfants pendant les vacances. Finalement, je m'en suis tirée.

— Courageusement.

Le Dr Bornholm vida son verre. Il dévisageait Erika du coin de l'œil. «Elle n'a pas l'air d'avoir eu des aventures. Elle a boulonné, boulonné, pendant des années, et n'a pas eu de temps pour elle.»

— Vous allez rester en chirurgie? C'est rarissime pour une femme.

— Pourquoi les hommes nous considèrent-ils toujours comme inférieures? (Elle haussa les sourcils.) On ne nous permet que d'être médecins d'enfants.

— Les enfants! Vous venez de le dire. Les femmes sont là pour ça.

— La vieille rengaine! (Erika boutonna sa blouse blanche :) Merci pour ce cognac! Il faut que je retourne auprès de l'opérée.

— C'est l'affaire du médecin de service.

Bornholm remplit à nouveau son verre :

— Je pense à autre chose pour vous. Quelques cas de ma clientèle privée, que nous suivons. Entre autres un carcinome des bronches. Je vais voir ce malade demain. Vous m'accompagnerez.

— Demain, je suis de service dans ma salle...

— Eh bien, je vous ferai remplacer par un autre assistant. Je voudrais vous montrer ce cas. Demain matin, à 10 heures, à la deuxième porte.

Erika Werner quitta la pièce. Ce ne fut que dans le vestibule que sa réserve disparut. Elle monta en courant s'enfermer dans sa petite chambre. Epuisée, elle se laissa tomber sur son lit. «Il m'a parlé, pensait-elle, il m'a conduite dans son bureau. Il m'a offert un cognac. Il va m'emmener chez ses clients privés. Le grand Bornholm. L'idole de toutes les femmes.» Soudain elle éprouva une curieuse sensation qui lui traversait le corps et battait à grands coups contre la paroi de son cœur. Une angoisse. Une vraie angoisse, et elle dut s'avouer à elle-même : «Il me plaît, à moi aussi.»

— Vous serez stupéfaite, Erika, lorsque vous verrez le bonhomme.

Bornholm regarda son bracelet-montre. Il avait repoussé son chapeau en arrière, ôté sa cravate et ouvert son col de chemise. Erika Werner s'appuya au dossier de l'auto. Ils étaient assis tous deux dans la grande voiture américaine de Bornholm. Autour d'eux, le panorama d'une magnifique région de montagnes. Les cimes neigeuses étincelaient au soleil. Des voiles de nuées montaient des vallées et des gorges dans le ciel bleu et s'y évaporaient. Le soleil aspirait l'humidité des bas-fonds.

Ils s'arrêtèrent devant une grande ferme à balcons de bois ouvragés et façade peinte. Un géant vint à leur rencontre. L'air bien portant, vigoureux — vêtu d'un long pantalon de cuir ; des muscles à faire craquer sa chemise.

— Je me porte à merveille, docteur ! rugit-il dès le seuil.

Bornholm l'examina consciencieusement avec son stéthoscope et lui palpa tout le torse.

— Il faudra de nouveau faire des rayons, dit-il, tous les trois mois.

— Je me porte bien, docteur. Mais, d'accord, je viendrai une semaine prochaine. C'est une belle fille que vous amenez là. L'est médecin aussi ?

— Oui, et un bon médecin même.

— Vous prendrez bien une gentiane ?

— Sûrement.

— Oui, dit Bornholm un instant après, tandis que le fermier les avait laissés seuls. Un ours, n'est-ce pas ? Fort comme un Turc, mais sa rate est enflée et il y a des métastases dans le foie. Il n'éprouve rien encore ; dans trois mois, ce sera différent.

Bornholm alluma une cigarette.

— C'est ainsi que la vie nous trahit, chère collègue. Elle est rusée et brutale. Elle nous vole les heures et, quand nous nous en apercevons, il est trop tard. Il faudrait en tirer la leçon.

— Quelle leçon, monsieur ?

— Celle de saisir la vie partout où l'on peut la saisir. Il ne faudrait pas *accepter* l'existence, mais aller à sa rencontre. Rien ne revient, pas une minute, pas une seconde. Tout à coup soixante ou soixante-dix ans ont passé et l'on ne sait même pas pourquoi l'on a vécu. C'est terrible tout de même, Erika. Lorsque j'y pense, l'angoisse me saisit. Je ne voudrais rien laisser perdre de ce que la vie peut offrir.

— N'est-ce pas une dangereuse philosophie, monsieur ?

— Pas plus dangereuse que la vie elle-même.

— Je ne sais pas, dit Erika en haussant les épaules, c'est peut-être que je suis trop jeune encore pour la comprendre. Mais j'ai des buts, des idéaux, des images de ce que ma vie devra être...

— À trente-sept ans, je ne suis pas non plus un vieillard, dit Bornholm, éloignant sa cigarette et finissant son verre de gentiane. Mais j'ai de l'expérience. J'envie tout homme qui a encore des idéaux — et en même temps, je le plains...

Ils étaient remontés dans la voiture et regardaient les cimes neigeuses.

— Connaissez-vous la vallée de Hubau ? demanda Bornholm.

— Non, j'en ai seulement entendu parler : les cataractes des ruisseaux...

Ils traversèrent un cirque de montagnes et regardèrent, muets, les chutes d'eau.

Ils déjeunèrent dans un chalet, d'œufs au lard et de lait frais. Ils se promenèrent dans les alpages et s'étendirent au soleil, dans l'herbe haute, entourés de fleurs et de monts géants aux crêtes étincelantes et aux pentes abruptes. L'hôpital n'existait plus.

Lorsque le crépuscule gagna les hauteurs et que le soleil disparut derrière les cimes, Erika se redressa. Bornholm était allongé dans l'herbe auprès d'elle, les yeux clos, comme s'il dormait. Elle le regarda longtemps : son visage étroit, aux traits ciselés, ses lèvres minces et serrées, avec au coin ces plis qui lui donnaient un masque ironique, son menton volontaire.

L'angoisse la reprit. Elle se détourna et regarda la prairie devant elle. C'était absurde, après tout. La modeste assistante et le grand chirurgien. Comment pouvait-elle penser de pareilles sottises ? Elle se leva soudain. Bornholm cligna des yeux vers elle.

— Pourquoi cette agitation ?

— Il commence à faire sombre, et il nous faudra bien trois heures jusqu'à l'hôpital.

— De nouveau trois heures perdues.

Bornholm s'assit :

— Nous irons d'abord manger quelque chose. (Il regarda sa montre.) 6 heures déjà ! En effet, il faut nous en aller.

Il se leva, et ouvrant les bras, s'écria : « Adieu, montagnes ! » d'un ton théâtral, puis il entoura de son bras l'épaule d'Erika et l'attira à lui.

— Ç'a été une bonne journée, n'est-ce pas ?

— Oui, dit Erika très bas, tout émue.

Elle se dégagea de l'étreinte et écarta des mèches de son visage :

— Partons.

Elle descendit en courant la pente, au pied de laquelle la voiture était parquée. La jupe ample se gonflait, ses cheveux volaient au vent. Bornholm la suivait des yeux. « Onze ans de moins que moi, pensait-il, onze années de jeunesse, ça ne se rattrape pas. On ne peut que la prendre, la dominer, l'attirer à soi. »

Il descendit lentement la pente, Erika était déjà assise dans la voiture. La radio grinçait un charleston.

— Vous ne pouvez plus vous séparer de ces montagnes, n'est-ce pas, monsieur ?

Bornholm acquiesça d'un signe de tête :

— Je quitte toujours à regret quelque chose de beau. Par ailleurs, hors de l'hôpital, je ne suis plus le médecin-chef, mais Alf Bornholm.

Il monta dans la voiture et la fit glisser doucement

jusqu'à la route, non pas dans le sens de la vallée, mais vers les montagnes. Il monta par des virages en S jusqu'à ce que la route devienne étroite et ne soit plus qu'une piste qui semblait se perdre dans la solitude.

— Est-ce que nous ne nous sommes pas trompés de chemin ? demanda Erika qui se pencha au-dehors.

Près d'elle, la paroi de rocher descendait à pic sous quelques pins rabougris et sapins nains.

Alf Bornholm freina, et sauta lestement hors de la voiture :

— C'est ici que nous attend notre dîner.

— Ici ?

— Vous allez avoir une surprise...

Au bout de quelques pas, ils se trouvèrent devant une petite maison blanche aux volets verts, entourée d'un jardinet couché par le vent. Les volets étaient clos, la porte verrouillée. Erika s'arrêta :

— Ce n'est pas de chance ! personne à la maison !

— Pas du tout, dit Bornholm en riant, puisque nous y sommes.

Il tira de sa poche un trousseau de clefs. Erika s'était assise sur un tas de bûches. De nouveau, elle se sentait inquiète :

— Pourquoi ne m'avez-vous pas dit que vous possédiez un chalet en montagne ?

— Ne vous ai-je pas dit : « Vous allez avoir une surprise » ?

— Vous pouvez le dire.

— Je vais nous préparer un souper digne du Palace-Hôtel.

Il ouvrit la porte et invita d'un geste Erika à entrer :

— Potage aux ailerons de requin, poulet froid sauce mayonnaise, omelette truffée, salade de fruits au maras-quin, cognac et café...

— Vous êtes donc magicien ! dit Erika en riant, mais d'un rire un peu gêné.

Le chalet avait un mobilier moderne. Il était spacieux, de couleurs gaies, et plein de fantaisie. Des sièges ronds, suspendus par des cordes aux poutres du plafond,

16

balançaient ; sur le sol, d'épaisses toisons de mouton. Dans le fond, derrière un rideau, il y avait un grand lit.

— Eh bien, qu'en pensez-vous ? dit Bornholm, écartant les volets.

Le soleil couchant dora la pièce. Les toisons blanches brillèrent ; la lumière traversant le treillis des sièges traçait d'étranges arabesques sur le sol. Emerveillée, Erika restait sur le seuil.

— On croit rêver, dit-elle tout bas.

Bornholm sortit un réchaud à propane, ouvrit le frigidaire et choisit, parmi de nombreuses boîtes de conserves, le souper annoncé. Puis il alla chercher une bouteille de vin qu'il tendit à Erika avec le tire-bouchon.

— Versez-nous le verre de bienvenue ! dit-il. Les cuisiniers ont toujours soif !

Bientôt on entendit grésiller la poêle.

Erika se balançait dans un des sièges suspendus. Bornholm avait ôté son veston et enfilé un tablier de cuisine.

— Nous avons même de la musique.

Il tourna le bouton de la radio, l'air d'une valse lente tournoya dans la pièce :

— Justement, dit Bornholm, cette valse s'appelle *Amour secret*.

Il s'assit sur un coussin aux pieds d'Erika et but à sa santé.

— A quoi pensez-vous en ce moment, mademoiselle le docteur ?

— Je pense que vous avez ici une belle installation. Rien d'autre.

— C'est dans cette pièce que j'ai trouvé les bases de ma recherche scientifique. A l'automne, on vit ici au-dessus des nuées. La terre n'est plus qu'une mer de nuages. De temps en temps, la nuée se déchire, et l'on distingue nettement tout le paysage... C'est ce qui m'est arrivé dans mes recherches hématologiques... (Il se tut quelques secondes.) Recherches fascinantes, tout au moins pour moi. Que savons-nous de la vie ? Ce n'est qu'aujourd'hui que l'appareil de ré-oxygénation nous permet, à nous autres chirurgiens, d'opérer à cœur ouvert, mais combien il reste encore d'inconnues...

Il posa son verre par terre et alla mettre la radio en sourdine. Erika le suivit des yeux, tandis qu'il traversait la pièce, grand, svelte, avec des gestes souples et félins. Soudain elle sentit son cœur battre.

— Pour moi, disait-il, le sang n'est pas seulement un liquide chimio-physiologique. Non. C'est dans le sang que réside la vie. Qui dit « l'âme », devrait penser « le sang ».

— N'est-ce pas trop osé, monsieur ?

La voix d'Erika était basse, presque voilée.

La fascination qui émanait de Bornholm, l'effet de son esprit génial, qu'elle éprouvait presque physiquement, la rendaient timide.

— Rien n'est osé, lorsqu'on parle du sang. Le grand désir de toute la médecine, c'est la connaissance du sang, son rêve : la production synthétique du sang. Nous possédons le plasma, nous pouvons compenser les pertes de sang avec des solutions de sérum physiologique, mais nous ignorons encore la composition chimique du sérum sanguin. Si nous y arrivions...

Il s'occupa du réchaud, et continua à mi-voix, comme s'il se parlait à lui-même :

— ... Nous tiendrions le secret de toute vie !

— Et c'est à quoi vous travaillez ? demanda Erika d'une voix à peine audible.

Bornholm fit un signe de tête affirmatif, piqua une cuisse de poulet, la déposa sur une assiette et l'apporta à Erika auprès de la fenêtre ouverte.

— C'est mon idée fixe. Peut-être n'est-ce qu'un mirage. Mais pourquoi ne pourrait-on pas réussir à produire du sang ?

— C'est impossible, voyons...

— Si quelqu'un avait dit il y a cinquante ans : « Je vais inciser avec un bistouri la valvule mitrale », on l'aurait enfermé dans un asile d'aliénés. Et si un autre avait dit : « Je vais réparer un fémur fracturé en y enfonçant un clou, on l'aurait poursuivi comme un

18

charlatan. » Aujourd'hui, tout cela va de soi, même de suturer les artères à la machine. Peu à peu, les mystères tombent en miettes — pourquoi n'en serait-il pas de même pour le sang ?

Il posa son assiette sur le rebord de la fenêtre.

— Voulez-vous venir voir mon labo ?

— Volontiers, monsieur.

— Et pourrai-je vous demander après de travailler avec moi à ce rêve ?

— Moi ? (Erika s'appuya des deux mains au mur derrière elle.) Mais je ne suis qu'une modeste assistante. Je n'ai aucune notion...

Bornholm la dévisageait. Le regard de ses yeux gris-bleu la pénétrait.

— Il y a dans vos yeux quelque chose qui justifie cette demande, dit-il lentement. Vous êtes capable de croire à quelque chose et de vous sacrifier à cette croyance. Ce sont ces gens-là que je cherche, des gens qui se dévouent totalement à une idée. Il y a dans vos yeux quelque chose de ce don de vous-même. Voulez-vous essayer, mademoiselle Werner ?

— Oui, balbutia-t-elle, je veux bien essayer.

— J'en suis heureux.

Trois petits mots sobres. La fascination tomba. Erika sourit et s'assit à la table. Ils commencèrent à dîner en silence. Bornholm déboucha une autre bouteille de vin, et leva son verre en transparence dans la lumière.

— Voyez-vous maintenant pourquoi je vous ai emmenée à mon chalet ? Loin du va-et-vient de l'hôpital. Maintenant je puis dire : Je serais heureux que vous deveniez ma collaboratrice. (Il leva la main dans un geste de protestation.) Ne dites rien encore. Commencez par voir mon labo. Et réfléchissez que notre travail vient en sus, après le service. Il faudra sacrifier beaucoup d'heures de nuit.

— Ça ne me fait pas peur.

— Bravo !

Il lui caressa les cheveux. Elle ferma les yeux, il lui semblait être traversée par un courant électrique.

— Buvons à notre collaboration !

Le vin corsé, sucré, la délivra de la timidité qui s'était emparée d'elle :

— Mais qu'est-ce qu'on en dira à l'hôpital ?

— Comment ?

L'étonnement de Bornholm n'était pas joué.

— Vous connaissez les collègues, monsieur.

— Et alors ? Vous vous en souciez ?

Erika se sentit rougir. Elle prit son verre, alla s'asseoir sur la balancelle, et vida son verre d'un trait.

— Je crois que je suis un peu ivre ! dit-elle en se balançant. Tout valse autour de moi.

Bornholm se mit à rire. Il arrêta le siège qui se balançait et souleva Erika.

— Je vais faire le tour de la maison pour voir le temps qu'il fait. Quand je reviendrai vous serez couchée dans le lit. Compris ?

Erika, debout, vacillait légèrement au milieu de la pièce, regardant autour d'elle.

— Et où coucherez-vous ?

— Sur un matelas pneumatique.

Il la conduisit jusqu'au pied du lit.

— Voilà. D'ici dix minutes, vous dormirez. Bonsoir.

— Bonsoir...

Erika le vit passer devant la fenêtre. Puis la pièce recommença à tourner autour d'elle. « C'est ce vin, pensa-t-elle, ce vin sucré... S'il me prenait dans ses bras, je fermerais les yeux et je serais heureuse. Voilà la folle que je suis, pleine de désir, aussi absurde... » Elle se laissa choir sur le lit. A peine y était-elle couchée qu'elle dormait comme dans une profonde torpeur.

Alf Bornholm rentra dans le chalet ; il enleva les souliers d'Erika et étendit une couverture sur elle. Puis il gonfla son matelas pneumatique et fuma encore une cigarette avant d'éteindre la lumière. Il ne s'endormit pas aussitôt. Il écoutait le souffle d'Erika et s'étonnait de lui-même.

Situation exceptionnelle qu'Alf Bornholm goûtait avec surprise.

Lorsque Erika Werner s'éveilla, Bornholm s'affairait déjà dans le coin de la cuisine. Elle se redressa et tira la couverture jusqu'à son menton bien qu'elle fût habillée. Il préparait le café, l'arôme des grains moulus flottait dans la pièce.

— Bonjour, monsieur, dit-elle à mi-voix.

Il tressaillit et leva les bras en manière d'excuse.

— Bonjour, mademoiselle l'assistante.

Il prit un plateau, déposa les tasses et la cafetière, sortit des sandwiches du frigidaire et vint à la petite table qui se trouvait auprès du lit. Il mit le couvert, versa le café pour Erika et lui-même, et la questionna du regard :

— Du sucre ?

— Deux petits morceaux.

— Bien dormi ?

— Comme une marmotte.

— Rêvé ?

— Non, j'étais comme assommée par le vin.

— Dommage ! (Il eut un sourire juvénile.) Les rêves d'une jeune et jolie fille sont comme un miroir.

Erika baissa la tête. Elle prit un sandwich et sa tasse, et s'efforça que sa main ne tremblât pas.

— Quelle heure est-il ? demanda-t-elle, pour dire quelque chose.

— Tout juste 8 heures, dit Bornohlm regardant sa montre. Il faudra partir dans une demi-heure. J'ai une opération aujourd'hui. Dans le coin, là, il y a une douche et j'ai rempli le réservoir hier. (Il but son café et se leva.) Je vais faire un tour. Me remplir les poumons d'air pur. Voilà ce qu'on devrait recommander à tous. Il y aurait beaucoup moins de carcinomes des bronches si les gens apprenaient à bien respirer.

Une demi-heure plus tard, ils avaient lavé la vaisselle et tout remis en place. Tandis que Bornholm fermait à clef, Erika se dirigea vers la voiture et regarda dans la vallée. Mais la route était noyée de brume.

Avant même de déjeuner, le Dr Bornholm fut appelé au bureau du Pr Rahtenau. Le médecin avait fait la visite. Erika l'avait conduit dans son service, comme s'il n'y avait pas eu la nuit précédente. Ce ne fut qu'arrivé au vestibule, que Bornholm dit à mi-voix :

— Je vais tout de suite en parler à Rahtenau et vous faire libérer du service dans la matinée. Y avez-vous réfléchi ?

— Il n'y a pas à réfléchir, monsieur, je considère que c'est un honneur.

Elle resta sur le seuil et le suivit des yeux tandis qu'il descendait au Service des Urgences. L'infirmière de salle, portant un plateau, sortit de la tisanerie. Elle eut un sourire indulgent.

— Bel homme, n'est-ce pas ? dit-elle à voix basse.

Erika tressaillit comme une voleuse surprise.

— Gardez bien votre cœur, docteur. Il va se marier prochainement avec la fille du patron.

Erika eut froid soudain.

— La fille de Rahtenau ? Vraiment ? dit-elle d'une voix atone.

— Nous attendons tous à l'hôpital l'annonce des fiançailles. La fille du patron a promis de nous téléphoner aussitôt.

Erika s'en fut dans sa chambre.

« Je ne suis qu'une oie, pensait-elle. Bien sûr, la fille du patron. Pourquoi cela me fait-il si mal ? Et si je l'aime après tout, c'est mon rêve à moi, qui ne regarde personne. Parce qu'il est si insensé, si douloureusement insensé... »

Le Pr Rahtenau trônait derrière un monceau de dossiers de malades et de radios, lorsque Bornholm entra. Il buvait du vin rouge coupé d'eau.

— Monsieur Bornholm, dit-il, en posant son verre sur la table, vous n'avez pas paru ce matin. Mon agenda porte : *« Examen de la répartition des opérations, 10 heures. »*

— Je ne suis rentré des montagnes qu'un peu après 11 heures, monsieur.

— C'est ce que j'ai appris. Peut-être me donnerez-vous l'adresse exacte de votre mystérieuse bicoque. Alors, à l'avenir, je pourrai vous y rejoindre pour discuter des affaires de l'hôpital. Moi, cela ne me gêne pas...

Cela voulait être caustique, mais la voix de Rahtenau était si tranchante que la raillerie devenait une accusation.

Bornholm s'inclina légèrement.

— J'avais omis de m'excuser. Je le fais présentement, monsieur.

— Bon, dites ça à une autre, Bornholm. Petra s'est plainte à moi. Vous aviez rendez-vous avec ma fille hier soir, au Parkhaus. Outre que j'apprends pour la première fois que vous avez des rencontres avec ma fille, je trouve assez cavalier que vous ayez tout simplement laissé tomber Petra. Elle a attendu plus d'une heure.

— Mon Dieu ! (Bornholm était franchement embarrassé.) J'avoue que...

— Faites vos aveux ailleurs ! (Le professeur eut un pâle sourire.) Depuis quand connaissez-vous ma fille ? Et pourquoi est-ce par votre oubli que je l'apprends ? Pourquoi ce mystère ? Monsieur Bornholm, je ne vous parle pas en ce moment comme chef de l'hôpital, mais comme le père de Petra. Veuillez vous expliquer !

Bornholm fit un signe d'assentiment. Cette situation si pénible le troublait. Avoir oublié un rendez-vous avec Petra était plus qu'une offense à la fille de Rahtenau, c'était une lézarde dans un édifice bien conçu, qu'il fallait réparer aussitôt.

— Je connais mademoiselle votre fille depuis six mois...

— Quoi ? (Rahtenau se pencha en avant :) Et je ne l'apprends qu'aujourd'hui ! Une question fort simple, Bornholm : Aimez-vous ma fille ?

— La question est un peu directe, monsieur.

Alf Bornholm était un peu embarrassé. Il pensait à Petra Rahtenau, la fille du patron. Sans doute une gentille fille blonde, svelte, les joues rondes, le regard tendre ; un peu exaltée, l'attitude d'une fille élevée dans un intérieur aisé. Elle n'était ni jolie ni banale, ni intelligente ni affectée, ni snob ni petite-bourgeoise. Elle était en réalité un peu de tout cela. Un mélange de qualités que l'on est convenu d'appeler « modernes ». Et, par ailleurs, elle était la fille unique du professeur titulaire de chirurgie. Ce qui, à première vue, avait été une raison déterminante pour Bornholm de la fréquenter et de se montrer sous un jour séduisant. Mais l'amour ? Alf Bornholm regarda le Pr Rahtenau d'un air un peu embarrassé.

— Pour pouvoir répondre clairement à votre question, il faudrait que je connaisse les sentiments de votre fille, monsieur. Mais ce n'est pas le cas. Nous sommes bons amis, si l'on peut dire. Nous n'avons jamais échangé un mot à propos de sentiments plus profonds, et je vous affirme...

— Ça va, dit Rahtenau qui d'un geste écarta ce propos. En tout cas ma fille a été très fâchée. Je ne voudrais pas répéter tout ce qu'elle a dit.

Il but son verre d'eau rougie, et désigna un siège à Bornholm, qui s'assit, très mal à l'aise.

— Honnêtement, monsieur Bornholm, avez-vous de sérieuses intentions à l'égard de Petra ?

— Oui, monsieur.

— J'en suis heureux. (Il semblait sincère.) Vous savez que je vous estime un bon chirurgien et votre thèse a été un petit chef-d'œuvre. S'il s'y ajoute maintenant un lien de famille, j'en serai enchanté.

— Je n'ai pas encore parlé avec Petra...

— Je sais, je sais. Mais entre hommes, on peut voir au delà. Vous avez bien l'intention de venir un jour faire votre demande officiellement. (Le professeur sourit, et versa un verre de vin à Bornholm.) Il y a ce soir une petite réunion chez moi. Venez-y.

— Je vous remercie, monsieur. (Bornholm s'inclina et

avala une gorgée de vin rouge.) Si, auparavant, vous vouliez plaider pour moi auprès de Petra...

— Pas encore marié, et déjà le trac ! (Rahtenau éclata de rire.) Mon cher Bornholm, voilà qui commence bien ! Quand bien même il s'agit de ma propre fille, ne vous laissez pas mener. Les femmes sont des panthères qui sortent volontiers leurs griffes. Elles ne plient que dans deux cas : devant la dureté du dompteur, ou une tendre caresse. Savoir combiner et doser l'une et l'autre fait le succès du mari. A votre santé, à ce soir !

Bornholm, après cette curieuse entrevue, se retira fort pensif dans son bureau. Les examens de la matinée, de nouvelles radios, et les dossiers d'entrants étaient déjà empilés sur la table.

Bornholm regarda sa montre : 1 heure et demie. Il n'avait pas faim. Il se fit apporter de la cantine une tasse de café et fuma une de ses fortes cigarettes anglaises, blondes, au goût suave. Maussade, il revenait toujours à Petra.

Il regarda les radios : trois cas de cancer ; un empyème ; un poumon gauche ravagé de tuberculose ; un hypernéphrome. Il répartit les cas, avec de petites annotations au crayon rouge, entre les divers médecins, et se réserva l'empyème. Il n'entendit pas qu'on frappait à la porte : ce ne fut que lorsque le Dr Erika Werner était déjà dans la pièce qu'il tressaillit, presque effrayé.

— Je ne vous ai pas entendue frapper, dit-il. (Il empila les radios.) Y a-t-il quelque chose de spécial ?

— Vous vouliez me montrer votre labo, monsieur.

La voix d'Erika était sèche, un peu enrouée.

Elle s'efforçait de ne pas penser à la journée de la veille, et à la magie du chalet solitaire qu'elle gardait comme une vérité permanente.

Elle avait compris maintenant que ce n'avait été qu'une éphémère béatitude. Cela avait coûté une grande maîtrise de soi de le comprendre.

— Le labo... ah ! oui. (Il se leva.) Venez !

— Avez-vous parlé au Pr Rahtenau ?

— Je n'y suis pas arrivé. Il était fort mal disposé. Je n'ai pas pu lui faire ma demande.

Elle savait qu'il mentait. Son petit visage étroit eut l'air presque triste. Sans raison, effrayée d'elle-même, elle s'aperçut qu'elle commençait à détester cette Petra inconnue.

— Allons-y, dit Bornholm.

Il s'était installé un labo privé dans une petite annexe de l'hôpital. Il poursuivait ses expériences d'accord avec le Pr Rahtenau, mais sans subvention de l'Université. Rahtenau l'aidait indirectement, en ce sens qu'il passait à Bornholm de nombreuses expertises et lui attribuait cinq lits dans sa clinique privée. Néanmoins le labo n'en était qu'à la période de début, presque minable avec ses quelques instruments. Seules les cages d'animaux étaient bien aménagées. Bornholm y dépensait toutes ses ressources. Il possédait sept singes, trente-deux cobayes, quarante-trois rats et trois chiens. Ils vivaient dans des cages propres, étaient soignés par un vieux gardien qui, en qualité de veilleur de nuit à l'hôpital, touchait un petit salaire. Ces animaux représentaient la partie la plus importante du matériel de Bornholm : ils lui fournissaient le sang pour les analyses de sang frais.

Le Dr Bornholm s'assit à une grande table à dessus de marbre traversée d'une rigole. Erika les avait vues ces tables, du temps qu'elle était étudiante en anatomie et pathologie. C'était une table à dissection.

Frissonnant légèrement, elle s'assit à côté de Bornholm. Devant les carreaux de verre opaque de la fenêtre s'alignaient sur une étagère les flacons d'échantillons sanguins.

Le gardien passa la tête par la porte entrebâillée. Derrière lui les cobayes piaillaient, les rats couinaient, les chiens aboyaient et les singes criaient.

— N° 57 ! rugit le gardien parmi le vacarme.

— Bien, dit Bornholm en enfilant des gants de caoutchouc stérilisés. Je vais vous montrer, mademoiselle

Werner, comment je procède. Ce n'est pas un simple travail de laboratoire, c'est la recherche sur le vif. Ne me regardez pas de cet air horrifié. Je sais ce que vous pensez : vivisection, expériences dans les camps de concentration, inhumanité... en effet, c'était de la médecine inhumaine ! Mais ce que je fais ici sauvera un jour la vie de millions d'humains. Cela peut paraître ambitieux, je le sais. Mais le problème des hémorragies est une question si brûlante qu'il ne faut pas mettre l'idée de la protection des animaux au-dessus de la protection des hommes.

Le gardien sortit de la ménagerie et entra dans le labo ; il tenait sur son bras, comme un petit enfant, un singe anesthésié. Il déposa le corps flasque de l'animal sur le banc d'essai. Erika vit que le pli du coude avait été rasé et badigeonné d'iode. Le petit singe avait le museau entrouvert, sa langue pendait entre ses dents. Il ronflait, et ses paupières battaient comme s'il rêvait quelque chose d'excitant.

— Pauvre petit bonhomme, murmura Erika en caressant le corps du petit singe.

Bornholm approcha une table d'instruments du banc d'essai. Il jeta un regard de biais sur Erika.

— La pitié est ennemie de la science.

— Qu'allez-vous lui faire ?

— Je vais le vider de son sang.

— Non ! s'écria Erika, un peu plus fort qu'elle ne l'eût voulu.

Le gardien, sous ses épais sourcils blancs, la regarda, abasourdi.

— Faut-il apporter de l'eau de Cologne ? demanda-t-il.

— A l'entendre, cela semble plus cruel que ce ne l'est en réalité, mademoiselle Werner.

Le Dr Bornholm choisit des trocarts, les relia par des tubulures en matière plastique à un appareil de verre que le gardien approcha. Un thermomètre indiquait qu'à l'intérieur de l'appareil la température était la même que celle du corps du petit singe.

— Il n'arrivera rien à cette petite boule de poils, continua Bornholm.

Il plaça les trocarts auprès du pli du coude du singe et regarda Erika en face. Elle était blême, son visage semblait de pierre.

— Le problème est celui-ci : maintenir en vie un corps vidé de son sang. Cela paraît insensé, je le sais. J'ai composé un sérum physiologique qui doit remplacer le sang. Tout étudiant sait, dès la première année, que le sang est une composition de cellules sous forme liquide. Aucun homme ne peut produire de cellules. Si nous le pouvions, nous serions maîtres de la vie. Ce que je cherche, c'est à donner à un corps exsangue, suffisamment de sérum physiologique analogue au sang jusqu'à ce que les organes régénérateurs du sang, le foie et la rate, versent dans ce liquide assez de cellules pour transformer ce sang « synthétique » en sang véritable.

Entre-temps le gardien avait sanglé le petit singe. Avec prudence, mais une très grande sûreté, Bornholm enfonça le trocart dans la veine du bras, le tube de verre fixé à l'extrémité de l'aiguille se remplit de sang. Le moteur de l'appareil se mit à ronronner doucement. Bornholm regarda encore rapidement les cadrans et le thermomètre, puis il ouvrit le robinet régulateur fixé aux tubulures de plastique. Le sang du petit singe coula dans le cylindre de verre de l'appareil. En même temps Bornholm surveillait à l'aide d'un stéthoscope à membrane les fonctions cardiaques. Erika observait le pouls. Le cœur du petit singe commença de fléchir, le pouls devint faible, un frisson parcourut le corps chétif, la peau sous le poil hirsute devint froide et blanche.

Bornholm ferma le robinet, retira le trocart de la veine et enfonça une autre aiguille dans la cuisse de l'animal. D'un autre flacon de verre coula un liquide aqueux, trouble. Ce liquide avait la même température que le sang naturel, la même teneur en oxygène et acide carbonique.

Erika se redressa, son visage était encore plus pâle.

— Plus de pouls, dit-elle d'une voix voilée.

Bornholm se pencha sur le thorax du singe. Il palpa le cœur avec son stéthoscope : on ne l'entendait plus.

— Cliniquement : un décès, dit-il à haute voix. Mort par hémorragie.

Il retira la deuxième aiguille de la veine du bras et recouvrit le petit trou d'un leucoplaste.

Puis il ouvrit le robinet du deuxième appareil. En même temps le gardien posa un appareil électrique d'oxygénation sur la poitrine du singe et commença d'envoyer le courant au rythme des battements du cœur. Bornholm travailla des deux mains à la réanimation et tandis que l'appareil pompait le « sang synthétique » dans le corps exsangue, il massait le cœur du petit animal et pressait et dégageait tour à tour la cage thoracique, persévérant jusqu'à ce qu'un tremblement fût sensible sous sa main.

— Vous entendez ? cria-t-il à Erika. Le cœur bat, il pompe.

La poitrine affaissée du petit singe se souleva soudain, comme si elle était gonflée intérieurement comme un ballon. La respiration reprit lentement, les paupières battirent, les petites mains noires s'ouvrirent et se refermèrent.

Le regard fixe, Erika assistait au retour à la vie. Ce que Bornholm prouvait là sur un petit animal pourrait demain sauver des milliers d'humains qui aujourd'hui encore meurent de trop grandes pertes de sang.

Lorsque la quantité de liquide transfusée fut égale à celle du sang retiré, Bornholm ferma le robinet régulateur et écarta l'appareil. Il ôta le trocart de la cuisse et ranima la fonction cardiaque par une injection intra-cardiale.

On délia le petit singe, et ainsi qu'il l'avait apporté sur son bras comme un enfant endormi, le gardien le rapporta dans la ménagerie. Là, on coucha le singe dans une cage propre et chauffée où l'on introduisit de l'oxygène.

Le Dr Bornholm ôta ses gants de caoutchouc :

— Il faudra maintenant attendre quelques jours pour

voir si le corps produit du sang frais et alimente mon liquide synthétique.

— C'est prodigieux, dit Erika avec franchise.

— C'est encore un tâtonnement dans l'obscurité, chère collègue ; nous ne sommes qu'au début. Ce qu'on peut réussir sur des rats, des cobayes et des singes, ne vaut pas pour l'homme. Néanmoins, dans toute cette obscurité nous avons découvert une piste. Savoir si elle conduit au but ? C'est ce que nous verrons. Voulez-vous m'aider dans cette recherche ?

— Oui ! s'écria Erika Werner.

Le timbre du téléphone résonna. Bornholm prit le récepteur, on entendit crépiter une voix :

— Pour vous, collègue, dit Bornholm. Un entrant dans votre service. On vous demande.

Il la suivit des yeux tandis qu'elle traversait la pelouse en courant, silhouette svelte et souple aux longues jambes. Soudain il s'avisa que ce n'était pas seulement par intérêt médical qu'il avait choisi Erika Werner comme collaboratrice. Il éprouvait comme de l'impatience, une convoitise, le désir impérieux de la prendre dans ses bras, de caresser son corps et sentir la tiédeur de sa peau douce contre la sienne.

Le Dr Bornholm se mordillait les lèvres lorsque le gardien reparut :

— Koko s'est réveillé, dit-il, mais il ne s'y retrouve pas encore.

— Son cœur ?

— Presque normal.

Bornholm attendit jusqu'à ce qu'Erika ne fût plus visible.

« Ce serait stupide de continuer à y penser, se dit-il. J'épouserai Petra Rahtenau et je serai professeur. Peut-être même titulaire d'une chaire à l'université. Le vieux en aura soin. »

Il parlerait le soir même avec Petra. La carrière et l'amour, il faut pouvoir les associer. Il est rare de voir devant soi une carrière aussi largement ouverte qu'elle le serait après son mariage avec Petra Rahtenau. Il se rendit à la ménagerie. Son arrivisme le dégoûtait un peu, mais il n'essaya pas de le combattre, et la vie ne valait d'être vécue que si elle apportait le succès.

Et Alf Bornholm voulait le succès.

Dans le jardin de la villa Rahtenau, quelques lampions étaient suspendus d'arbre en arbre. L'écho d'une valse lente venait de la terrasse et flottait entre les buissons et les corbeilles de rosiers. Bornholm et Petra Rahtenau étaient adossés au tronc d'un gros marronnier, dans l'ombre de ses basses branches, hors de la lueur vacillante des lampions. Ils regardaient de loin les portes ouvertes sur la terrasse. La plupart des invités étaient assis auprès de la cheminée et buvaient. Deux ou trois couples passaient devant les fenêtres, dansant au rythme de la musique, vagues silhouettes, pareilles à des ombres chinoises.

— On va remarquer notre absence, dit Bornholm, entourant de son bras l'épaule de Petra.

Elle se recroquevilla comme si elle frissonnait. Le contact du bras de Bornholm la traversait d'un courant et elle ployait sous cette chaleur.

— Père est en train de parler de ses années d'étudiant à Marburg et Heidelberg. Alors rien ne compte que son vin et ses auditeurs. En outre, j'ai trop chaud dans le salon, et j'ai à te parler.

— Te voilà bien sérieuse tout à coup.

Il se pencha sur elle et lui baisa les yeux. Un instant elle fut tentée de lui jeter les bras au cou et de ne vivre que dans l'amour, mais elle se souvint de ce qu'elle voulait lui dire. Elle appuya ses deux mains sur la large poitrine de Bornholm et s'écarta de lui :

— Père t'a parlé ?

— Oui.

— Qu'est-ce qu'il t'a demandé ?

— Depuis combien de temps nous nous connaissions et si nous savons l'un et l'autre quel est notre sentiment.

— Et qu'as-tu répondu ?

— J'ai essayé de lui expliquer, avec élégance...

— Bien sûr ! avec élégance...

Elle mit sa main étroite sur la bouche de Bornholm qui voulait parler.

— Il m'a posé les mêmes questions.

— Et qu'as-tu répondu ?

— La vérité ! Je lui ai dit que je suis allée trois fois avec toi au chalet, que nous nous aimons, que tout était bien clair entre nous et que nous...

— Tu as dit cela ? Bon Dieu !

Bornholm passa sa main sur son visage :

— De quoi ai-je l'air maintenant ? Je lui ai présenté les choses comme s'il ne s'agissait entre nous que d'une amitié d'où naîtrait autre chose...

— Pourquoi n'as-tu pas dit la vérité, Alf ?

— Je ne savais pas comment ton père réagirait. Je ne le connais que comme chef de l'hôpital, où il se montre terriblement dur. Je ne voulais pas courir le risque d'être mis à la porte.

Bornholm regarda vers les fenêtres éclairées. Des rires fusaient jusque dans le jardin. Le Pr Rahtenau racontait une de ses prouesses d'étudiant.

— De quoi ai-je l'air ? répétait Bornholm.

— C'est pourquoi je voulais te parler. Papa s'est montré moins choqué que je l'aurais cru. Il m'a seulement fait un discours, dit qu'il ne comprenait plus la jeunesse d'aujourd'hui. Mais je crois qu'il s'attend à ce que tu lui parles.

— Dès ce soir ?

— Ce serait bien finir sa journée s'il pouvait annoncer nos fiançailles...

Bornholm recommença à se mordiller les lèvres. Il avait travaillé toute la journée dans son labo et n'était allé au service de chirurgie que pour un entretien avec les chefs de service. Il avait réparti les diverses opérations entre les équipes, discuté quelques cas difficiles, puis était retourné, comme dans un refuge, dans son petit pavillon annexe. Mais il n'avait pas continué ses recherches, ni noté dans son journal les réactions de Koko qui gisait dans sa cage d'oxygène, toujours vivant, mais sans reconnaître son entourage. Il ne reconnaissait pas même une banane, bien que seul le sens de l'odorat ne parût pas troublé. Son nez camus flairait la banane que lui tendait Bornholm, et il tournait la tête selon que Bornholm l'offrait à droite ou à gauche, mais le regard du singe demeurait vide.

Durant des heures Bornholm demeura assis devant sa table de dissection, occupé à disséquer son âme. Ce qui, il y a deux jours encore, lui eût semblé impossible, avait fondu sur lui comme un typhon. Son amour pour Petra Rahtenau, nourri de raison et d'ambition, s'était soudain obscurci. Il voyait maintenant le visage d'Erika lorsqu'il pensait à Petra. Il entendait la voix d'Erika et évoquait ses jambes sveltes et lestes, lorsqu'il voulait se contraindre à penser à Petra. Symbiose inquiétante. Petra et Erika ne faisaient plus qu'une personne, la carrière et l'amour étaient confondus. Et voici que la décision le menaçait : soudaine et inévitable. Il ne lui restait plus d'autre choix que d'aller trouver le Pr Rahtenau et lui demander la main de Petra, la main qui lui ouvrait sa carrière.

Il regarda le visage de Petra levé vers lui, et il vit qu'elle l'aimait. Dans son regard brillait l'éclat du bonheur, et se lisait tout le désir du cœur d'une jeune fille qu'il avait rendue femme. Quatre mois auparavant, dans le chalet solitaire, entouré de murailles de nuages et d'avalanches de pierres. Elle s'était blottie dans ses bras, et en cet instant s'était produit l'épisode sans retour.

— Je vais tout de suite aller lui parler, dit Bornholm en baisant les lèvres tremblantes de Petra. (Et il ajouta — ce qu'il absorba comme une drogue :) Parce que je t'aime...

— Alf ?

Elle lui jeta les bras au cou et sa chaude haleine passa sur le visage de Bornholm.

— Quand retournons-nous au chalet ?

— Bientôt, chérie...

— J'ai besoin de toi, Alf... je te désire...

— Petra ! (Il caressa les cheveux d'un blond doré :) Quels aveux !

— C'est ta faute. Je n'avais jamais éprouvé ce sentiment, cette passion d'être auprès de toi. Tu m'as éveillée, et maintenant j'ai la nostalgie de la nuit...

— Nous irons samedi prochain...

— Encore toute une semaine...

Plusieurs couples qui dansaient jusque-là, parurent sur la terrasse. Ils semblaient chercher Petra et Bornholm.

— Viens, dit-il, allons trouver ton père.

Le timbre du téléphone retentit ; Erika sursauta tirée d'un profond sommeil. Elle chercha dans l'obscurité le bouton de sa lampe de chevet, puis le récepteur du téléphone. Tout endormie encore, elle prit d'abord le récepteur à l'envers, puis, éveillée, répondit d'une voix nette :

— Dr Werner.

Elle regarda la pendulette sur sa table de chevet : près de minuit. Un accident ?

— Qu'est-ce qu'il y a ?

— Ici, Veller.

Le Dr Veller était ce soir-là de service à la salle d'urgence. Il avait travaillé plusieurs fois, en qualité de deuxième assistant, avec Erika, lorsque Bornholm opérait, et il était spécialiste des « enclouages ».

— Excusez-moi de vous avoir réveillée, très chère collègue, mais notre médecin-chef vient de m'appeler de la villa Rahtenau. Et ce qu'il m'a dit m'a semblé si important qu'il a fallu que je vous réveille. Il y a dix minutes, notre chef de clinique s'est fiancé officiellement avec la fille du Vieux.

— Le Dr Bornholm ? demanda Erika stupidement. (Son cœur s'arrêta de battre un instant.) En quoi cela me regarde-t-il ? Si vous voulez faire une collecte pour offrir un bouquet, vous auriez pu m'appeler demain matin.

Elle raccrocha le récepteur sur l'appareil et tira sa couverture jusqu'au menton.

« Alf s'est fiancé il y a dix minutes. Bien sûr. Il en a le droit. Que signifie, après tout, qu'on emmène une jeune collègue dans la montagne, qu'on lui montre son chalet, et qu'on soit si amical vis-à-vis d'elle que son cœur se gonfle à éclater?

Tout cela n'engageait à rien. Il n'avait jamais montré qu'il voyait autre chose en elle qu'une future collaboratrice. Il avait été correct, presque *trop* correct. Il avait dormi comme un chien, couché sur les toisons de moutons, au lieu de s'étendre auprès d'elle dans le grand lit, où il y avait place pour deux. Elle s'était réveillée un instant pendant la nuit et l'avait regardé, couché sur le sol. « Pourquoi ne vient-il pas? avait-elle pensé, presque déçue. Suis-je donc si insignifiante, si quelconque, si peu séduisante, qu'il dorme sur le sol au pied du lit, au lieu d'y venir auprès de moi? »

Il n'y a qu'à effacer ses illusions. Erika appuya son visage entre ses deux mains. Elle ne s'aperçut qu'elle pleurait que lorsque ses larmes coulèrent le long de ses mains.

Comme elle n'arrivait pas à s'endormir, elle s'habilla et se rendit dans son service. Les deux dernières opérées dormaient sous leur tente d'oxygène. Elles étaient couchées dans un box à parois de verre que l'infirmière de nuit pouvait surveiller de tous côtés. Elle sursauta et leva la tête au-dessus d'un livre lorsque Erika entra doucement dans la première pièce.

— Tout va bien?

— Rien de spécial, docteur.

Erika regarda les deux patientes qui dormaient, chercha à dire quelques mots, et ne trouva rien à demander. Et pourtant elle avait le désir de rompre le silence autour d'elle, d'entendre une voix humaine. Elle quitta la salle de veille et courut dans les couloirs, inquiète, fuyant devant quelque chose qui la poursuivait, et plus rapide que sa fuite.

Ce fut presque un soulagement lorsque dans le bloc opératoire tous les signaux d'alarme s'éclairèrent en rouge et bourdonnèrent :

« Tous les médecins de garde à la salle d'opération nº 3. Vite, il y a une urgence. »

Erika monta l'escalier en courant. Devant la grande porte vitrée elle rencontra le Dr Veller, le médecin de service à la salle des urgences.

Il avait déjà attaché son tablier de caoutchouc et attendait l'ascenseur qui amenait les blessés.

— Une belle cochonnerie, chère collègue, dit le Dr Veller. Un accident d'auto. Quatre personnes. Ils se sont écrasés contre un mur. Ils étaient soûls naturellement. Deux jeunes types et deux filles qui ont à peine dix-sept ans. Après l'opération — s'ils survivent —, ils mériteraient d'être fessés trois fois par jour pendant des semaines.

L'ascenseur arriva. Les infirmiers sortirent les chariots. Quatre jeunes gens inconscients, couverts de sang. L'une des jeunes filles gémissait, évanouie.

— Un éclatement de la rate, dit le Dr Veller qui suivit les quatre chariots jusqu'au bloc opératoire. Le premier type...

Il se tut, mais Erika comprit ce qu'il ne dirait pas. Si Bornholm possédait déjà son sérum synthétique... peut-être...

— Faut-il que j'aille chercher le Dr Bornholm ? s'écria Erika.

— Au beau milieu de ses fiançailles ? (Le Dr Veller secoua la tête.) Que pourra-t-il de plus ? Mais si ça vous fait plaisir que je l'appelle... je le ferai.

— Ne dites pas de sottises !

Erika se détourna et entra dans la salle de pré-narcose, où deux autres médecins étaient déjà en train de se laver les mains. Même la vieille instrumentiste de la salle d'opération avait relevé ses manches, et se savonnait les mains et les avant-bras.

On allait opérer en même temps aux deux tables. Aucun des blessés ne pouvait attendre. Les infirmiers les avaient dévêtus, lavés, et sanglés sur les tables d'opération lorsque l'équipe de chirurgie entra.

— D'abord l'éclatement de la rate, dit Veller. (Il fit

36

signe à la deuxième équipe :) Et vous autres, l'amputation de la jambe.

Il regarda l'horloge pneumatique sertie dans la paroi de faïence :

— 1 heure du matin. Mes enfants, nous ne nous coucherons plus cette nuit...

Le lendemain matin le Dr Bornholm ne vit pas Erika Werner, lors de sa visite dans le service. Une stagiaire lui présenta le rapport. Surpris, il se retourna vers l'infirmière de la salle.

— Est-ce que le Dr Werner est souffrante ?

— Elle a fait deux graves opérations cette nuit. Elle dort encore. Faut-il la réveiller ?

— Non, bien sûr. Laissez-la se reposer. Mais j'ignore tout de ces opérations.

— Quatre accidents, monsieur. Comme on opérait en même temps aux deux tables, Veller a convoqué à la salle d'opération tous les médecins de garde.

— Pourquoi ne m'a-t-on pas appelé ? On savait où m'atteindre.

— Nous n'avons pas voulu vous appeler au milieu de vos fiançailles — mes cordiales félicitations, monsieur.

— Tout l'hôpital le sait donc déjà ?

Bornholm enfonça ses mains dans les poches de sa blouse blanche. Une corbeille de fleurs dans son bureau. Des fleurs dans toutes les salles. A la cantine, il faudrait qu'il offre une bouteille de cognac... Qui donc avait répandu la nouvelle ?

L'infirmière haussa les épaules en souriant :

— Ce genre de nouvelles vole plus vite que le son, monsieur.

— Comme si c'était capital !

Il parcourut le service, regarda rapidement les malades, fit changer un pansement, et quitta le groupe des assistants qui l'avaient suivi de salle en salle. Il attendit dans l'escalier que le groupe des jeunes médecins fût parti, fuma une cigarette, errant çà et là.

Puis il monta lentement jusqu'à la chambre d'Erika

Werner, frappa à la porte, et n'entendant pas de réponse, entra tout simplement.

Les rideaux étaient encore tirés. Erika était couchée sur le côté et dormait. Une jambe dépassait de la couverture, une longue jambe svelte, et de jolis orteils laqués rouge.

Le Dr Bornholm s'assit près de la fenêtre et contempla la jeune dormeuse. Cette étrange fissure en lui-même se creusa de nouveau. Il eut soudain le désir de donner une explication à Erika Werner. Non qu'il ait le sentiment de l'aimer et d'avoir à s'excuser de ses fiançailles — non, ce n'était pas ça. Il avait connu un instant, dans le chalet, où il était prêt à traiter Erika comme toutes les filles qu'il avait emmenées dans la montagne solitaire. Il avait même, pendant le trajet, pensé à ce genre d'aventures, « d'aimables diversions », comme il les appelait. Il n'était rien resté de ces préméditations secrètes lorsqu'il avait vu la joie quasi enfantine d'Erika, la confiance qu'elle lui témoignait, la candeur naturelle, si différente de l'attente tendue qui se manifestait dans les regards, les gestes, les corps des précédentes visiteuses.

Erika se retourna sur le dos, poussa un soupir, étendit les bras et s'éveilla.

Son premier regard tomba sur le visage pensif de Bornholm. Elle tressaillit et tira la couverture jusqu'à son menton.

— Qu'est-ce que vous faites ici ? demanda-t-elle avec plus de rudesse qu'elle ne l'aurait voulu. Comment êtes-vous entré ?

— Par le trou de la serrure. On dit qu'un chameau passe plus facilement par le trou de la serrure...

— Qu'est-ce qui vous prend ? C'est d'ailleurs le chas d'une aiguille, et non le trou de la serrure...

— Je ne vous ai pas vue à la visite. Je sais, je sais, vous avez opéré deux fois cette nuit, continuez à dormir. (Bornholm joignit ses deux mains :) Par ailleurs, je voulais vous dire que Koko se porte bien, il reconnaît maintenant sa banane.

— J'en suis contente. (Erika regarda sa petite pendule, il était près de midi.) Si j'étais habillée, je vous féliciterais, dit-elle d'une voix qu'elle s'efforçait de garder indifférente. Je me rattraperai plus tard...

— Mademoiselle Werner, dit Bornholm en regardant ses mains, je voudrais vous dire, à propos de ces fiançailles...

— Pourquoi ? Tous mes souhaits de bonheur — je me réjouis avec vous.

— Pourquoi mentez-vous ?

— Je ne mens jamais ! Je n'ai jamais dit un mot qui ne soit pas vrai. Je hais les mensonges...

— Alors vous avez commencé aujourd'hui à oublier cette haine.

Erika baissa les yeux. Impossible de regarder Bornholm plus longtemps sans risquer de perdre la fière attitude qu'elle s'efforçait de garder.

— Je voudrais m'habiller. Soyez gentil de sortir.

Bornholm se leva aussitôt.

— J'ignore pourquoi je le fais, mais il faut que je parle avec vous de ces fiançailles.

« Il ignore, pensa Erika avec amertume. Bien sûr qu'il ne le sait pas. Que suis-je à ses yeux ? »

— S'il vous plaît... dit-elle en posant un pied par terre.

Bornholm quitta la pièce. Mais il n'attendit pas devant la porte, ou dans l'escalier. Il monta dans son bureau et but un verre de cognac. Puis, au bout de vingt minutes, il téléphona à Erika.

— Puis-je vous voir ce soir ?

— Moi ? mais pourquoi donc ?

La voix d'Erika était troublée.

— Nous pourrions aller voir un film.

— Si cela vous intéresse, monsieur.

— Nous avons encore à étudier les détails de notre collaboration.

— Au cinéma ?

— Après, en buvant un pot.

— N'est-ce pas une façon assez insolite...

— Dites oui, je vous en prie, supplia-t-il.

— Oui.

Craquement dans l'appareil. Erika avait raccroché. Bouleversée, elle se tenait près de la fenêtre et regardait les malades se promener dans le jardin ; les uns avec une canne ou des béquilles, d'autres dans des fauteuils roulants poussés lentement au soleil.

Elle était fâchée d'avoir accepté, et cependant heureuse à l'idée de voir Bornholm ce même soir, d'être assise à côté de lui, d'entendre son souffle, sa voix, de sentir sa présence. Au cinéma, elle regarderait en secret de côté. Elle guetterait son profil net. Et elle ferait des souhaits délicieux, insensés.

Toute la journée, Erika évita de rencontrer Bornholm. Elle s'occupa de ses malades, s'assit à leur chevet et parla avec eux, se fit raconter leurs petits et leurs grands soucis, et consola les désespérés.

Et en dépit des souffrances diverses qui l'entouraient, elle avait envie de crier : « La vie est belle ! si belle ! »...

Dans l'après-midi le téléphone sonna dans le bureau de Bornholm.

— Une communication personnelle, monsieur, dit la secrétaire, faut-il vous la passer ?

— Une femme ? demanda Bornholm, alarmé.

— Naturellement, monsieur.

La voix de la secrétaire était presque offensée.

— Passez-la-moi, ma petite Schneider.

— Avec enregistrement ?

— Non, sans.

Quelques craquements, puis Bornholm entendit une voix de femme agitée, inquiète. Les bruits qui l'accompagnaient révélaient qu'elle téléphonait d'une cabine publique, quelque part en ville.

— Alf ? disait la voix, Alf ? Ici Helga.

— Helga, mon petit chat !

Bornholm s'assit et tira une cigarette du paquet qui était sur la table. Il l'alluma avec son briquet et souffla la fumée dans le récepteur. Son front se creusait d'une ride profonde. «Helga, pensait-il, bien sûr, il y a elle, aussi... »

— Comment vas-tu ? Où es-tu en ce moment ?

— Tu m'as laissé tomber quinze jours, Alf ! Pendant quinze jours tu n'as pas...

— Mon travail, chérie. Des opérations, des diagnostics, des conférences, un congrès avec le Vieux, je ne sors plus de l'hôpital. Tu ne te doutes pas de tout ce qui me tombe dessus. Et puis mes recherches...

Il soupira très fort, comme épuisé.

— Tu m'as oubliée...

— Mais comment l'aurais-je pu, mon petit ? (Bornholm fumait avec hâte.) Ta bouche caressante...

— Alf !... on eût dit un cri étouffé.

Bornholm regarda le récepteur d'un air surpris.

— Il faut que je te voie aujourd'hui, absolument, de toute urgence. Je t'en prie, ne me dis pas que tu n'as pas le temps, sinon je viens à l'hôpital. Il faut que je te parle. Je suis désespérée. Je ne sais plus que faire. J'ai besoin de toi, Alf, tu entends, il *faut* que je te voie, il le faut.

Bornholm fit une moue. «Helga Herwarth, pensa-t-il, boucles brunes. Type méridional. Fille d'un architecte. Vingt-trois ans. Ardente comme une tigresse, mais ennuyeuse au bout d'un mois. »

— Bon, dit-il à contrecœur. Si c'est tellement urgent. J'avais d'ailleurs, moi aussi, du nouveau à te dire.

Il pensait mettre fin à sa liaison avec Helga en lui annonçant ses fiançailles. Il y aurait beaucoup de larmes, beaucoup de désespoir feint. Il le savait. Mais après, tout serait fini, et il serait libéré de son passé.

— Je viendrai ce soir vers 21 heures au Restaurant du Parc. Je t'attendrai dehors dans le jardin.

— Pourquoi donc ? nous dînerons ensemble...

— Non ! je ne veux pas voir une âme aujourd'hui. Je ne veux que parler avec toi. Toi seul. Tout seul ! Tu viendras sûrement ?

— Mais oui ! cria-t-il avec impatience, qu'est-ce que tu as Helga-Minet, tu es si excitée.

— A ce soir, au revoir Alf.

Hochant la tête, Bornholm replaça le récepteur. «Toutes les femmes de ce type sont ennuyeuses au bout d'un mois, pensa-t-il. Elles se ressemblent toutes étrangement.» Il sonna le service 3, et attendit qu'Erika Werner vienne à l'appareil.

— Ici, Bornholm. Vous êtes seule dans la pièce, mademoiselle Werner ?

— Oui.

— A l'instant le Patron vient de me porter un coup bas : il faut que je me rende à sa place à une réunion de délégués de firmes de pharmacie. Ce soir, comme par un fait exprès. Nous ne pourrons donc pas aller au cinéma. Nous le remettons à demain. Vous êtes très fâchée, chère collègue ?

— Ça n'aurait aucun sens, et ne changerait rien à la chose. Alors à demain, monsieur.

Bornholm s'adossa à son fauteuil et mit sa main sur ses yeux. Il était las. Parfois il se sentait comme consumé. «Est-ce qu'à trente-sept ans on est déjà vieux?» pensait-il en ces minutes de défaillance. Puis une colère insensée contre lui-même s'emparait de lui, et il se jetait dans une nouvelle aventure pour se prouver à lui-même qu'il était encore jeune.

C'était s'abuser soi-même, prendre un stupéfiant, et le réveil qui suivait était affreux.

Dans le parc du «Parkhaus», un des meilleurs restaurants de la ville, Helga Herwarth attendait dans l'ombre d'un thuya. Lorsqu'elle aperçut Alf Bornholm dans l'allée de gravier, elle courut à lui et lui jeta les bras au cou. Elle ne lui donna pas le baiser auquel il s'attendait mais se mit à pleurer désespérément, cramponnée à lui, comme si elle se noyait dans ses larmes.

— Alf, balbutiait-elle, Alf... c'est terrible... je ne sais plus que faire ! Il faut... que tu te maries avec moi.

Le Dr Bornholm lui donna de petites tapes dans le dos, comme on calme un cheval excité en lui flattant la croupe. «Nous marier ! pensait-il. Ah ! nous y

42

voilà. Une petite scène. Son père se sera aperçu de quelque chose... je ne peux plus vivre sans toi... je me tuerai. » Il connaissait tout cela par cœur, et il s'était toujours tiré avec élégance des illusions de toutes ces filles séduites sans promesses.

— Ecoute ma jolie...

Il s'apprêtait à lui faire un petit cours de morale, mais Helga Herwarth secoua la tête avec violence.

— Pas de grands mots, Alf. Ils ne servent plus à rien ! Je... j'attends un enfant.

Bornholm arrêta aussitôt ses caresses, un frisson le parcourut : un enfant ! Impossible !...

— Tu dois te tromper, dit-il, la voix rauque.

— Non. C'est une certitude. Je suis allée chez le médecin... Personne ne le sait encore... mais d'ici un ou deux mois... lorsque ça se verra. Il faut que tu te maries tout de suite avec moi, Alf.

Bornholm réfléchit. Le chalet à la montagne. Helga avait une robe bleu pâle, il s'en souvenait exactement. Ils avaient bu du malaga... ils étaient restés deux jours au chalet — deux jours et deux nuits de folie. Ils ne pouvaient pas retourner dans la vallée parce que la tempête faisait rage et les eût balayés dans le ravin. Bornholm se frotta les yeux. Sa situation était désespérée, il s'en rendait compte. Si Petra Rahtenau apprenait qu'une autre jeune fille... c'était non seulement les fiançailles rompues et la perte de la faveur de Rahtenau, mais c'était en même temps la ruine complète de sa carrière.

— Je ne peux pas me marier avant d'être professeur, dit-il, essayant de la calmer. Tu le sais bien. Il faudra attendre jusque-là.

— Mais l'enfant, Alf. Il n'attendra pas, lui...

— Mais il n'est pas certain encore que tu sois...

— Mais si, c'est certain. (La voix de Helga était enrouée. Elle saisit Bornholm aux épaules :) Et il faudra que tu fasses quelque chose...

— Faire quelque chose — que veux-tu dire ?

— Tu es médecin...

— Helga ! (Bornholm écarta brusquement le bras de la jeune femme. Il était devenu blême et recula d'un pas, comme s'il pouvait creuser un gouffre infranchissable entre eux.) Tu es surexcitée et tu ne sais plus ce que tu dis. Il faut réfléchir sérieusement...

— N'est-ce pas assez sérieux ? s'écria Helga. J'attends un enfant, tu ne peux pas te marier avec moi — je n'ose même pas penser à ce qui arrivera chez moi. Qu'est-ce qui nous reste d'autre à faire que ce que toi, chirurgien, tu peux faire en te jouant.

— Pas question, dit Borholm avec dureté.

Helga recula de quelques pas et s'adossa à un tronc d'arbre.

Il s'était effectivement creusé un gouffre entre eux, un gouffre que survolaient leurs voix, mais qui les séparait définitivement.

— Tu ne veux pas le faire, dit-elle à voix basse.

Sa voix soudain était devenue tendue. Bornholm sentit le danger qui le menaçait, un danger qu'on ne pouvait plus écarter avec des paroles. Helga se trouvait dans un état de désespoir qui échappait à tout argument ou réflexion raisonnable.

— Ecoute, recommença-t-il.

Mais la petite main de Helga eut un geste négatif :

— Si tu n'interviens pas, je ferai un scandale ! J'irai voir ton patron et je le crierai dans tous les couloirs de l'hôpital, et quand tout le monde sera au courant, je prendrai du gardénal.

Elle ne le cria pas avec véhémence, elle le dit sans passion, presque comme un détail sans conséquence, d'une voix atone, éteinte. Bornholm comprit qu'elle parlait sérieusement. Quiconque peut envisager de pareilles monstruosités avec cette tranquillité est sans doute prêt à les mettre à exécution.

— Tu es trop agitée pour parler raisonnablement, dit Bornholm, contraint. Allons d'abord manger quelque chose.

— Je suis tout à fait calme. Tu ne le vois donc pas ? (Helga avait mis les mains derrière le dos et enfonçait les ongles dans l'écorce de l'arbre auquel elle s'appuyait.) Vas-tu m'aider ou non ?

— Je t'aiderai. Mais pas comme tu le désires.

— Il n'y a pas d'autre aide possible. Si tu m'épousais...

— Helga, je t'ai déjà dit...

— Je sais, je sais, dit-elle en hochant la tête comme une marionnette, il faut d'abord que tu sois professeur. Crois-tu que j'ignore que l'âge minimum d'un professeur est de quarante-cinq ans ? C'est-à-dire que notre enfant aurait sept ans. Je vais te dire ce qu'il en est : Tu en as assez de moi. Tu ne m'as jamais aimée. Ces jours et ces nuits passés auprès de toi, c'étaient pour toi des distractions, pour moi c'était beaucoup plus... c'était la grande aventure, la réalisation d'un rêve, le don total de soi... Peut-être qu'intérieurement ça te fait rire... tu peux rire. Je sais aujourd'hui que tu n'es qu'un salaud.

— Helga ! protesta Bornholm.

— Et comme tu es un salaud, continua-t-elle imperturbablement, je te demande d'agir en salaud. Un salaud en blouse de médecin. Tu vas m'aider à empêcher que cet enfant vienne au monde.

— Non ! dit Bornholm assez fort et d'un ton définitif.

— Comme tu voudras. Je n'ai rien à perdre. J'ai déjà perdu mon bonheur. Je quitterai la maison paternelle, et j'aurai le courage de me tuer !

— Ne dis pas tant de sottises ! cria soudain Bornholm.

Le calme étrange de la jeune femme brisait sa propre force. Il était envahi d'angoisse.

— Quant à toi... ton nom célèbre sera effacé. Le Dr Bornholm, l'homme qui a planté là une femme, laquelle s'est tuée à cause de lui. Il ne se trouvera pas un chien qui accepte de toi un morceau de pain. Crois-tu qu'un hôpital choisisse jamais un médecin-chef auquel s'attache cette souillure ? Pas un étudiant qui t'accueille par des applaudissements à la salle de cours... Non, on dira « Regardez-le, mes enfants, c'est lui qui a contraint la petite Herwarth au suicide, et il joue aujourd'hui les professeurs de morale ! ».

— Quelle garce tu es ! dit Bornholm à voix basse.

Il savait que Helga avait raison en tous points. Si dans les milieux universitaires ce scandale était révélé, il n'était plus qu'un homme fini.

— Il n'y a plus aucune considération à avoir. Pour qui ? pour toi ? (Elle rit, et elle voulait être méchante, mais ce fut plutôt un cri de bête blessée.) Faut-il que la maîtresse abandonnée se réjouisse d'avoir reçu de toi pareil « souvenir » ? Quand je me rappelle tout ce que tu m'as dit pendant ces nuits où la tempête faisait rage dans la montagne, et où nous étions serrés l'un contre l'autre, dans le chalet...

— Pourquoi revenir là-dessus... ?

— Il le faut ! cria-t-elle d'une voix aiguë. J'ai eu confiance en toi, j'ai cru ce que tu me disais : « Je t'épouserai quand je serai professeur... Tu es la seule femme que j'aime... Je rêve de toi les yeux ouverts. Quand je regarde une femme, c'est soudain ton visage que je vois... » Oui, voilà ce que tu m'as dit et je t'ai cru. J'ai cru à toutes tes paroles. Sais-tu ce que c'est lorsqu'une femme s'éveille de ces rêves et se voit couchée nue sur un glacier ? Elle se met à haïr. Cette haine grandit et devient une montagne qui entre dans le ciel. C'est une haine qu'aucun déluge ne peut éteindre. Que pourrais-tu faire contre cette haine ? Rien ne l'arrêtera que la mort...

Elle s'avança de nouveau tout près de lui, les cheveux défaits, les yeux étincelants, un beau visage, mais crispé de colère :

— Eh bien, vas-y ! Tue-moi ! C'est pourtant une solution. Etrangle-moi, je ne bougerai pas. Personne n'entend, personne ne voit que je discute avec toi. Demain on trouvera mon corps dans un buisson — et si tu déchires mes vêtements, on dira : la pauvre ! elle a été victime d'un satyre. Ce serait le crime parfait ! Fais-le donc, espèce de lâche. Vas-y ! Ce serait la double solution pour moi et pour toi.

Bornholm baissa la tête ; il lui semblait qu'un courant glacial coulait dans son cerveau, que son cœur allait geler.

— Viens samedi soir à l'hôpital, dit-il d'une voix sourde, à 11 heures. Je t'attendrai à l'entrée de mon labo. C'est la sixième porte. Je la laisserai entrouverte. Le chemin contourne le pavillon de chirurgie jusqu'à la maison derrière. J'y serai...

— Tu le feras ? demanda Helga Herwarth.

Elle l'entoura de ses deux bras. Les grands ongles s'enfoncèrent dans la peau de Bornholm à travers le tissu de son vêtement.

— Je vérifierai d'abord si c'est exact, dit-il. Ensuite nous verrons...

Il s'efforça de vaincre la panique qui montait en lui. Il sortit son mouchoir, essuya les larmes de Helga et les traces de désespoir sur son visage. Puis il se maîtrisa, lui baisa les paupières, lui caressa le cheveu, tout en pensant soudain : « Pourvu que tout aille bien. Que tout se passe bien. »

— Viens, dit-il d'une voix ferme, allons au Parkhaus ; mangeons quelque chose. Comportons-nous comme des gens raisonnables. Il y a des problèmes plus graves qu'un enfant...

— Pas pour moi ! dit Helga. (Elle arrêta Bornholm en le tenant par la main :) Pourquoi ne m'aimes-tu pas ?

— Helga, je...

— Pourquoi ?

— Tu t'imagines que je... ?

— Tu mens ! Je sais que tu mens ! Je suis allée au chalet...

Bornholm retira violemment sa main :

— Tu y es allée ?

— J'ai forcé la porte. Tu y es allé il n'y a pas longtemps avec une femme. Il y avait deux verres dans le coin-cuisine, deux tasses à café, des traces de rouge à lèvres sur les serviettes de toilette...

« Erika Werner, pensa Bornholm. Une nuit innocente. » Mais il n'avait pas envie d'en parler. D'ailleurs il n'avait pas à rendre de comptes.

— Qui était-ce ? demanda Helga Herwarth.

— Qu'as-tu besoin de savoir son nom ? Viens.

— Tu l'aimes ?

Elle résista comme il essayait de l'entraîner. Elle se raidit comme un cheval rétif, et se planta plus fortement sur le sol.

Bornholm leva la tête et regarda le ciel. Une nuit de clair de lune. Les étoiles scintillaient dans l'immensité noire. Plus on regardait, plus on voyait apparaître des points lumineux jaillis de l'infini.

— Je ne sais pas, répondit Bornholm honnêtement.

— Elle est jolie ? Plus jolie que moi ?

— Non.

— Mais elle a un plus beau corps ?

— Non.

— Néanmoins, tu l'as emmenée au chalet. Qu'est-ce qui te plaît en elle, dis-le-moi.

— Je ne sais pas. Elle est gentille, intelligente, aimable, bonne camarade. Il lui manque tout ce dont les amoureuses frénétiques dans ton genre usent pour affoler les hommes. Elle est toute différente... simplement humaine. Est-ce que tu comprends ?

— Oui. Mais tu ne t'es jamais occupé de l'être humain. Ou bien c'étaient des cas que tu avais opérés, ou des figurantes que tu avais achetées avec du charme, de l'alcool, ou de l'argent. Tout d'un coup, voilà que tu t'intéresses à une personne humaine. Nouvelle marotte du grand savant.

— Tu ne comprendras jamais, Helga...

Bornholm avala sa salive ; il avait un goût amer dans la bouche. Une nausée invincible.

Il regarda Helga Herwarth, debout dans le clair de lune, grande, svelte, ses cheveux noirs flottant jusqu'aux épaules, un visage de madone espagnole, mais le regard brûlant d'une gitane de Grenade. Lorsqu'il l'avait rencontrée quelques mois auparavant à une réunion d'artistes, il en avait presque perdu la raison. Il l'avait poursuivie inlassablement, il avait joué le rôle du clown, du gentleman, de Paillasse, et du grand-duc. Il avait

48

dansé avec elle à en avoir la crampe dans les mollets. Il avait mis sept semaines à la conquérir, jusqu'à ce qu'elle tombât entre ses bras. Une tigresse qui lui déchirait la peau avec ses ongles, qui ne connaissait plus ni les heures ni les jours... une folie ardente qui l'avait presque consumé. Qu'en restait-il ? Un souvenir, un goût amer sur la langue, un scandale qui l'obligeait à faire quelque chose qu'il n'eût jamais voulu entreprendre si on le lui avait demandé plus tôt. Et la haine demeurait. La haine entre eux deux : une haine mortelle.

— Allons, viens, à la fin, dit-il un peu brutalement en l'entraînant. Ce que nous avions à nous dire est dit. Ne continue pas à gâcher cette soirée, tiens-toi pour satisfaite que tout se passe comme tu le veux.

— Tu ne mens pas ? Tu ne me mènes pas en bateau ? Tu le feras vraiment ?

— Oui !

— Et une fois que tu l'auras fait, je ne veux plus jamais, jamais te revoir !

Elle le lui cria, comme si elle voulait le renverser. Bornholm fit un signe d'assentiment :

— Cela vaudra mieux. Et tu te tairas, car tu sais que la faute pèsera sur nous deux...

— Nous sommes liés à jamais l'un à l'autre, pour le pire...

— Que veux-tu dire ?

Il s'arrêta et la dévisagea. Il sentait de nouveau la crainte l'envahir que cette soirée détruise sa vie entière.

— Je te tiendrai toujours par cette faute, Alf...

Les yeux de Helga étincelaient. La pensée de la dépendance où serait Alf dominait tout, même la haine.

— Il faudrait te tuer, dit Bornholm d'une voix morne. Si l'on n'était pas si follement lâche...

Lentement, les bras enlacés, comme un couple heureux, ils sortirent du parc et entrèrent au restaurant. Les grands candélabres du perron les baignèrent de lumière. Bornholm jeta un regard sur Helga. Son visage ne trahissait plus rien de sa grande agitation : il était triomphant.

« Elle croit qu'elle me tient par le crime que nous commettons tous les deux. » Il avait la nausée à l'idée que Rahtenau pourrait apprendre quelque chose, ou Petra, l'hôpital, les médecins, les étudiants, et Erika Werner.

— Qu'est-ce que tu as ? demanda Helga.

Ses longs cheveux noirs flottaient au vent nocturne qui sifflait autour du Parkhaus — une magnifique, une dangereuse sorcière...

— Rien.

— Le grand Bornholm a peur ! (Elle eut un rire provocant.) Si le monde le savait...

— Tais-toi ! siffla-t-il.

Des clients arrivaient au perron. Il lui serra le bras si fort qu'elle eut le visage crispé de douleur.

— Faut-il que je crie ? susurra-t-elle.

Alors il lui lâcha le bras et la suivit dans le restaurant comme un chien battu.

Trois jours durant Erika ne vit pas le médecin-chef. Il opérait avec le Patron. Le deuxième médecin-chef faisait la visite. Bornholm ne parut pas davantage au labo. Le vieux gardien de la ménagerie n'en revenait pas.

— Ce n'est jamais arrivé, assura-t-il. Dès qu'il avait un instant, il venait ici. Koko est malheureux.

A plusieurs reprises, Erika fut tentée de téléphoner. Elle y renonça. « Il a maintenant d'autres préoccupations, pensa-t-elle avec amertume. Il est fiancé. Dès qu'il a un instant, il le passe auprès de cette Petra, et non plus avec les cobayes, les rats et les singes. Et moins encore avec une obscure assistante, pas plus séduisante que mille autres filles... » Mais elle était pleine d'amour refoulé dont elle ne pouvait se défendre, bien qu'elle sût que c'était absurde.

Soudain, Bornholm fut devant elle. Après un coup discret, il était entré dans la pièce et avait refermé la porte derrière lui.

Son visage avait sensiblement vieilli au cours de ces trois jours. Il était jauni et tout sillonné comme un

50

parchemin froissé. Les tempes grises se détachaient clairement ainsi que son profil aigu. Erika se rappela le surnom donné à Bornholm par les assistants, « le Grec de Hanovre », c'est ainsi qu'elle avait appris qu'il était né à Hanovre.

— Monsieur ? demanda Erika Werner en se redressant sur son divan. Quelque chose de spécial ?

— Oui. (Bornholm demeura adossé à la porte.) Nous ne nous sommes pas vus depuis longtemps.

— Trois jours. Est-ce longtemps ? Tout va bien dans le service. Deux nouvelles opérées dans la salle d'observation. La vésicule biliaire...

— Vous avez été fâchée contre moi, n'est-ce pas ?

— Ce serait déplacé de la part d'une assistante.

— J'ai été très occupé...

— Je sais.

Erika se leva et sortit du vase qui était sur la table un bouquet de fleurs des champs qu'elle tendit à Bornholm. L'eau dégouttait des tiges sur le tapis de corde :

— J'oubliais de vous féliciter. Puis-je me rattraper ? Mes meilleurs vœux à l'occasion de vos fiançailles...

Bornholm prit le bouquet ruisselant et le jeta dans un coin de la pièce. Son visage était plus creusé encore.

— Mademoiselle Werner, je suis venu afin de m'expliquer avec vous...

— Encore ? Pourquoi donc ?

Erika se détourna, ramassa le bouquet jeté par terre, rassembla les fleurs éparses et les remit dans le vase.

Bornholm, adossé à la porte, regardait Erika tandis qu'elle arrangeait les fleurs, les mains tremblantes.

— Vous m'enviez, comme tous les autres ?

— Vous envier ? Pourquoi donc ?

— Parce que je suis chargé de cours à la Faculté, que je me suis fait un nom comme opérateur ; que je suis premier chef de clinique à l'hôpital de l'Université, que je serai le gendre du Patron. J'ai franchi toutes les étapes. Qu'est-ce qu'on pourrait vouloir de plus ? Tout ce qu'un homme de mon âge peut atteindre, je me le suis gagné. Par mon zèle, par mes capacités, par ma désinvolture — oui, il y en a eu aussi —, par mes applaudissements empressés aux patrons... Et vous ne m'enviez pas ?

— Non.

— Alors vous êtes plus intelligente que je le croyais, chère collègue. Car ceux qui m'envient sont des idiots aveugles. (Il passa sa main sur son visage défait. Un geste d'impatience qui effraya Erika.) Savez-vous combien je me sens solitaire ?

— C'est à votre fiancée qu'il faut dire cela, monsieur.

— Elle ne le comprendrait jamais.

— Et vous pensez que moi je le comprendrais. Pourquoi donc ?

— Je ne sais pas. (Il haussa les épaules.) Pouvez-vous m'expliquer pourquoi vos mains tremblent en ce moment ?

— Oui, mais je ne le veux pas, dit-elle d'une voix dure de refus, comme si elle s'abritait derrière une cuirasse et cachait ses sentiments sous une enveloppe impénétrable.

— J'essaie toujours de tout expliquer. Je n'ai jamais capitulé devant l'inconnu. Et il m'a fallu trois jours pour me rendre compte qu'il y a d'autres liens entre nous que la collaboration dans la recherche hématologique.

— Vous vous trompez peut-être, monsieur...

— Oui, quand on se ment à soi-même. C'est bien ce qui précipite l'homme dans de nouveaux conflits et lui rend la vie si difficile. Il se ment toujours à lui-même. Il n'est jamais prêt à s'avouer l'entière vérité, il cherche à l'atténuer, à la diluer, parce que la vérité est si incommode ! Mais il faut qu'il en soit ainsi, car si nous ne nous mentions pas à nous-mêmes, si nous ne nous faisions pas violence moralement, nous créerions le chaos autour de nous. L'ordre moral, en ce monde, c'est le mensonge.

— Nietzsche n'eût pas mieux dit.

— Comprenez-vous que je suis solitaire ? insista Bornholm, comme si toute sa vie future dépendait de la réponse d'Erika.

Elle écartait les fleurs dans le vase et n'osait pas regarder Bornholm : il pourrait interpréter son regard qui exprimerait plus qu'elle ne voulait laisser voir. Elle en avait peur. « Comme il a raison ! pensait-elle, seul le mensonge à nous-mêmes nous tient debout. Sinon, je me jetterais au cou d'Alf et je crierais : je sais que c'est insensé, mais je t'aime, je t'aime... je n'y peux rien. »

— Et pourquoi seriez-vous solitaire ? demanda-t-elle.

— La vie est répugnante, vulgaire, affreuse. Un cloaque dans lequel nous nageons et tenons péniblement la tête à la surface, pour ne pas nous noyer...

— Vous parlez comme un élève de philosophie, amoureux transi, qui se nourrit de Hölderlin et de Byron, et périt de romantisme.

— Plus un homme avance en âge, plus son âme souffre les angoisses de la puberté, et avant qu'il en ait fini, l'homme vieillit et meurt.

Bornholm se détacha de la porte et entra dans la pièce.

Erika passa de l'autre côté de la table.

— Il faut que demain je retourne voir notre fermier, le géant qui a la mort dans le corps. Je voulais vous inviter à venir avec moi.

— Si vous avez besoin de moi, monsieur...

— Oui ! j'ai besoin de vous ! s'écria-t-il.

— Faut-il que j'emporte mon pyjama, pour le chalet ?

Bornholm regarda Erika comme une bête blessée. Il se détourna et, sans mot dire, quitta la pièce. Lorsqu'il eut fermé la porte, elle cacha son visage dans ses mains et pleura.

— Que c'est mal ! balbutiait-elle, que c'est mal de ma part. Mais je ne me jetterai pas à son cou — quand bien même cela me rendrait si heureuse...

Quelques minutes plus tard, le timbre du téléphone résonnait. Erika prit le récepteur :

La voix du Dr Bornholm, calme, autoritaire, tout à fait celle du médecin-chef :

— Tenez-vous prête demain vers midi pour la visite au malade, mademoiselle Werner.

— Je le note, monsieur.

— Rien de spécial à signaler ?

— Non.

— Merci.

Erika raccrocha, couvrit le récepteur de sa main, et se penchant tout près, murmura : «Je t'aime.» Ce fut comme un soulagement ; toute sa mélancolie tomba. Elle se sentait libérée et étrangement heureuse.

Le géant, au carcinome mortel, les accueillit à nouveau à grands éclats de voix et avec une bouteille de gentiane. Il insista pour les garder à déjeuner, servit d'énormes quenelles de foie aux épices, un gigot rôti, un pudding à la crème et, de nouveau, deux grands verres de gentiane.

— C'est de la gentiane blonde ! rugit le paysan. A votre bonne santé !

Bornholm examina soigneusement cet ours. Il avait regardé les dernières radios avant de se mettre en route. Il palpait maintenant les indurations dans le foie. Les métastases se développaient inexorablement. Il eût été absurde de dire à ce géant qu'il ne fallait ni boire d'alcool ni manger abondamment. Pendant les quelques mois où il serait encore debout, il fallait lui laisser le plaisir de la bonne chère. Ce qui arriverait plus tard...

Le Dr Bornholm replaça dans sa sacoche l'appareil à tension, le stéthoscope et le marteau à percussion.

— Eh bien ! s'écria le géant, qu'est-ce que vous en dites ? Y a encore de la sève dans le vieil arbre, hein ?

Bornholm acquiesça :

— Continuez, je suis content de vous.

Le paysan leur donna encore un gros paquet de gâteaux, il leur fit des signes d'adieu vers la voiture, puis entra dans le hangar, pour fendre la provision de bois pour l'hiver. Ses muscles puissants saillaient sous sa chemise à carreaux.

Bornholm conduisait lentement vers les montagnes. Son visage s'était détendu. Plus ils se rapprochaient des pentes abruptes des sommets neigeux, plus il se montrait gai ; comme si une enveloppe qui l'étouffait était tom-

54

bée, et que tout à coup il respirait librement, que son cœur battait normalement.

Ils montèrent de nouveau par la sinueuse route de montagne et, traversant les nuées basses, émergèrent au soleil rayonnant, sous un ciel d'azur où deux aigles planaient silencieusement, les ailes grand ouvertes.

— Ici, l'humanité n'existe plus et je me sens à l'aise, dit Bornholm qui arrêta la voiture.

Il entoura soudain de son bras l'épaule d'Erika et l'attira à lui. Elle résista un peu, involontairement, par timidité naturelle.

— Que pensez-vous en ce moment, Erika ?

— Vous tenez à le savoir ?

— Oui.

— Oh ! si seulement nous étions arrivés au chalet ! Je ne peux pas regarder ces abîmes, ça me donne le vertige.

Bornholm rit tout haut et remit en marche :

— Créature prosaïque ! s'écria-t-il. Vous n'avez donc aucun sentiment romantique ?

— Non. Pas lorsque nous sommes au bord d'un précipice de mille mètres. A la rigueur, je pourrais devenir romantique si je me sentais en sûreté, dans le chalet, et regardais la vue depuis la fenêtre.

— Bon, alors vite au nid d'aigle !

Toutes choses étaient restées comme ils les avaient laissées. Il n'y avait que le cadenas décroché. Erika ne s'en aperçut pas, car Bornholm le mit promptement dans sa poche. Il craignait d'abord que Helga, dans sa fureur, n'ait saccagé la pièce. Mais il n'en était rien. Tout était à la place où ils l'avaient rangé. Seul le dessus de lit était froissé. Helga s'y était jetée en pleurant. Bornholm le lissa bien vite, tandis que dans le coin-cuisine Erika défaisait le gros paquet de gâteaux et disposait les tranches sur un grand plat.

Bornholm ouvrit la fenêtre. Dans le rayon de soleil filtrant des grains de poussière dansaient, que les pas de Bornholm avaient fait lever des toisons de mouton. Il ôta sa veste, retroussa ses manches de chemise et commença à pomper l'eau pour remplir le réservoir.

— Il faudra l'huiler! cria-t-il à Erika. Comme les articulations humaines. Savez-vous faire la cuisine? Si oui, prenez dans ma sacoche un paquet enveloppé de papier blanc. Ce sont deux steaks épais. Vous trouverez du beurre et de l'huile dans le frigidaire, et des oignons dans la boîte marquée «cacao». La poêle est sous le buffet. Je vais préparer notre douche...

Il continua de pomper, s'essuya le front perlé de sueur et regarda le cadran indiquant le niveau de l'eau dans le réservoir. Incroyable ce qu'il faut pomper longtemps pour obtenir cent cinquante litres.

L'après-midi passa comme un songe. La vallée était déjà dans l'ombre tandis que les cimes devenaient mauves. Les aigles revinrent, leur proie entre les serres; un lapereau et un rat. Erika les distingua très nettement avec les jumelles de Bornholm. Elle reposa l'instrument en frissonnant.

— Je crois que le lapereau est encore vivant...

— La vie est cruelle, mais pourquoi y penser en ce moment? Fermez la fenêtre. Ne laissons plus rien de mauvais entrer ici. Restons entre nous.

Puis la nuit les rejoignit. Elle s'étendait entre les rochers, noire, impénétrable, silencieuse... Un monde primitif les entourait, où ils étaient les seuls humains. On eût dit qu'ils venaient d'être créés parmi le désert sauvage de la terre. Quelques bougies dans les appliques en fer forgé éclairaient les murs et la table. La radio résonnait tout doucement, en sourdine. Mais la musique les pénétrait et chantait dans leurs corps. Etroitement enlacés, ils dansèrent dans la clarté vacillante. Erika avait rejeté la tête en arrière et, les lèvres entrouvertes, elle murmurait la mélodie, enivrée, délivrée de toutes résistances intérieures.

Bornholm serrait ce corps svelte contre le sien. L'alcool voilait sa vision et lui donnait en même temps une sensation de légèreté. «Mais elle est jolie! pensait-il, attirant Erika à lui. Elle est réellement jolie. Je ne m'en étais pas aperçu.»

Ses lèvres effleurèrent l'oreille d'Erika, glissèrent le

long de son cou jusqu'à son épaule. Erika se mit à rire, un rire inconscient qui lui semblait à elle-même étrange. Une sorte de roucoulement dont elle s'étonnait.

— Je crois que je suis ivre, s'écria-t-elle comme pour s'excuser. Je n'ai jamais bu autant de vin — de vin doux, délicieux. Tout s'embrume autour de moi, se brouille. Vous vous éloignez de moi, vous êtes comme une plume au vent. Tenez-moi serrée, sinon je vais m'envoler.

— Je n'y manquerai pas !

Bornholm se pencha sur elle et regarda ses yeux, et il vit, reflété dans ses grandes pupilles, un visage souriant et si exigeant qu'il lui fit peur, tant il révélait clairement son vouloir.

Tout en dansant, Bornholm conduisit Erika jusque dans l'angle où se trouvait le lit.

— Avons-nous encore un sol sous les pieds ? dit Erika en riant.

Elle s'appuya au bras de Bornholm lequel, les tempes battantes, sentait le corps de la jeune fille contre le sien.

— J'ai l'impression de flotter, murmurait-elle.

— Nous flottons en effet tous les deux. Nous nous éloignons du monde. Nous sommes très loin...

Le visage d'Erika se transforma, sa banalité avait disparu ; une lumière intérieure lui donnait une expression heureuse. Elle ferma les yeux et mit ses bras autour du cou de Bornholm.

— ... Au pays de l'oubli, dit-il d'une voix rauque.

Il lui baisa le visage avec une ardeur sauvage, comme s'il en prenait possession. Il ploya le corps d'Erika en arrière jusqu'à perdre l'équilibre et tous deux tombèrent sur le lit. Un instant, Erika eut la notion de la réalité, elle appuya ses deux poings sur la poitrine de Bornholm pour l'écarter. Elle se tortillait, se défendait avec ses poings contre un visage qui s'approchait d'elle, de plus en plus grand, comme une lune qui tombait sur elle dans une fusée d'étoiles...

— Non ! s'écria-t-elle, non !

Puis le nuage de l'alcool la recouvrit, sa conscience s'obscurcit, elle flottait de nouveau, telle une plume. Et c'était si doux, si délicieux, ineffable. C'était glisser au bonheur. Elle mit les bras sous sa nuque et ferma les yeux.

Le soleil matinal l'éveilla. Il jetait une lumière cruelle sur le lit, plongeant la pièce dans la froide clarté de la réalité. La magie de la nuit devenait amère. Erika eut froid. Elle tira la couverture jusqu'à son menton et regarda le rayon de poussière filtrant par la fenêtre ouverte. Les cimes de neige étaient aveuglantes sous l'azur. Il semblait à Erika que leur froid glacial pénétrait jusqu'à elle et l'engourdissait.

Dans l'angle de la cuisine, Bornholm, ainsi qu'à leur première visite au chalet, préparait du café fort. Il était en pantalon et maillot de corps, sifflotait et semblait ne pas sentir le froid. Peut-être était-elle seule à éprouver ce souffle glacial dans tout son être. Une odeur d'alcool, de café frais moulu, de bois goudronné et de renfermé flottait dans la pièce. Le Paradis s'était rétréci en un chalet de montagne.

— Alf, dit Erika très bas, d'un ton plaintif.

Bornholm se retourna tout d'un coup; son visage n'était que sourire, baigné de soleil, et raviné comme les rochers hors de la fenêtre.

— Chérie ! Bien dormi ?

— Tu n'aurais pas dû faire ça.

— Mais, ma douce, comment peut-on faire des reproches par un soleil pareil !

Il alla à la fenêtre et l'ouvrit toute grande. Il riait comme un jeune homme et esquissa quelques mouvements de gymnastique : extension des bras, flexion, flexion des genoux. Son insouciance fit presque mal à Erika. Elle s'assit dans le lit, et hocha la tête :

— A quoi avons-nous pensé, Alf... ?

Bornholm versa l'eau bouillante sur le café.

— Quand deux êtres s'aiment, que valent les pensées raisonnables, je te le demande ?

— Tu m'aimes donc ?

Bornholm leva les yeux, surpris ; il s'attendait à tout, sauf à cette question.

— Naturellement, répondit-il posément, comme s'il énonçait un diagnostic évident.

— Mais tu n'en as pas le droit.

— Je t'ai déjà dit que le « pourquoi ? » est la question la plus affreuse et mortelle de l'homme. Nous ne nous la poserons jamais ! Jamais ! tu m'entends !

Il porta le déjeuner sur un plateau à Erika et s'assit sur le bord du lit. Il versa le café et beurra une épaisse tartine.

— Déjeunons ! C'est ce qui importe pour l'instant.

Docile, Erika mordit dans sa tartine. Mais la bouchée lui restait dans la gorge et ne voulait pas descendre.

— Comment peux-tu être si léger, Alf ? Si l'alcool ne m'avait pas terrassée, jamais, jamais cela ne serait...

Bornholm lui mit la main sur la bouche, il la regarda d'un air grave :

— Je ne veux pas qu'on me rappelle ici, tout près du ciel, ce qui se passe en bas sur la terre. Il n'y a plus de terre pour moi quand je suis ici.

— Mais il faudra pourtant que nous y retournions, dans une ou deux heures d'ici, nous ne pouvons pas lui échapper, pas plus qu'à la vérité...

— Il le faudra, Erika...

— Mais c'est impossible, nous ne sommes pas sourds et aveugles.

Bornholm emporta le plateau, enfila sa chemise et se brossa les cheveux. Erika en profita pour s'habiller rapidement. Elle s'isola dans l'angle de la douche. En dépit de leur intimité, soudain elle se sentit gênée.

— Je t'ai aimé, Alf, dit-elle lorsqu'elle retourna dans la pièce.

Bornholm se tenait près de la fenêtre et regardait dans la vallée. Un brouillard épais couvrait le village. Des nuées d'ouate tournaient, s'étendaient, s'effilochaient.

— ... Je t'ai aimé du premier jour où je t'ai vu pendant que tu opérais, pendant la visite où tu n'avais nullement remarqué la modeste assistante. Et moi je t'admirais, je t'adorais. Je le pouvais à ce moment-là. Mais toi... (Elle se tut en voyant comme il serrait la poignée de la fenêtre.) Que va-t-il arriver maintenant ?

— Que veux-tu dire ? répondit-il d'une voix sourde.

— A partir d'aujourd'hui notre vie est changée. Nous ne pouvons pas effacer cette nuit. Elle est marquée en nous comme avec un fer brûlant — en moi, tout au moins...

— N'en parlons pas maintenant, je t'en prie, Erika.

Elle vint à la fenêtre et se tint auprès de lui. Elle aspirait l'air froid du matin, comme si elle étouffait.

— Que fera Petra ? dit-elle tout haut.

Bornholm fléchit comme sous un coup. Il tourna brusquement la tête :

— Je t'aurais crue plus discrète !

— Parce que je te pose tout droit la question ? Petra Rahtenau est-elle venue ici avec toi, au chalet ? Dans cette pièce ? A-t-elle couché dans ce lit ? Et cligné des yeux dans le froid matinal ? Et t'a-t-elle demandé, elle aussi : « Que va-t-il arriver maintenant ? M'aimes-tu, Alf ? » Sûrement, elle te l'a demandé elle aussi. Toutes les filles te le demandent, lorsqu'elles s'éveillent et sentent encore la pression de ta bouche sur la leur.

Bornholm haussa les épaules, il n'y avait plus rien de feint en lui. Il était réellement aux abois.

— Je ne sais pas, Erika. Je ne sais rien d'autre en ce moment, sinon que tu es auprès de moi. Je n'ai plus pensé à rien d'autre depuis hier.

— Tu ne peux pourtant plus épouser Petra Rahtenau, Alf.

— Non, dit-il quasi machinalement.

— Et comment le lui diras-tu ? Comment expliqueras-tu à Rahtenau que les fiançailles sont rompues ?

— Je ne sais pas...

— Ou bien ne suis-je pour toi qu'une aventure ?

— Non, Erika, dit-il, torturé.

— Tu peux me l'avouer. Cela me fera mal. Peut-être te donnerai-je une gifle... mais je m'en sortirai. Il faut seulement que tu sois honnête. Je ne peux pas souffrir le mensonge, tu le sais. Dis : «Ç'a été un mouvement d'ivresse qui est passé. La vie quotidienne nous a repris et maintenant regagnez votre service, docteur Werner. J'ai été heureux avec vous, je vous remercie. » Vous ne me verrez pas pleurer, docteur. Je me contraindrai à rester calme, tout à fait calme...

— Je t'aime, Erika, reprit Bornholm d'une voix éteinte, je ne sais rien de plus.

— Combien de fois as-tu dit la même chose dans cette maison ?

— Souvent, Erika.

Elle courba les épaules. Le froid qu'elle éprouvait lui saisit le cœur qui battait, comme s'il voulait se défendre contre ce froid cruel.

— Viens, dit-elle. Je voudrais sortir d'ici, partons !

Il acquiesça d'un signe de tête. Soudain il l'entoura de ses bras, désespérément, et lui baisa la nuque.

Elle le laissa faire mais n'éprouva rien. Il lui semblait presque qu'elle haïssait Alf Bornholm. Elle se contraignit en sortant à ne pas jeter un regard vers le lit.

« Le lendemain d'une nuit d'ivresse est un miel empoisonné », dit un vieux proverbe. « Jamais proverbe n'a été plus vrai, pensa Erika. Le poison coule dans toutes les veines. »

Bornholm verrouilla la porte derrière elle, il mit un cadenas neuf qu'il avait apporté et jeta l'autre dans l'abîme.

Erika ne le vit ni ne l'entendit. Elle descendait déjà le sentier vers la voiture.

Du samedi au dimanche, Erika Werner était de garde. Elle était assise dans sa modeste chambre d'assistante et lisait un roman américain. Elle avait une cafetière à côté d'elle et, tout en lisant, elle ne pensait qu'à Bornholm. Il était sa première grande aventure, et elle retombait dans le délice du don de soi dès qu'elle fermait les yeux et revoyait devant elle le visage d'Alf.

Salle III, il y avait quatre nouveaux opérés. Les deux

religieuses, de garde, les surveillaient depuis les deux boxes d'observation, par les grandes vitres et elles dosaient la quantité d'oxygène à envoyer sous les tentes. Dès qu'un des opérés s'agitait, elles appelaient Erika Werner. Deux malades, une grave gastrectomie et un cancer du côlon comptaient parmi les cas critiques de cette nuit.

Tout était calme dans le vaste bâtiment — seules, dans le service des urgences, toutes les lampes étaient allumées comme toutes les nuits. Dans ce service de la maison aux nombreux étages, il n'y avait jamais de répit. C'est là qu'on apportait les corps déchiquetés, aussitôt transportés dans les salles d'opérations où travaillaient les chirurgiens spécialistes des accidents.

Erika referma son livre. Il était 11 heures et demie. Elle fit sa toilette, enfila son pyjama, et se mit au lit. Mais elle ne s'endormit pas aussitôt après avoir éteint sa lampe. Elle regardait au plafond les pâles reflets que les lumières d'en face traçaient à travers les rideaux.

« Alf, pensait-elle, je suis redevenue soudain une petite fille amoureuse et sotte — tout à fait sotte ; que je m'endorme ou que je m'éveille, je ne pense qu'à toi. Je n'y peux rien. C'est en moi et cela me possède complètement. Même quand je fais les pansements je pense : Comment Alf s'y prendrait-il ? Il a de merveilleuses mains souples, rapides et sûres lorsqu'elles opèrent et qu'une vie humaine dépend entièrement de leur habileté. N'est-ce pas terrible de penser sans cesse à toi ? Mais cela me rend heureuse. Toi seul es coupable de tout, mais c'est une faute merveilleuse. »

A peine s'était-elle endormie que la sonnette d'alarme retentit.

Tout ensommeillée, Erika rejeta sa couverture, enfila son peignoir et, saisissant son stéthoscope et sa boîte d'urgence, regarda le chiffre rouge qui s'était allumé au-dessus de la porte. « C'est sans doute le cancer du côlon », pensait-elle. Surprise, elle se frotta les yeux, et regarda à nouveau le signal d'alarme. On n'appelait pas de son service ni d'une chambre de malade. C'était la salle d'opération n° 1.

« Sans doute une erreur », pensa-t-elle. Il était à peine minuit. A cette heure-là, personne n'a rien à faire à la salle d'opération n° 1. Les accidentés sont traités dans le service des urgences. Ce n'est qu'en cas de catastrophes qu'on utilise les salles d'opérations habituelles.

Elle courut à la fenêtre : au service des urgences, c'était l'éclairage normal. Rien d'insolite, pas d'ambulance, pas de mouvements aux étages inférieurs.

De nouveau la sonnette d'alarme. Le signal rouge s'alluma : salle d'opération n° 1.

« Absurde ! » dit Erika Werner quittant en hâte sa chambre. L'ascenseur la monta au bloc opératoire n° I. Le couloir était sombre, complètement vide. Pas un bruit. Pas même l'éclairage de secours. Cette partie de l'énorme bâtiment, toujours si animée pendant le jour, était déserte la nuit.

« Naturellement, se dit Erika, peut-être est-ce un contact défectueux dans la sonnerie d'alarme. » Néanmoins, elle suivit le long couloir obscur. La conscience acquise au cours de ses études médicales ne lui permit pas de s'en aller sans effectuer un contrôle.

Un mince filet de lumière parut sous la porte du lavabo stérile de la salle d'opération n° I, glissant au-devant d'elle. Erika courut à la porte et l'ouvrit. Par la vitre de la salle de lavage, elle regarda dans la salle d'opération. Sous le scialytique, le Dr Bornholm, en manches de chemise, sans bavette ni calot, sans tablier de caoutchouc ou blouse... en vêtements civils, était assis devant une table d'opération où était sanglé le corps d'une jeune femme. Le sang coulait sur ses mains et s'égouttait en une large flaque sur le sol carrelé.

Erika poussa la porte et se précipita dans la salle.

— Alf ! s'écria-t-elle, épouvantée. Qu'est-ce que tu fais, Alf ?

Bornholm se retourna, son visage était défait et ruisselant de sueur, ses yeux dilatés.

— Aide-moi, Erika ! gémit-il. Je n'y arrive pas tout seul ! Une transfusion, vite ! Groupe B, Rhésus O. Des compresses chaudes. Je n'arrive pas à arrêter l'hémorragie...

Il fit une pression dans l'intérieur du corps, mais le flot de sang continua de couler sur sa main, son avant-bras et sa chemise.

Erika ne demanda plus rien. Chaque mot représentait un jet de sang en moins. Elle courut aux réserves de sang, fixa l'appareil à transfusions, puis courut à l'étuve et glissa des compresses dans la vapeur.

Bornholm se tenait devant la jeune femme, baigné de sueur, aveugle dans cette nappe de sang, et guidé par son seul toucher, cherchant la perforation.

— Il va falloir ouvrir, gémit-il lorsque Erika apporta les premières compresses. Quelle cochonnerie ! L'anesthésie est suffisante. Encore deux bouteilles de plasma, Erika, il faut que j'atteigne le fond de l'utérus...

Erika se tenait pâle devant la jeune femme dont les longs cheveux noirs pendaient hors de la table. Bornholm inclina la table ; la tête descendit vers le sol, les jambes sanglées montèrent vers la lampe : la position de la césarienne. Le flot de sang s'arrêta, il coulait maintenant dans la cavité du bas-ventre.

— Vite ! cria Bornholm, les instruments !... lorsque j'aurai incisé le ventre et trouvé la perforation, nous aurons le temps. En ce moment, c'est une question de secondes... Vite, Erika !

Elle courut de nouveau dans la salle, apporta le bistouri, les pinces hémostatiques, les écarteurs, les tampons, les champs. Bornholm ouvrit rapidement d'une incision verticale. Erika épongeait dans des compresses le flot de sang qui ruisselait vers eux. Elle ne pouvait se servir de la canule aspiratrice, l'appareil n'était pas dans la salle d'opération, on l'avait emporté la veille au soir pour le nettoyer.

— Mais... c'est un avortement ! bégaya Erika, lorsque Bornholm eut trouvé, dans le ventre ouvert, l'endroit de la perforation de l'utérus.

Il fit rapidement une suture.

— Comment est-ce que... ?

— Pas de questions — plus tard... (Bornholm s'assit épuisé sur un tabouret.) Cette fille est venue me trouver avec un avortement déjà commencé. Ne demande plus rien... le pouls ?

— Impalpable.

Bornholm bondit. Son visage était terrible :

— Non ! cria-t-il, c'est impossible. Ça ne peut pas arriver — le cœur ?

Erika avait placé le stéthoscope à membrane sur la poitrine de la jeune femme, elle écoutait... Bornholm retint son souffle. Erika haussa lentement les épaules.

— Non, rien, décès.

Il arracha le stéthoscope des mains d'Erika et écouta lui-même, penché sur le thorax. Mais il le percuta en vain. Le cœur était muet. Bornholm regarda l'horloge : il ne s'était pas passé cinq minutes.

— Encore du plasma ! cria-t-il. De l'oxygène, vite ! Il est encore temps... je vais masser le cœur. Nous avons pourtant donné assez de sang... je ne comprends pas... elle n'est pas morte, tu m'entends, il ne *faut pas* qu'elle meure... Il ne le faut pas. Allons ! ne reste pas là à me regarder ! De l'oxygène ! Du sang !

De ses mains ensanglantées il commença de presser sur le thorax de la jeune fille, puis de la soulever encore et encore selon le rythme du cœur. Cependant qu'Erika introduisait le tube d'oxygénation entre les lèvres pâles, exsangues.

Bornholm massa pendant une demi-heure, désespérément, râlant, à demi aveuglé par l'effort. Il était presque couché sur le corps, pressant, lâchant, pressant à nouveau, écoutant, attendant le miracle du cœur qui recommencerait à battre... Et il recommençait de pomper, pomper. C'était insensé, mais dans son désespoir il ne pensait plus qu'à pomper.

Erika posa sa main sur l'épaule baignée de sueur de Bornholm :

— Cela ne sert plus à rien, Alf. Il y a une demi-heure qu'elle est morte... d'hémorragie.

Bornholm se laissa choir lentement sur le tabouret. Il

appuya la tête sur le bord blanc de la table et gémit.

— Qui était cette fille ? demanda Erika à voix basse.

Elle étendit quelques compresses sur le visage émacié, et le corps livide à la plaie béante.

— Elle s'appelait Helga Herwarth...

Bornholm s'affaissa sur lui-même, cherchant la main d'Erika qu'il serra.

— Il faut que tu m'aides, Erika, balbutia-t-il. Personne ne doit savoir ce qui s'est passé ici. Personne. Promets-le-moi. Promets-moi que tu m'aideras ; je t'en prie.

— Si je le peux, Alf. (Elle caressa ses cheveux humides de sueur :) Mais quelle aide peut-on donner ici ? Il va falloir recoudre l'incision et prévenir les parents.

— Non ! Pas encore. Il faut d'abord réfléchir... Réfléchir dans le calme.

Bornholm releva la tête. Tout chancelant, il se mit debout. Il redressa le corps de Helga à la position horizontale. Ses mains et ses bras tremblaient, comme dans une violente crampe.

— Il faut que tu m'aides, bégaya-t-il de nouveau, comme s'il n'avait plus que cette pensée. Il faut que tu m'aides. Cette chose ne doit pas avoir eu lieu.

— Qu'est-ce que tu t'imagines, Alf ? Nous ne pouvons pas cacher cette mort. C'est impossible, voyons. Nous sommes tenus d'aviser aussitôt la famille. Et d'ailleurs, que pourrais-tu y changer ? Elle est venue te trouver, Alf... c'est elle seule qui est coupable.

— Oui ! oui ! cria Bornholm. Sans doute, elle est venue me trouver. Mais... Erika, aide-moi sans poser de questions.

Erika regarda avec un peu d'effroi la morte recouverte de compresses chaudes. Elle avait vu de nombreux cadavres, en pathologie, à la dissection, dans les services, mais elle n'avait jamais éprouvé à leur vue un sentiment tragique, personnel. La mort était pour elle chose naturelle, un chemin qu'elle suivrait elle aussi un jour, tôt ou tard. Quiconque est au chevet des mourants jour et nuit, se réfugie dans le fatalisme. Mais ce corps inerte encore sanglé sur la table d'opération n'était plus une des nombreuses dépouilles qu'elle avait rencontrées — il était un danger. Un danger personnel pour Alf Bornholm, et par là pour elle aussi.

— Que faut-il que je fasse ? demanda-t-elle tout bas, comme si sa voix eût pu troubler le sommeil éternel de la jeune femme.

— D'abord, descendre sans être vus à la chambre froide.

Bornholm courut à la grande vasque dans l'angle de la salle d'opération, s'arracha sa chemise et son maillot et se lava à l'eau chaude, fumante. Il était baigné de sang...

— Puis nous dresserons un procès-verbal et un acte de décès, selon le règlement. C'est toi qui le feras.

Erika acquiesça :

— Oui.

— Tu indiqueras comme cause du décès : insuffisance cardiaque.

— Mais l'incision césarienne ?

— Lorsqu'elle sera dans la bière, personne n'ira y voir...

— Et si la famille réclame une autopsie ?

— Elle ne le demandera pas. Au cas contraire, c'est moi qui ferai l'autopsie. Avec Rahtenau, je m'en tirerai...

— Bien entendu, dit Erika avec amertume.

— Ah ! pas d'histoires, Erika ! Il s'agit de ma situation, de ma carrière, de ma réputation médicale... il s'agit de nous aussi.

Il fit un paquet de sa chemise et de son maillot déchirés et enfila son veston sur son torse nu :

— Il faudra brûler ça. As-tu un poêle chez toi ?

— Oui. (Erika mit le paquet ensanglanté dans un grand essuie-mains propre :) Mais pourquoi ces mystères, Alf ? Tu n'es coupable en rien. C'est elle qui s'est abîmée...

Bornholm détacha les sangles qui retenaient les bras inertes de Helga. Lorsqu'il effleura la peau froide de la morte, il sentit le froid le traverser comme un courant électrique. «Je l'ai tuée, pensait-il désespéré, j'ai commis une faute ; j'ai — en dépit de la conscience professionnelle... Mon Dieu ! oh ! mon Dieu ! »

— Je t'expliquerai tout plus tard.

Il regarda de nouveau l'horloge dans la paroi de la salle d'opération : 2 heures du matin. À 5 heures arriveraient les filles de salle. Il fallait que rien — absolument rien — ne fût plus visible.

— Il faut la laver et remettre tout en ordre. Elle n'est jamais venue à la salle d'opération, comprends-tu ? Elle est arrivée cette nuit chez toi, et avant que tu aies pu l'examiner, elle était morte. C'est ça que tu raconteras.

— Pour arriver jusque chez moi, elle passe devant la sœur portière. (Erika jeta soudain sur Bornholm un regard critique.) D'ailleurs comment est-elle entrée à l'hôpital ? Tu n'es pas passé avec elle par l'entrée ?

— Non !

— Mais...

— Je l'ai... (Bornholm s'étrangla. Il jeta les compresses et, les mains tremblantes, sutura la vilaine cicatrice rouge.) Ne me demande rien ! Aide-moi si tu m'aimes...

— Tout cela est tellement extraordinaire, Alf.

Elle avait en main une grande bassine d'eau chaude :

— Nous ne devrions vraiment pas parler d'amour en ce moment.

— Lave-la ! dit Bornholm assez fort.

Sans un mot, Erika lava la morte, puis ils la couvrirent d'un drap, prirent dans le couloir un chariot et la roulèrent jusqu'à l'ascenseur.

Au sous-sol, Bornholm passa devant, ouvrit la chambre froide où reposaient les morts jusqu'à la mise en bière, et alluma la lumière.

Sept formes muettes et recouvertes gisaient déjà dans le froid, qui les saisit. Erika poussa le chariot auprès des autres morts. Puis elle fixa à l'orteil de la jeune femme une étiquette qui se trouvait sur une des tables. C'était l'étiquette de contrôle pour le surveillant qui viendrait au matin.

68

— Comment s'appelait-elle ? demanda Erika.

— Helga Herwarth, vingt-trois ans. Morte par insuffisance cardiaque, dicta Bornholm d'une voix ferme.

Il s'était remis de son choc. La lutte réfléchie contre la vérité commençait, la lutte désespérée pour sauver sa carrière.

Erika Werner écrivit ce que Bornholm lui disait, puis elle éteignit la lumière et ils remontèrent avec l'ascenseur au bloc opératoire. Ils nettoyèrent jusqu'à 4 heures du matin la salle d'opération souillée de sang. Ils brossèrent le sol, nettoyèrent les instruments, savonnèrent la table et firent un ballot des compresses sanglantes. Bornholm s'assura que les champs utilisés pendant la dernière opération étaient dans le coffre à linge. Il y jeta compresses et champs. Personne ne remarquerait rien. De grand matin, les filles de service de la buanderie viendraient prendre les coffres. Bornholm jeta un coup d'œil sur la salle immaculée. Epuisée, Erika s'adossa à la paroi de faïence.

— Tout est bien, chérie, dit-il avec un vague sourire. Et maintenant, va dormir. Demain matin tu dresseras l'acte de décès et tu appelleras le père.

— Moi ? Le père ? Et toi, où seras-tu ?

— J'ai demain deux conférences et une réunion à l'Institut de radiologie.

— Tu ne veux pas y être mêlé, n'est-ce pas ? Tu n'es pas venu ici cette nuit ?

— C'est exact. Tu me feras demain un rapport officiel sur ce tragique cas de mort...

— Mais personne ne l'a vue entrer ici...

— Ça, c'est l'affaire de la sœur portière. Helga Herwarth s'est tout à coup trouvée dans ta chambre. Et son cadavre est la preuve qu'elle est entrée d'une manière quelconque dans la maison, tu ignores comment. Attention ! (Bornholm regarda son bracelet-montre :) Il est 4 heures. Appelle tout de suite la sœur portière et plains-toi qu'elle n'ait pas annoncé une malade mourante. Fâche-toi ! Fâche-toi très fort ! Je protesterai moi aussi demain. Rahtenau lui-même s'in-

formera comment la mourante est entrée dans la maison
— personne ne le saura.

— Et comment est-elle entrée ?

— Je l'ai amenée, tu le sais bien. Je suis entré par le labo. Elle m'avait supplié qu'on ne sache jamais rien. Et j'ai bêtement cédé. Ça aussi, personne ne doit le savoir. Il faut que tout soit plein de mystères. Personne ne pourra les éclaircir.

Erika fit un signe affirmatif. Mais ses grands yeux restaient interrogateurs. Bornholm ne put soutenir ce regard. Il se détourna.

— Tout cela est extraordinaire, Alf. Je suis troublée...

— Ne pense qu'à une chose : c'est qu'il faut m'aider. Tout le reste n'a pas la moindre importance.

Et c'est ainsi qu'à l'aube blanchissante une tragédie bouleversa l'hôpital. La religieuse de garde et la sœur portière apprirent, épouvantées, ce qui s'était passsé. Le Dr Erika Werner s'emportait contre elles, et elles l'écoutaient, muettes, sans comprendre ce qu'on leur reprochait.

— Personne n'a sonné, balbutiait la portière.

— Toute la nuit, j'ai...

— Mais elle est bien ici, et elle est morte ! criait Erika. Elle n'est pourtant pas entrée par le trou de la serrure !

— Je ne comprends pas... (La portière s'assit, anéantie, sa main tremblante pouvait à peine tenir le récepteur.) J'ai veillé toute la nuit.

Tandis qu'Erika alertait tout l'hôpital, Bornholm sortit sans être vu par la sortie de derrière et la petite porte dans le mur. Le col de son manteau relevé, le torse nu, il courut jusqu'au parking, se jeta dans sa voiture et sortit de l'enceinte de l'hôpital. Ce ne fut qu'arrivé dans une rue de la banlieue qu'il ralentit, s'arrêta le long du trottoir et alluma une cigarette. Il la fuma avidement jusqu'à la moitié, puis la jeta par la fenêtre et rentra chez lui. Là, il courut au bar dissimulé dans une petite bibliothèque. Il ne prit même pas la peine de remplir un verre, il but à même la bouteille, à grandes gorgées, jusqu'à ce qu'il eût le gosier brûlant et que la brume de l'alcool le fît chanceler. Quittant la bouteille, il se laissa tomber sur le divan, jeta son veston dans un coin et s'endormit, le torse nu, assommé par l'alcool.

A 10 heures, le Pr Rahtenau entra à l'hôpital. Déjà dès l'enceinte, il remarqua qu'il avait dû se passer quelque chose. Le concierge ne courut pas au-devant de lui et ne le salua pas de l'habituel : « Bonjour, monsieur, belle journée, n'est-ce pas ? » Il le disait depuis dix ans, qu'il pleuve, vente, neige, ou que le soleil brillât... c'était toujours une belle journée.

Ce jour-là, personne n'accourut à la rencontre de Rahtenau. A l'entrée du vestibule, dix religieuses entouraient la Supérieure et semblaient attendre le professeur. A peine eut-il franchi la porte que la Supérieure se précipita à sa rencontre, les ailes de sa coiffe voltigeant.

— Jamais ce n'était arrivé, monsieur ! s'écria-t-elle en se tordant les mains. Sœur Euphoria en a une crise cardiaque. Ce n'est pas sa faute. Personne ne peut s'expliquer...

Sur ce, Rahtenau s'aperçut que tous les médecins qui n'étaient pas de service se tenaient dans le vestibule d'entrée ; à leur tête, le deuxième médecin-chef.

— Qu'est-ce qui se passe ? demanda Rahtenau à voix haute et autoritaire. Tout est sens dessus dessous. Pourquoi cette foule ? Où est le Dr Bornholm ?

— Il va arriver de suite. Je l'ai appelé...

Le deuxième médecin-chef sortit de la foule des blouses blanches, comme au rapport militaire :

— La nuit dernière, une patiente est morte dans le service III. Personne ne l'a amenée, personne ne l'a vue entrer dans la maison. Tout à coup, elle s'est trouvée devant la chambre du Dr Werner, et, avant qu'elle ait pu être examinée, elle est morte, d'insuffisance cardiaque.

— Ce n'est pas possible ! (Le Pr Rahtenau jeta les yeux vers la mère Supérieure :) Où est la sœur portière ?

— Dans la clôture. Elle a une crise cardiaque.

— Qu'elle vienne à mon bureau. Tout de suite. Le Dr Werner ?

— Elle est dans son service, monsieur.

— Qu'elle vienne immédiatement, elle aussi. (Rahtenau jeta son imperméable à l'un des externes qui l'attrapa à la volée.) Ce que vous me racontez est impossible ! Comment une mourante arrive-t-elle à pied secrètement à l'hôpital ? Où est la morte ?

— Déjà mise en bière, à la chapelle...

Rahtenau passa la main sur son front :

— Que tout le service de garde hier passe immédiatement à mon bureau ! cria-t-il. Toutes les religieuses, et tous les médecins. Bon Dieu ! (Il se retourna :) Les journalistes sont déjà venus ? demanda-t-il avec une visible anxiété.

— Non. (Le deuxième médecin-chef se tenait quasiment au garde-à-vous.) Rien n'a pénétré du dehors.

— Et rien ne pénétrera ! rugit Rahtenau. Je vous en rends personnellement responsable.

Le médecin blêmit et fit un signe affirmatif. Semblables à un troupeau de moutons terrifiés en entendant hurler le loup, les médecins demeurèrent immobiles jusqu'à ce que le Patron ait disparu dans l'ascenseur.

Alors la foule blanche des médecins se désagrégea et tous coururent à leurs services. Seules les dix religieuses noires aux coiffes voltigeantes restèrent groupées autour de la Supérieure. Elles ressentaient en commun l'accusation ; ce qu'on reprochait à Sœur Euphoria les atteignait toutes.

Le Dr Erika Werner entra peu après dans le bureau du Pr Rahtenau. Il venait de parcourir les lettres les plus importantes de son courrier lorsque la secrétaire introduisit la jeune femme médecin. Elle avait l'air fatiguée d'avoir veillé, mais fermement résolue. Le professeur, pour la première fois, la considéra attentivement. Il est au-dessous de la dignité d'un professeur titulaire de remarquer ses assistantes dans le service quotidien de l'hôpital. C'est l'affaire des médecins-chefs ;

ils sont les intermédiaires. L'assistance est un zéro.

— Qu'est-ce qui se passe ? demanda-t-il brusquement à Erika Werner. Vous laissez mourir des malades inconnus ?

— Elle serait morte de la même façon si elle avait été annoncée à l'entrée...

Le professeur s'assit. L'étonnement parut dans ses yeux bleu-vert perçants. Il n'était pas habitué à ce qu'on lui répondît de cette manière. Il réfléchit : fallait-il rugir ou attendre encore...

— Quand cela s'est-il passé ?

— Vers 4 heures du matin, monsieur. On frappe à ma porte — j'ignore si l'on a frappé plusieurs fois —, je m'éveille et pense aussitôt qu'il s'agit du cancer du rectum. Lorsque j'ouvre la porte, une jeune femme inconnue tombe sur moi. « Je, je... » balbutie-t-elle. Puis elle lève les bras et cesse de respirer. Avant que je me rende compte de ce qui arrivait, avant même que je sois complètement réveillée, elle gisait sur mon lit, morte.

— Ha ! c'est insensé ! (Le Pr Rahtenau regarda longuement la jeune femme médecin.) Et après, qu'avez-vous fait ?

— J'ai déshabillé la jeune fille et l'ai examinée. C'était nettement un accident cardiaque.

— Et après ?

— J'ai couché la jeune fille sur un chariot et l'ai conduite dans la chambre froide.

— Toute seule ?

— Oui.

— Vous n'avez pas appelé une religieuse ? Vous n'avez appelé personne qui... (Le Pr Rahtenau écarta les deux bras :) Vous êtes folle, docteur Werner ?

— Jusqu'ici personne n'a encore fait ce diagnostic.

— Vous savez que vous avez agi comme... comme, je ne peux même pas trouver d'équivalent ! Vous avez en tout cas agi comme une irresponsable. Vous auriez dû appeler aussitôt la portière, la religieuse de garde, un autre médecin de garde, rien n'est plus important en pareil cas que des témoins ! Vous n'avez pas réfléchi que la jeune fille avait pu s'empoisonner ? Non, vous avez agi toute seule, ce qui est contraire à toutes les règles professionnelles. A quoi pensiez-vous en faisant une pareille idiotie ? Hein ?

Rahtenau se mit soudain à rugir parce que le visage blême et figé d'Erika Werner et sa fière attitude l'irritaient. « Pleure donc ! pensait-il, montre du repentir, ne reste pas plantée là comme si tu avais raison ! »

Erika hocha la tête :

— Maintenant que tout est passé, je me rends compte de ce que j'aurais dû faire. Mais cette nuit, tirée brusquement du sommeil, dans une situation pareille où une morte me tombe entre les bras, j'ai tout simplement perdu mon sang-froid.

— Toujours la vieille histoire ! cria Rahtenau. Mesdames perdent la tête. Elles veulent être médecins ? Faites donc n'importe quoi d'autre, ayez dix enfants, mais ne vous mêlez pas de médecine si vous perdez votre sang-froid. Bon Dieu ! Que vais-je dire à la famille ?

Un coup bref à la porte. Rahtenau leva les yeux : le Dr Bornholm se précipita dans la pièce. Il avait l'air ravagé, les yeux cernés de rouge par l'alcool ; il jeta un rapide regard vers Erika, puis se retourna vers Rahtenau :

— Bonjour, beau-père ! dit-il à voix forte.

Rahtenau tambourinait sur la table.

— J'apprends à l'instant ce qui s'est passé ici... Incroyable ! Il faut m'expliquer ça clairement, mademoiselle Werner.

— C'est ce qu'elle vient de faire. C'est à s'arracher les cheveux. Elle emmène la morte tout droit à la chambre froide, sans témoins. As-tu jamais vu quelque chose d'aussi insensé !

— Je suppose que Mlle Werner a perdu son sang-froid...

— Exactement ! Et ça veut être médecin !

Le Pr Rahtenau donna un coup de poing sur la table. Son visage s'était empourpré :

— Quand la presse en sera informée... Je ne veux même pas y penser ! Mais comment cette fille est-elle entrée dans la maison ?

— C'est ce qu'il faut éclaircir...

Bornholm pressa les boutons du téléphone intérieur.

— Tout le personnel de garde cette nuit chez le médecin-chef ! cria-t-il d'une voix autoritaire. Et en vitesse.

— Il va falloir faire l'autopsie, Alf. (Rahtenau se leva et commença d'arpenter la pièce :) Au cas où ce serait un empoisonnement ou quelque chose d'analogue. Mort par suite d'une crise cardiaque... tout le monde peut dire ça. Je n'accepte pas le diagnostic de quelqu'un qui s'énerve ! (Il fixa Erika :) Vous entendez ! J'exige un diagnostic exact ! Le certificat de décès a déjà été rédigé ?

— Oui, dit Erika à haute voix.

— Ça manquait ! Sans avoir fait d'autopsie dans un cas aussi mystérieux ! Incroyable ce que les jeunes médecins peuvent être idiots !

— Je vais faire l'autopsie moi-même, dit Bornholm, et tout de suite. Où est la morte ?

— Dans la chapelle.

Bornholm pressa de nouveau un bouton sur le tableau du téléphone.

— Emmenez immédiatement le cadavre de Mlle Herwarth dans la salle d'autopsie ! s'écria Rahtenau (Pointant l'index vers Erika Werner :) Et vous disséquerez avec lui ! Apprenez à faire un diagnostic. Et s'il ne s'agit pas d'un accident cardiaque...

Il n'acheva pas sa phrase, mais Erika savait ce qui y était inclus.

Bornholm lui fit un clin d'œil.

— Allons-y ! Et chemin faisant vous me raconterez cette histoire extraordinaire !

Erika était soulagée de pouvoir échapper au regard de Rahtenau. Dans l'ascenseur qui descendait à la salle d'autopsie, Bornholm lui donna un baiser sur la tempe :

— Ç'a été très dur ?

— Epouvantable, Alf. Heureusement que tu es arrivé. J'étais à bout de forces...

— Tout est fini maintenant. Et ça s'est bien passé...
(Il lui caressa les cheveux et entoura son épaule tremblante.) As-tu fait tout ce que je t'avais dit ?

— Oui, j'ai aidé à la mise en bière et empêché qu'on
voie la cicatrice à l'abdomen.

— As-tu appelé le père ?

— Non, pas encore. Ça ne m'a pas été possible. Le
deuxième médecin-chef a commencé tout de suite à
interroger. Puis le Patron est arrivé.

Bornholm mordilla sa lèvre supérieure, ce qu'il faisait
toujours lorsqu'il réfléchissait. Donc l'architecte Herwarth ignorait encore que sa fille unique, Helga, gisait
froide et raide, dans la morgue de l'hôpital. On avait
ainsi gagné des heures et écarté tout danger. On pourrait
même maintenant produire le résultat de l'autopsie.
Personne qui puisse mettre en doute le rapport d'un
professeur de l'hôpital universitaire.

— Tu as bien fait les choses, chérie, dit Bornholm.

Avant que l'ascenseur s'arrête, et avant d'ouvrir la
grille, il donna encore un baiser à Erika qui s'accrocha à
lui, tout le tourment des dernières heures dans le regard.

— Si l'on découvre, Alf ! Si l'on... J'ai tellement peur !

— Personne ne découvrira rien. Après l'autopsie, en
tout cas, c'est impossible. Nous disséquerons le corps
exactement comme en pathologie. L'incision de l'abdomen en fait partie. Nous retirerons les fils, il ne peut
plus rien se passer.

Dans la chambre froide, le gardien les attendait
auprès de la bière recouverte. Sous le drap, les longs
cheveux noirs de la jeune fille pendaient presque jusqu'au sol. Erika serra les dents.

— Tout est prêt ? demanda Bornholm à haute voix.

— Oui, monsieur.

— Bon. Laissez-nous seuls. Mademoiselle Werner, je
vous dicterai les détails. Non, merci, nous le ferons
nous-mêmes, dit vite Bornholm, comme le gardien voulait déposer le corps sur la table de dissection. Allez-
vous-en.

76

Bornholm ferma la porte à clef. Puis ils soulevèrent le corps pesant, le déposèrent sur la table de marbre et le découvrirent. Bornholm alluma une cigarette et s'assit sur un tabouret.

— Donne-m'en une aussi, dit Erika faiblement.

Bornholm lui tendit son étui, et elle y prit une cigarette, mais après quelques bouffées, elle l'écrasa : elle avait un goût de fiel.

— Vas-tu vraiment disséquer ?

— Non, nous resterons ici pendant deux heures et porterons ensuite le rapport à Rahtenau.

— Mais le gardien verra que tu...

— Je n'y avais pas pensé. Que tu es intelligente !

Il lui donna un baiser. Elle le subit en frissonnant. Qu'il pût se montrer tendre en présence de ce cadavre la bouleversait.

Transie, elle se détourna, tandis que Bornholm enfilait les gants de caoutchouc et ouvrait le corps avec son bistouri. Il fit toutes les incisions d'usage, et recousit rapidement. Son visage demeurait figé, comme taillé dans la pierre qui résiste au ciseau. Personne ne savait ce qu'il pensait en cet instant où il disséquait le corps d'une jeune femme qu'il avait tuée sans le vouloir, et qui, des heures auparavant, cheminait par les rues portant dans son corps un enfant, un enfant de lui, né de l'amour qui croyait en un bel avenir...

— Terminé, dit Bornholm d'une voix rauque.

Erika se retourna. Ils recouvrirent le corps. Bornholm jeta ses gants dans un seau.

— Il faudra avoir les nerfs solides, Erika, dit-il doucement, comme s'il savait quel effroi lui glaçait l'âme. Viens, assieds-toi. Je vais te dicter le rapport.

Au bout de deux heures, ils remontèrent au jour. Le corps de Helga Herward fut ramené à la chapelle.

Le Pr Rahtenau fit aussitôt venir Bornholm et Erika Werner, dans son bureau, dès qu'ils signalèrent leur retour. Il se tenait, grand et impérieux, derrière sa table.

— Eh bien ? demanda-t-il. De quoi s'agit-il ? D'un empoisonnement ?

— Non. (La voix de Bornholm était limpide, sans aucune hésitation :) Mort par suite d'un accident cardiaque, dû à une angine de poitrine ignorée.

— Ça rend les choses encore plus compliquées, bougonna Rathenau. Et vous avez de la chance ! cria-t-il à Erika. Le diagnostic est correct. Reste le mystère. Comment cette fille est-elle entrée dans la maison sans être vue ? Peut-on l'expliquer ?

Bornholm eut un geste de regret :

— Que dit Euphoria ?

— Qu'elle est restée toute la nuit dans la cage de verre, lisant un ouvrage de piété. La fille n'est pas entrée par la porte principale. Euphoria ne ment pas. Ça lui est interdit par ses vœux de religieuse. Il faut donc que cette fille ait passé par une des entrées latérales. Quelqu'un aura oublié de fermer à clef.

— Et on ne pourra jamais découvrir qui l'a oublié. (Bornholm déposa le rapport sur la table de Rahtenau :) Tenons-nous-en aux faits. Nous avons une morte dans la maison. Il faut prévenir la famille.

— On la connaît ?

— Elle avait son passeport sur elle, dit promptement Erika : Elga Herwarth, fille de l'architecte Bruno Herwarth.

— Pour comble de malheur ! (Rathenau se laissa choir dans son fauteuil.) Vous ne savez pas qui est Bruno Herwarth ?

— Non.

— L'architecte de notre nouveau théâtre. La presse nous tombera dessus.

— Si tu es prêt à parler franchement avec lui, beau-père — Bornholm vit le visage d'Erika se crisper à ce mot —, Mlle Werner va immédiatement l'avertir.

— Il sera temps ! cria Rathenau. Qu'est-ce que vous fichez ici, somnambule ! Allez, appelez le père.

Erika quitta rapidement la pièce. De sa petite chambre, elle appela l'architecte Bruno Herwarth. Elle dut attendre longtemps avant de pouvoir lui parler. La secrétaire avait l'ordre de ne pas le déranger.

— Nous avons la police dans la maison, Mlle Herwarth a disparu depuis hier. On fait précisément une enquête. Je ne sais si je peux...

— Il s'agit justement de Mlle Herwarth! s'écria Erika.

— Vous êtes une de ses amies?

— Non, un médecin. Mlle Herwarth...

— Oh! mon Dieu! Est-ce qu'il est arrivé quelque chose...? Je vous passe tout de suite M. Herwarth.

La communication avec Bruno Herwarth fut très brève. Erika reconnut à la vibration de la voix l'effort qu'il faisait pour parler avec calme.

— Oui? dit-il. Vous savez...

— Mlle votre fille est ici, à l'hôpital chirurgical du Pr Rahtenau. Le professeur m'a chargée de vous appeler. Mlle votre fille est arrivée chez nous cette nuit, sans être annoncée, et...

— Je viens. (La voix de Herwarth s'enroua soudain :) Un accident?

— Non.

— Comment se sent-elle?

— M. Herwarth, j'ai le devoir de vous dire, que Mlle Herwarth...

A l'autre bout du fil, Erika entendit un profond soupir. Puis de nouveau, la voix de Herwarth, ferme et distincte :

— Je viens immédiatement, je ne puis comprendre... je vous remercie, docteur, je...

La voix fléchit, puis il y eut un craquement. Herwarth avait laissé retomber le récepteur.

La tête de Bornholm parut dans la porte entrebâillée.

— C'est fait, chérie? murmura-t-il.

— Oui. Mais j'ai peur, Alf.

— De quoi donc encore? (Il sourit :) A demain.

— Tu t'en vas? s'écria-t-elle. Et juste en ce moment? Qui donc parlera au père?

— Toi... puisque c'est toi qui l'as vue mourir.

La porte se referma.

Erika Werner s'affaissa sur son lit et couvrit son

visage de ses mains. Une détresse infinie l'accablait.

Mais il n'y avait plus de retour en arrière. Elle avait rédigé ce certificat de décès — sa déposition était enregistrée par écrit, dans le bureau de Rahtenau. Il fallait continuer de jouer son rôle. Et elle ne le faisait que pour protéger Bornholm. C'était la seule raison qui apaisât sa conscience.

Bruno Herwarth demeura longtemps dans la chapelle, devant la bière ouverte où reposait sa fille. On lui avait mis des fleurs entre les mains. Ses cheveux noirs, épars sur la couverture blanche, pendaient hors de l'étroit cercueil. Son pâle visage était paisible. Elle n'avait pas l'air d'une morte, mais d'une dormeuse sereine. Erika Werner, à deux pas derrière Bruno Herwarth, l'observait. Il se tenait debout devant le cercueil, les mains jointes, et regardait, muet, le visage de Helga. Il était comme pétrifié dans sa douleur. Mais à cette douleur s'ajoutait l'incompréhension totale de ce qui avait pu se passer. La veille au soir, il avait encore parlé avec elle, tandis qu'il revenait de la commission municipale des travaux de construction. Elle avait dîné avec lui et dit qu'elle allait au cinéma. Elle était comme toujours, un peu désinvolte, un peu trop excitée — héritage de sa mère espagnole, tuée six ans auparavant dans un accident d'auto.

Courbant la tête, Bruno Herwarth s'était retourné. De ses yeux voilés, il jeta sur Erika Werner le regard d'un animal suppliant.

— Peut-on comprendre une chose pareille ? dit-il à voix basse. Elle n'a jamais été malade. Elle ne s'est jamais plainte de son cœur, et tout à coup elle meurt en quelques minutes d'une défaillance cardiaque. C'est incompréhensible.

— C'est resté pour nous tous un mystère, monsieur Herwarth. (Erika respira à fond pour continuer à parler d'un ton calme :) Sur la recommandation du Pr Rahtenau, le Dr Bornholm a aussitôt pratiqué l'autopsie. C'est incontestablement un accident cardiaque:

— Mais je vous fais confiance. Qu'aurait-ce pu être d'autre ? Elle a toujours été une fille ardente à vivre. (Il hésita, les larmes lui vinrent aux yeux. Cherchant à se maîtriser il se mordit les lèvres.) Me voilà tout seul maintenant... dit-il dans un murmure à peine audible.

En cet instant, Erika haïssait le Dr Bornholm avec un dégoût indescriptible.

Au même moment le gardien de la morgue, dans la chambre froide, lisait en hochant la tête, la fiche détachée de l'orteil de la morte, lorsqu'on l'avait transportée à la chapelle. La fiche portait la signature du Dr Erika Werner.

« *Mort par insuffisance cardiaque* », lisait le gardien étonné. Puis il regarda la table où le cadavre avait reposé.

— Elle avait cependant une cicatrice au ventre, murmura-t-il, recollée au leucoplaste. Tout de même...

Mais ce qu'écrit un médecin est exact. Il avait appris à respecter leurs constatations au cours de vingt ans de service. « Tout de même, se dit-il encore une fois à lui-même, en hochant la tête, je ne me serais jamais douté que le cœur se trouve si bas... »

La veille de l'enterrement de Helga, Bruno Herwarth mit de l'ordre dans la chambre de sa fille. Il y était rarement entré depuis que Helga était majeure. Elle s'était créé son monde propre, avait accroché des toiles abstraites aux murs, rassemblé des disques de jazz, des dessins de mode, des sculptures aux formes insensées. C'est là qu'elle donnait ses petites réunions avec des filles de son âge, là qu'elle restait allongée sur le tapis devant le tourne-disque à écouter les derniers « hits ». Bruno Herwarth la laissait faire à son goût. Il était issu d'un monde plus compassé, mais il acceptait que sa fille fût plus moderne, et ne lui demandait jamais où elle sortait le soir, qui elle rencontrait, ni si elle avait des relations avec des hommes, des aventures. Il lui faisait confiance parce qu'elle était sa fille et avait le même caractère que lui. Même lorsqu'elle était absente pendant plusieurs nuits il ne demandait pas d'explications, parce qu'elle les donnait d'elle-même, sans qu'on lui posât de questions : elle était restée chez une amie dont la mère était subitement tombée malade... Et maintenant, assis dans cette pièce aux couleurs vives où flottait un parfum un peu suave, il rangeait les disques, les livres, les gravures de mode. Son cœur se contractait à chaque instant et la douleur montait en lui comme un cri arraché à sa gorge.

Sous les livres il y avait deux gros cahiers noirs. Ce fut seulement parce qu'ils tombèrent de ses mains et s'ouvrirent qu'il les regarda de plus près. Les pages étaient couvertes d'écriture — celle de Helga.

Bruno Herwarth ramassa les cahiers. Sur la première page, encadré de fleurs peintes, il vit le titre, de l'écriture droite caractéristique de Helga : « Ma belle jeunesse. » Herwarth hésita à tourner la page suivante. « Helga écrivait son journal, pensait-il. Un cahier de souvenirs personnels. Il doit s'y trouver tous les petits secrets qu'une jeune fille garde, comme un homme collectionne les timbres rares. Ce journal n'était destiné qu'à elle seule... » Serait-ce un abus de confiance s'il lisait ses notes ?

Bruno Herwarth s'assit près de la fenêtre et commença à lire. « Elle est morte, pensait-il, et je vais peut-être découvrir une fille que j'ai ignorée pendant toutes ces années. Une autre Helga ? Peut-être a-t-elle écrit quelque chose touchant sa maladie... » Les premières pages étaient insignifiantes. Bavardages au sujet de la mode, d'une amie, d'un film. Puis venait un passage que Bruno Herwarth lut avec un intérêt croissant : « Il est merveilleux. Grand, svelte, les tempes légèrement grisonnantes. Il danse comme un dieu, parle comme un génie, et a des yeux d'adolescent. Monika m'a dit tout bas qu'il serait bientôt célèbre : C'est un chercheur scientifique. Toute la soirée il n'a dansé qu'avec moi, et j'étais aux anges. Mais je ne l'ai pas laissé voir. Oh ! non. J'ai été revêche et cassante. Mais j'aurais voulu l'embrasser. Est-ce l'amour ? Au premier regard ? »

Deux jours plus tard :

« Je suis heureuse, heureuse, heureuse — je voudrais le crier à tout ce qui m'entoure, aux arbres, aux autos, aux maisons, aux moineaux sur les toits, aux nuages, au vent !... Je l'aime ! Lorsqu'il m'a donné le premier baiser, j'ai cru que la terre s'effondrait, que le ciel tombait et buvait la terre d'un coup. Aucun homme ne m'a jamais donné un baiser pareil. Je crois que... non, je n'ose pas y penser. Quiconque me regarde doit voir ma joie. Je voudrais me promener avec des lunettes noires. C'est trop facile de comprendre ce que signifie l'éclat de mes yeux. »

Bruno Herwarth laissa retomber le cahier, et regarda le jardin devant sa maison. « Un homme, pensait-il. Elle a connu une aventure, ma petite Helga. Et ce devait être un homme mûr, puisqu'elle parle de tempes grisonnantes. » Une colère se leva en lui contre cet inconnu. Les mains tremblantes il se remit à feuilleter le cahier. Il passa quelques pages, plusieurs jours, des semaines...

« Je me suis sentie mal à l'aise ces derniers temps. Et je ne vois presque plus Alf. Ses recherches l'absorbent. Et pourtant j'ai un tel désir de lui. Le soir, je m'enfonce dans l'oreiller et m'imagine que je suis entre ses bras... comme ce jour où le ciel se déchirait au-dessus de nous, à deux mille mètres... Deux aigles dans leur aire, que le monde n'atteint plus... »

Bruno Herwarth serrait entre ses mains le cahier noir — les lettres dansaient devant ses yeux. Puis il continua de lire, la bouche ouverte, comme si ce qu'il lisait le faisait étouffer.

« Je le sais maintenant, ce qu'est ce malaise — je le dirai demain à Alf. Il faut qu'il me vienne en aide. Ce lui est facile. Il faut que père ne l'apprenne jamais, sinon il me jetterait à la porte. Il ne comprendrait jamais si je lui disais : je l'aime tout de même ! Non, ce n'est pas possible... Il faut qu'Alf m'aide... que ferais-je d'un enfant ? »

Bruno Herwarth bondit. Une colère folle l'envahit, le rendit quasi furieux ; il écrasa les disques qu'il avait empilés, bouscula les livres et arpenta la pièce comme un dément. Un enfant! Helga attendait un enfant! Une nouvelle idée le glaça. Il s'arrêta au milieu de la pièce. Une sueur froide glissa de son front sur ses paupières et des coins de sa bouche jusqu'à son col. Il tressaillit. «Ce n'a pas été un accident cardiaque. Ç'a été un suicide. Le diagnostic donné par l'hôpital est faux. L'autopsie est fausse. Cet Alf qu'elle dépeint, cette canaille l'a abandonnée, et de désespoir, elle s'est...»

Terrassé par cette idée, Bruno Herwarth s'effondra dans un gémissement. Il tomba sur le divan, et ferma les yeux. Il avait le sentiment que son cœur cessait de battre. Il râlait et ses mains cherchaient un appui. Il demeura ainsi près d'une demi-heure, suffoquant et comme paralysé par l'idée qu'un homme inconnu était cause de la mort de sa fille. Un homme aux tempes grisonnantes. Un chercheur scientifique. Un homme qui était le père de l'enfant et qui avait conduit Helga à cet acte de désespoir.

Peu à peu la rigidité céda. Herwarth se pencha, avec un gémissement et continua de lire — mais le journal se terminait là, par une phrase terrible : «Je le retrouverai cette nuit, et demain tout aura changé.»

Bruno Herwarth regarda la date : celle du jour où elle était morte. Il mit le cahier dans sa poche et recommença ses investigations. Il avait vaguement le sentiment que ce journal n'était pas tout ce que Helga avait dû écrire sur ce mystérieux Alf. Il feuilleta l'un après l'autre tous les livres, chercha parmi les débris des disques, les dessins, les revues...

Dans un illustré récent il découvrit enfin une lettre dans une enveloppe ouverte qui portait la mention : «A mon père.»

Il tira précipitamment la lettre; elle était brève. Quelques lignes seulement, écrites en grande hâte, comme si, avant de partir, elle s'était décidée à les écrire :

    « Cher papa,
Si je ne suis pas rentrée à la maison demain matin,

*c'est qu'il sera arrivé quelque chose. J'attends un enfant,
et le père de l'enfant est prêt à m'en délivrer. Tu ne
l'aurais jamais appris... Mais si je ne reviens pas c'est
qu'il est arrivé quelque chose de terrible... Alors va
trouver le Dr Alf Bornholm à la clinique chirurgicale;
c'est lui qui est le père. »*

Bruno Herwarth poussa un cri, et retomba sur le
divan. Le Dr Bornholm, le médecin-chef, l'homme qui
avait pratiqué l'autopsie, qui lui avait présenté ses
condoléances deux jours plus tôt, et déclaré que Helga
avait une maladie de cœur !

Bruno Herwarth sortit en courant de sa maison. Il
laissa la porte ouverte. Que lui importait qu'on vînt le
cambrioler ? Il se jeta dans sa voiture et traversa la ville
comme un dément jusqu'à l'hôpital. Il brûla deux feux
rouges, fila à toute allure en sens interdit et s'arrêta,
freins grinçants, devant l'entrée de l'hôpital.

Il écarta d'un geste le concierge qui venait à sa
rencontre, bouscula deux infirmières qui se trouvaient
sur son chemin et, tandis que le signal d'alarme retentis-
sait déjà dans l'hôpital, monta quatre à quatre les
escaliers, criant si fort qu'on l'entendit dans les services :

— Où est-il ce Bornholm ? Bornholm ! Assassin ! Je le
tuerai ! Assassin !

A l'entrée de la clinique privée, deux médecins s'em-
parèrent de ce furieux. Ils tirèrent en arrière ses bras
qu'il agitait en tous sens, et les maintinrent levés.

Bruno Herwarth regardait de ses yeux injectés les
deux blouses blanches.

— Où est-il, ce Bornholm ? hurlait-il d'une voix
inhumaine. Il a assassiné ma fille...

Les deux médecins poussèrent Herwarth dans une
pièce vide. Un infirmier arriva en courant, tenant une
seringue, et cependant que les deux médecins mainte-
naient l'architecte râlant, une religieuse lui fit en tremblant une piqûre calmante.

Il ne sentit pas l'aiguille, il fixait la porte fermée
devant lui, comme un animal en cage, et continuait de

proférer les accusations les plus terribles et les plus incompréhensibles pour les assistants qui le tenaient :

— Assassin ! Il a tué Helga ! Il l'a tuée.

Au bout de quelques minutes, il s'apaisa. La piqûre faisait son effet. Elle l'assoupissait, le rendait inerte, les nerfs calmés, et le plongeait dans une torpeur.

C'est ainsi que le trouva le Pr Rahtenau lorsque, en tenue d'opération, il accourut dans la salle d'examen de la clinique privée.

— Monsieur Herwarth ! s'écria-t-il en voyant l'homme affaissé sur son siège, entouré des médecins et des infirmiers, le visage baigné de sueur.

— Professeur !

Bruno Herwarth, les yeux levés, fixait Rahtenau. Son regard vacillait. Il éprouvait encore la douleur intolérable et le désir de vengeance... mais les cinq centimètres cubes de l'injection étaient plus puissants que des chaînes de fer. Ils avaient paralysé ses nerfs :

— Mon enfant, mon enfant unique...

— Je comprends votre douleur. J'ai moi-même une fille que j'aime par-dessus tout.

Le Pr Rahtenau s'assit sur un tabouret devant Herwarth. D'un coup d'œil autoritaire, il chassa tous les assistants de la pièce.

Lorsqu'ils furent seuls, Rahtenau se pencha vers l'architecte :

— Nous voici seuls, entre nous. Deux pères entre eux. Expliquons-nous.

— Il l'a tuée. (C'était un gémissement jailli des profondeurs brûlantes. Une étincelle de folie parut dans le regard de Herwarth :) Il l'a assassinée.

— Qui ? demanda Rahtenau doucement.

— Bornholm.

— Notre médecin-chef, Bornholm ?

Rahtenau eut un pâle sourire. Il prit entre ses mains les doigts tremblants de Herwarth.

— M. Bornholm n'a vu votre fille que... qu'après. Celle qui l'a soignée, c'est le Dr Erika Werner. Elle n'a rien pu faire... l'effet de l'infarctus a été trop rapide.

— Mensonges ! Tout cela n'est que mensonges !

La tête de Herwarth retomba sur sa poitrine, sa mâchoire s'ouvrit. Il était trop las pour pouvoir crier, un poids de plomb lui écrasait le cœur :

— Helga attendait un enfant de lui...

— De qui ? demanda Rahtenau qui ne comprenait pas, qui ne voulait pas comprendre.

— De Bornholm.

— Jamais de la vie !

Rahtenau le cria aussi fort que s'il tonnait contre un de ses assistants.

Mais ce « jamais ! » était plutôt sa propre défense qu'une dénégation. Il sentait son cœur se glacer.

— J'ai une lettre. »

Herwarth glissa en avant, Rahtenau le soutint et le rassit sur le siège. Mais l'injection agissait maintenant sur tout l'organisme. Le tranquillisant faisait son effet.

— Vous l'avez sur vous ?

Les mots s'étranglaient dans la gorge de Rahtenau.

Herwarth fit « oui », les paupières tombantes, « dans ma poche », il releva la tête une fois encore, ses yeux s'ouvrirent, dilatés et brillants :

— Assassin ! cria-t-il d'une voix aiguë.

Puis il s'affaissa et s'endormit.

Rahtenau hésitait, cédant au sentiment naturel de retarder la découverte d'une effrayante vérité. Mais il se maîtrisa et se pencha sur l'homme endormi. Il tira le portefeuille de la poche du veston, et trouva aussitôt la feuille arrachée au journal et la dernière lettre de Helga à son père.

Lentement, mot par mot, ainsi qu'on apprend un texte par cœur, Rahtenau lut ces lignes terribles. Ce qui le saisit fut moins de savoir que son futur gendre était père d'un enfant naturel, mais la vérité accablante que dans son hôpital il avait dû se passer une chose susceptible d'entraîner aussi la ruine de la réputation du célèbre Rahtenau.

Lentement, Rahtenau replia la lettre et la feuille arrachée au journal. Puis il se leva, sonna les infirmiers et leur désigna d'un geste Herwarth endormi, lorsque, inquiets à l'idée d'un incident possible, ils se précipitèrent dans la pièce.

— Portez-le dans la chambre N° 1, dit Rahtenau d'une voix lasse. Qu'il y ait toujours quelqu'un auprès de lui. Et s'il demande quelque chose, je serai toujours disponible. Toujours ! Même la nuit.

Il ne fit pas attention aux regards surpris de ses médecins. La tête basse, il passa devant eux et s'enferma dans son bureau. Quelques instants après les roues d'un chariot grincèrent dans le couloir. On conduisait Bruno Herwarth dans le service du Patron.

Pendant plus d'une demi-heure, Rahtenau lutta contre une décision qu'il avait prise en lisant la dernière lettre de Helga Herwarth. Sa conscience professionnelle inébranlable se heurtait aux sentiments douloureux d'un père qui voyait le bonheur de sa fille brisé par ce seul acte. Il n'avait pas le choix. Il n'y avait pas d'évasion possible. Il savait comment il se comporterait lui-même, s'il se trouvait dans la situation de Herwarth.

Il décrocha le récepteur. Sa secrétaire répondit, de la pièce voisine :

— Monsieur ?

— Appelez la police judiciaire.

— Comment ? dit la secrétaire qui croyait ne pas comprendre.

— La police judiciaire. La brigade criminelle. Et puis vous me la passerez. Sans enregistrement.

Le Pr Rahtenau laissa retomber le récepteur, s'adossa à son fauteuil et regarda le plafond. Il tressaillit lorsque le timbre du téléphone retentit.

— Rahtenau, dit-il d'un ton las.

— Le commissaire Flecken.

— Venez me voir, je vous prie. Clinique chirurgicale, oui. J'ai ici une morte... (Rahtenau respira profondément avant de pouvoir continuer :) Une femme tuée. Un avortement suivi de décès. L'auteur du meurtre est... mon futur gendre, le Dr Bornholm.

— Je viens immédiatement.

Le commissaire Flecken raccrocha.

Rahtenau se lava la figure et les mains à l'eau froide, comme pour se débarrasser de quelque chose de visqueux. Il traversa son service, écarta d'un geste brusque le médecin qui voulait faire le rapport et entra dans la chambre Nº 1. Bruno Herwarth gisait dans le lit, le regard fixé sur le plafond. Rahtenau congédia d'un geste l'infirmier qui gardait le malade, puis il resta près du lit, les mains dans les poches de sa blouse blanche.

— Professeur, dit Herwarth d'une voix faible, je me suis conduit comme un imbécile. Je le sais. Mais ma petite Helga, tout mon bonheur — les larmes coulèrent sur son visage —, on ne peut plus rien pour elle, je le sais, mais...

Rahtenau s'assit au bord du lit et prit les mains tremblantes de Herwarth dans les siennes.

— Nous avons sacrifié tous deux nos filles aujourd'hui, dit-il d'une voix sourde. La justice suivra son cours.

— C'est lui, vraiment ?

— Je l'ignore. Le Dr Bornholm est à Munich, à une conférence. On le rappelle en ce moment, il rentrera par le premier avion. Si c'est lui... je ne tiendrai compte de rien... Je vous le promets.

Tout d'abord on réquisitionna le cadavre de Helga. Le cercueil, portant les scellés, fut transporté à l'Institut médico-légal, où l'attendait le Pr Bergner, pathologue. Dès qu'il avait entrevu la portée de la catastrophe, il avait essayé d'appeler son ami et collègue Rahtenau. Mais celui-ci refusa de répondre. Il n'avait plus rien à dire... Seul les faits devaient parler.

Blême, se contraignant au calme, Erika vit charger le corps de Helga dans le fourgon de la police. Les voitures de la brigade criminelle étaient parquées devant l'entrée de l'hôpital. La salle d'opération où Helga était morte fut fermée, perquisitionnée, transformée en salle d'interrogatoires. On apprit dans toute la maison que Rahtenau avait lui-même appelé la police judiciaire. Au Dr Werner, qui avait rapporté qu'elle avait accueilli la jeune femme à l'insuffisance cardiaque, on n'avait encore posé aucune question.

Désespérée, elle avait essayé d'avertir Alf; elle avait appelé Munich et le congrès où Bornholm avait fait un exposé sensationnel sur « la parfaite transfusion par le sérum synthétique ». Mais Bornholm était parti aussitôt après sa conférence. Un groupe de médecins l'avaient invité à visiter quelques cliniques chirurgicales. C'était précisément dans le cas d'accidents et d'hémorragies que la perfusion de ce plasma était d'importance vitale.

Lorsque le téléphone vibra dans son service, Erika tressaillit.

— Prière de vous rendre à la chambre N° 4, dit une voix grasseyante.

Erika mit sa meilleure blouse de médecin, fraîchement lavée, lissa ses cheveux courts, puis elle passa un bâton de rouge sur ses lèvres.

Trois inconnus, vêtus de gris, l'attendaient à la chambre N° 4. Ils avaient devant eux quelques feuilles de papier, et ne se levèrent pas quand elle entra.

Seul l'homme assis au milieu désigna une chaise au centre de la pièce.

— Veuillez vous asseoir, dit-il d'un ton sec. Je suis le commissaire Flecken, de la Police judiciaire. J'appelle votre attention sur le fait que votre déposition paraîtra au procès-verbal. Vous pouvez refuser de faire une déposition, si vous pensez qu'elle peut vous porter préjudice.

— Je ne sais ce que je pourrais déclarer que je n'aie déjà rapporté au Pr Rahtenau.

— C'est ce que nous verrons.

Le commissaire Flecken écarta ses deux mains et considéra attentivement Erika Werner :

— Nous vous poserons des questions; cela abrège les dépositions.

— Comme vous voudrez.

Erika s'assit sur la chaise qui lui semblait brûlante. « Alf, pensait-elle. Si seulement j'avais pu parler avant avec Alf. Tout est différent, maintenant. On sait de quoi

Helga Herwarth est morte. Je ne peux pas maintenir mon diagnostic d'une insuffisance cardiaque. Que faut-il faire ? »

Elle fixait le commissaire Flecken ; leurs regards se croisèrent sans aucune expression. « Elle va mentir, pensait le commissaire, et je me doute pourquoi. » Il soupira et étendit ses deux mains à plat sur la table :

— De quoi est morte Helga Herwarth ? demanda-t-il brusquement, d'une voix sèche.

— Le rapport d'autopsie a été déposé.

Erika Werner enfonça le menton ; elle avait l'air d'un boxeur qui s'attend à un coup dur de l'adversaire. Le commissaire Flecken acquiesça d'un signe de tête.

— Je l'ai lu, et vous n'avez rien à ajouter ?

— Non.

— Même si la conclusion est entièrement fausse ?

— C'est impossible !

— Vous avez écrit : « Insuffisance cardiaque. » Mais vous savez — comme tout le monde le sait maintenant dans cette maison — que Mlle Herwarth est morte d'hémorragie. Hémorragie due à une intervention condamnable aux termes de l'article 218.

Erika fixa le commissaire, prête à la lutte. Elle pensait aux paroles de Bornholm : « Aide-moi ! Il ne s'agit pas seulement de mon grand avenir. Il s'agit de nous deux. Sois seule responsable, s'il le faut. »

— N'y a-t-il pas insuffisance cardiaque en cas d'hémorragie ? dit-elle d'un ton ferme.

Le commissaire Flecken appuya son visage sur ses deux mains :

— Ce n'est que jouer absurdement sur les mots, n'est-ce pas ?

— J'ai seulement indiqué la cause du décès...

Un signe de Flecken interrompit Erika :

— Ne parlons pas à côté de la question, Mlle Werner. Qui a pratiqué l'intervention défendue ? Il a été vérifié que dans la nuit de samedi à dimanche on a opéré dans la salle d'opération N° 3. Il manque cinq flacons de plasma du groupe sanguin B1. Précisément le groupe de

Mlle Herwarth. On a donc tenté désespérément d'arrêter l'hémorragie et d'infuser du sang frais. Ce sont des faits. Il est également significatif que le Dr Bornholm...

— Le Dr Bornholm n'a rien à voir dans cette affaire, dit Erika d'une voix ferme.

Le commissaire hocha plusieurs fois la tête.

« J'en étais sûr, se disait-il, voici la clef ; je vais maintenant la tourner, et ouvrir la porte toute grande. Le cas est classé. »

— Si le Dr Bornholm n'a rien à voir avec l'intervention — et je vous crois —, il est néanmoins la cause directe de l'intervention coupable, et ainsi de la mort de Mlle Herwarth. (Flecken fit une petite pause, puis il assena les paroles suivantes comme autant de coups de poing destinés à faire choir Erika de sa chaise :) Le Dr Bornholm est le père de l'enfant à naître. Herga Herwarth était sa maîtresse.

Erika ferma les yeux et se cramponna à sa chaise, enfonçant les ongles dans le bois.

« C'est donc pour cela », pensait-elle, traversée d'un courant brûlant. Ce désespoir, ces supplications, ces appels au secours, l'effondrement de tout courage viril. Cet homme gémissant qui, les mains souillées de sang, la suppliait de ne pas le laisser seul...

— Eh bien ? demanda la voix de Flecken, tranchant ses pensées.

Ce fut comme une explosion dans son cerveau.

— Je n'ai rien à dire, répondit-elle à voix basse.

— Vous refusez de déposer ?

— Oui.

— Vous savez que, ce faisant, vous vous rendez suspecte au delà de votre culpabilité déjà établie ?

— Je le sais.

— Si vous croyez, en refusant de déposer, venir en aide au Dr Bornholm, vous vous trompez. Les preuves contre Bornholm sont écrasantes...

Un faible sourire glissa sur le visage d'Erika. Il la rendit presque jolie, et le commissaire Flecken eut soudain le sentiment qu'il haïssait ce Dr Bornholm inconnu, qui précipitait une fille confiante dans un malheur inévitable.

— Vous bluffez, monsieur le commissaire, mais cela ne prend pas avec moi. Vous ne savez rien. Je répète que le Dr Bornholm n'a rien à faire ici. Cette jeune fille est morte chez moi.

— A la salle d'opération ou dans votre service ?

— Je refuse de répondre.

— C'est vous qui l'avez opérée ?

— Je refuse de répondre.

— Qui a pratiqué la perfusion ? Qui vous a secondée ? Qui a fait entrer Mlle Herwarth dans l'hôpital pendant la nuit ?

— C'est à vous de vérifier, monsieur le commissaire.

— Je le sais déjà ! s'écria Flecken exaspéré. C'est le Dr Bornholm !

— Non ! (Erika secoua lentement la tête :) Le docteur n'était même pas dans la maison. Il n'est arrivé à l'hôpital que vers midi.

Le commissaire haussa les épaules. Il regarda une fois encore la jeune femme médecin, ses lèvres serrées, son mince visage pâle, ses yeux fixes, sans éclat. Il attendit plus de trois minutes qu'elle parlât... trois minutes de silence dans la pièce, d'un silence si profond qu'on entendait respirer ces quatre muets. Puis le commissaire Flecken posa la main sur les documents.

— Je vous arrête, docteur Erika Werner, dit-il d'une voix forte.

— Certainement. Vous ne faites que votre devoir.

— Mais ce que vous faites, vous, est un sacrifice absurde ! cria le commissaire. Je vous le prouverai. Vous serez écrouée à la maison d'arrêt. Vous perdrez votre autorisation d'exercer. Vous serez exclue de la société humaine. Au bout de trois ou cinq ans, vous serez une épave ! Vous, justement. Pourquoi et pour qui vous sacrifiez-vous donc ? Réfléchissez encore de sang-froid.

Erika Werner se tenait debout derrière la chaise au milieu de la pièce, et regardait au-dessus de Flecken, un point sur le mur.

— Avez-vous encore besoin de moi ?

— Certainement. Nous ne faisons que commencer.

— Pourrai-je, avant le transport, emballer les affaires indispensables ?

— Vous le pouvez.

La voix de Flecken vibrait de dépit et de fureur contre le Dr Bornholm. « Je vais le retourner comme pas un. Jusqu'à la limite de ce qui est permis », pensait-il.

— Allez, je n'envoie pas d'agent avec vous. Vous n'essaierez pas de vous enfuir, je le sais.

— Et si j'essayais tout de même ?

Flecken secoua la tête :

— Jamais de la vie ! Les martyrs veulent être exécutés. Ils n'échappent pas à eux-mêmes.

Erika Werner quitta la salle d'interrogatoires, la tête haute.

Le deuxième médecin-chef et quelques infirmières de la salle d'opération se trouvaient dans le couloir. Ils entourèrent Erika lorsqu'elle sortit de la pièce.

— Qu'est-ce qui se passe ? demanda le médecin.

— Rien ! (Erika traversa la foule des blouses blanches :) Rien. J'ai tué quelqu'un. Est-ce que cela vous regarde ?

Puis elle descendit l'escalier en courant jusqu'à sa chambre.

Le Dr Bornholm revint par le premier avion en partance de Munich. Il arriva à l'hôpital tard dans la soirée, alors que le commissaire Flecken, apportant le rapport médico-légal, se trouvait de nouveau dans le bureau du Pr Rahtenau. Le pathologiste Burgner avait travaillé consciencieusement. Il avait répondu à 170 questions. La cause du décès, le jour, l'heure, tout avait été précisé. Rahtenau lisait le rapport de l'autopsie lorsque Bornholm entra dans la pièce. Il leva les yeux un instant, puis reprit sa lecture, muet, inabordable. Enfin il écarta le rapport. Le Dr Bornholm était resté planté devant la porte.

— Mais c'est monstrueux, beau-père. On m'accuse d'avoir...

Rahtenau se redressa brusquement. Il négligea son chef de clinique et regarda le commissaire Flecken, lequel était assis, les mains jointes, dans un fauteuil profond, devant la table.

— Je vous laisse le soin d'interroger M. Bornholm, dit Rahtenau, raide. Pour moi, je n'ai plus de question à poser...

— Monsieur !

Bornholm était devenu blême — le maintien qu'il avait gardé jusque-là fléchit. Il fit un pas vers Rahtenau, comme s'il voulait lui barrer le passage. Le Pr Rahtenau ne le regarda même pas ; il s'arrêta et dit, presque avec hauteur :

— Veuillez me laisser passer.

Bornholm s'écarta. Sans dire un mot, Rahtenau quitta la pièce, mais derrière lui, la porte claqua avec fracas, vibrant aux angles. C'était plus net que des paroles. Bornholm le comprit et se tourna vers le commissaire Flecken.

— Qu'est-ce qu'on me reproche ? demanda-t-il d'un ton autoritaire.

Resté seul avec ce commissaire inconnu, « ce petit fonctionnaire », comme il se disait pour se rassurer, Bornholm reprit contenance. Theo Flecken lui sourit. Il avait du mal à étaler ce large sourire... Mais il savait que rien ne trouble davantage qu'une bouche souriante d'où vont sortir des accusations au lieu de propos aimables.

— D'abord une autopsie falsifiée. Vous avez écrit « insuffisance cardiaque ». Ce qui a été la cause du décès... avons-nous besoin d'en parler encore ?

— Non ! (Les muscles du visage de Bornholm saillirent sous sa peau hâlée.) J'ai voulu venir en aide à une jeune collègue pleine d'espérances. C'est tout. C'est tout. C'est ma faute. Je l'avoue ! Mais à qui aurais-je rendu service en écrivant : « Décès par hémorragie causée par un avortement » ?

— A nous ! En raison de l'article 218. Vous avez

couvert un acte punissable. C'est bien ce que vous voulez dire, n'est-ce pas ?

— Oui, répondit Bornholm, tendu.

— En d'autres termes, vous déclarez que votre jeune collègue, le Dr Erika Werner, a pratiqué, elle seule, l'intervention défendue ?

Bornholm vit le piège qu'il s'était tendu à lui-même, et à Erika. Mais il n'y avait plus de retour en arrière. Le rapport de l'Institut médico-légal était là. Il reconnut l'en-tête du document. Il serait inepte de nier l'intervention. Il n'y avait plus qu'un point essentiel qu'il fallait éclaircir : Qui était responsable ? Qui avait pratiqué l'intervention ?

— Et alors ? demanda le commissaire.

Flecken souriait de nouveau, non plus d'un sourire aimable cette fois, mais mauvais, dangereux. L'air d'un rapace qui guette sa proie.

— Je ne suis arrivé à l'hôpital que le lendemain, vers midi, alors que la catastrophe avait eu lieu dans la nuit, dit Bornholm avec élégance.

— Et dans la nuit ?

— J'étais dans mon lit. J'avais beaucoup travaillé...

— Au problème de la transfusion ?

— Précisément.

— Sur le vif ?

— Théoriquement. Je rédigeais mon exposé.

— Vous n'êtes pas venu du tout à l'hôpital, ni à votre laboratoire ?

— Non.

— Alors, c'est Mlle Werner seule...

— C'est à Mlle Werner qu'il faut le demander.

Theo Flecken serra les bras de son fauteuil ; il avait envie de bondir et de gifler ce visage étroit, aux vives arêtes et aux tempes grisonnantes. De le gifler, coup après coup, et crier à chaque coup : salaud ! canaille ! cette Erika a confiance en toi et tu la sacrifies avec élégance, comme si tu sortais un atout au poker !

— Nous connaissons le père de l'enfant qui ne devait pas venir au monde, dit-il grossièrement.

— Ah !

Flecken vit que sous le masque immobile de Bornholm, l'assurance s'émiettait :

— Oui, « ah ! », c'est regrettable pour plus d'un. Mlle Herwarth écrivait son journal et a laissé une lettre adressée à son père, comme si elle avait eu la prémonition de ce qui allait arriver... La lettre se termine par cette phrase — Flecken tira le papier de sa poche — : « Si je ne reviens pas, c'est que quelque chose de terrible sera arrivé. Alors va trouver le Dr... » Flecken s'arrêta et regarda Bornholm dont le visage était devenu livide.

— Vous n'allez tout de même pas... en raison d'un pareil griffonnage... Je vous demande...

— Je vous demande à vous, non, j'exige que vous disiez enfin la vérité !

Le commissaire était debout :

— A quoi bon ce jeu de cache-cache ? Vous êtes le père de l'enfant. Vous aviez tout intérêt à ce qu'il ne vienne pas au monde, premièrement parce que vous n'aviez aucune intention d'épouser Mlle Herwarth ; deuxièmement, parce que vous êtes fiancé à Mlle Rahtenau ; troisièmement, parce que votre carrière courait le risque d'un scandale ; et quatrièmement, parce que vous craigniez, avec raison, que le Pr Rahtenau en tire des conclusions évidentes. Là-dessus vous avez conseillé à Helga Herwarth de venir chez vous pendant la nuit, vous avez entrepris l'intervention qui, contre toute attente, a présenté une complication à l'utérus, inconnue de vous. Vous avez mis dans le circuit votre dernière conquête, Mlle Werner, afin de sauver ce qui pourrait encore être sauvé, mais c'était déjà trop tard. Et vous avouez maintenant...

— Quoi ? (Le Dr Bornholm toisa le commissaire et alluma une cigarette :) Il faudrait que j'applaudisse à votre roman policier ? Vous êtes fou ! Et vous produisez cette prétendue « dernière lettre » comme preuve à l'appui ? Avez-vous, avant de me soupçonner si grossièrement, examiné la vie de la défunte ? Sûrement pas. Un ange de pureté ! Faut-il que je vous dise ce qu'était

Helga Herwarth ? Une femelle en chaleur, une dévoreuse, une Marie-couche-toi-là. Croyez-vous que je vais reconnaître la paternité de l'enfant ? C'est le cas ou jamais où je serais justifié, lorsqu'il s'agit de Helga Herwarth, d'invoquer la clause — comment dites-vous, vous autres hommes de loi — des « fréquentations multiples ». N'importe qui peut être le père. Chacun des hommes avec lesquels elle a couché. Comment pouvez-vous en conclure que je sois justement l'auteur d'un crime ? Ce que j'avoue, et je le maintiens, c'est le fait que j'ai essayé de couvrir le Dr Werner au moyen d'un rapport d'autopsie inexact. La raison de cet acte est d'ordre privé...

Il jeta sur le commissaire un regard quasi triomphant.

— Que voulez-vous savoir de plus, monsieur le commissaire ?

— Rien. Comme nous sommes seuls, et que personne ne nous entend, je vous déclare qu'à mes yeux, vous êtes un salaud !

Bornholm eut un sourire mauvais :

— Comme nous sommes seuls... Bon. A mes yeux, vous êtes un con. Nous voilà quittes.

— Un con peut écraser un salaud.

— Vous feriez mieux de vous borner à écrire des aphorismes. Rien d'autre, monsieur le commissaire ?

— Si. Je vous arrête pour présomption d'homicide sur la personne de Helga Herwarth.

— Ça pourra vous coûter votre carrière, dit Bornholm d'une voix sourde.

— Elle n'est pas aussi considérable que la vôtre. Elle ne mérite pas que je sacrifie autrui pour la préserver...

— Comme vous voudrez. Puis-je régler mes affaires personnelles ? Je voudrais téléphoner à ma fiancée et à Mlle Werner.

— Elle est déjà à la maison d'arrêt.

— Une heure de liberté me suffira.

— Employez-la bien.

Le commissaire Flecken quitta la pièce. Dans le couloir se tenait un autre fonctionnaire de la police, en civil. Il comprit le regard de Flecken et se posta devant la porte. Lorsque Flecken fut sorti, Bornholm s'affala dans un fauteuil. Les mains tremblantes, il alluma et fuma rapidement une nouvelle cigarette. Helga avait écrit une dernière lettre. Elle l'avait nommé. Il pourrait nier tout sauf sa liaison avec Helga Herwath. Mais elle appartenait au passé, et Petra Rahtenau lui avait toujours dit : « Ton passé ne me regarde pas ; seul compte le présent, et ce qui se passera demain, c'est-à-dire notre vie, où j'entre maintenant. »

D'un geste hardi, il tira le téléphone à lui et appela le domicile du Pr Rahtenau. La gouvernante répondit et établit la communication avec la chambre de Petra.

— Alf ? (La voix de Petra semblait menue et éplorée.) Papa m'a tout raconté il y a une demi-heure. Ce n'est pas vrai, n'est-ce pas ? Ce qu'il dit... je ne peux pas le croire... Dis-moi que tout cela est une erreur...

— *C'est* une erreur, chérie. Aux yeux de tous, encore, c'est moi le grand criminel. C'est ce qui arrive toujours au début, lorsqu'on soupçonne quelqu'un. Ne te fais pas de souci. C'est tout ce que je voulais te dire. Continue seulement à m'aimer. Cela me donne la force de lutter pour la vérité.

— Tu sais comme je t'aime, dit Petra Rahtenau d'une voix plaintive.

Puis Bornholm l'entendit pleurer. Avant qu'il ait pu dire un mot de consolation, elle avait raccroché.

Bornholm écarta l'appareil. Il était délivré d'un grand souci : Petra avait confiance en lui, de même qu'Erika Werner. Cela le rendait inattaquable. L'amour des femmes serait son seul capital dans les semaines qui allaient suivre. Un capital incomparable. Il regarda sa montre : il disposait encore de trois quarts d'heure.

Presque amusé, il quitta le bureau du Patron et entra dans le sien. Cela ne le troubla pas que l'agent de la brigade criminelle le suivît comme une ombre. Il feignit fièrement de l'ignorer.

La détention préventive fut de courte durée. Après les interrogatoires par la police judiciaire, le juge d'instruction et le ministère public, le cas devint fort clair : le Dr Bornholm était bien le père de l'enfant, quand bien même il le niait, mais il n'avait rien à voir avec la mort de Helga Herwarth. Il n'était venu à l'hôpital — ainsi que le confirmèrent tous les témoins — qu'à midi, le lendemain, et avait été, comme tous, horrifié de ce qui avait eu lieu. Pour couvrir la jeune femme médecin, il avait commis « un faux pas », comme il le dit avec élégance aux interrogatoires. La dernière lettre de Helga était une preuve peu sûre. Elle avait écrit qu'elle devait rejoindre le Dr Bornholm le soir même où elle était morte... Mais Bornholm jura qu'il ne l'avait pas vue. Sa déposition était en contradiction avec la lettre d'une morte, mais il n'y avait pas de raison pour l'instant de ne pas croire le vivant. Les faits demeuraient : le Dr Erika Werner avait traité Helga Herwarth, arrivée à l'hôpital d'une manière encore inconnue ; elle avait voulu la débarrasser de son enfant, et avait fait une intervention malheureuse. C'était exactement le cas visé à l'article 218, suivi de décès. Le Dr Werner l'avouait. Le visage blême, figé, elle répétait toujours les mêmes mots qu'elle s'était appris et dont on ne pouvait la faire dévier.

— C'est moi qui l'ai fait. Pourquoi ? Cette fille me faisait pitié.

Le seul qui ne crût pas à la culpabilité d'Erika était Bruno Herwath.

Après un séjour d'une semaine à la clinique privée du Pr Rahtenau, il était devenu plus calme. Helga avait été enterrée dans l'intimité, et, après avoir recouvert le cercueil de terre et de branches de sapin, la routine de la vie quotidienne l'avait repris, lui aussi.

Il avait lu l'acte d'accusation du Dr Erika Werner et les dépositions du Dr Bornholm que le commissaire Flecken lui avait fait tenir clandestinement.

— Ce n'est pas elle qui l'a fait ! dit Bruno Herwarth lorsqu'il rendit les procès-verbaux à Flecken.

— Prouvez-le ! dit Flecken, lissant nerveusement ses cheveux. Tant qu'elle s'en tiendra à sa déposition, Bornholm est inattaquable. Il n'y a eu que deux participants durant cette nuit — et l'une couvre l'autre. Que pouvons-nous faire ?

— On va condamner cette jeune femme, n'est-ce pas ?

— Sûrement, puisqu'elle a avoué.

— Et Bornholm sera remis en liberté ?

— Oui. Il y aura peut-être un blâme du Conseil de l'Ordre des médecins, à cause du rapport d'autopsie inexact. Mais je crois, l'homme étant si éminent, qu'on enterrera l'affaire.

— On devrait faire appel à sa conscience !

— Sa conscience ? c'est sa carrière. Vous connaissez bien cette sorte d'hommes. Si la jeune femme médecin ne faiblit pas, le cas est juridiquement résolu, mais définitivement perdu.

Un mois après, ils comparaissaient devant le tribunal. Au cours de ces trente jours, le défenseur d'Erika tenta tout pour la faire sortir de sa cuirasse. Il n'y réussit pas. Chaque fois, il quittait, résigné, le parloir de la maison d'arrêt. Le commissaire Flecken l'attendait dans le couloir.

— Rien à faire ! disait l'avocat, vexé. Il ne me reste plus, dans mon plaidoyer, qu'à implorer la clémence pour la responsable qui avoue. C'est écœurant !

Au cours de ce mois, Petra Rahtenau vint trois fois rendre visite à son fiancé, le Dr Bornholm. Elle le fit contre la volonté de son père. Le Pr Rahtenau avait fait pression pour obtenir la rupture des fiançailles. Petra avait refusé et prétendu que le passé d'Alf ne la regardait pas. « Et s'il a voulu couvrir la femme médecin, il a fait preuve d'un grand caractère qu'on devrait admirer, et non pas condamner. » Chaque fois qu'elle allait voir Bornholm, il venait à sa rencontre comme un heureux adolescent, l'embrassait, lui tenait longuement la main. Le fonctionnaire muet, assis sur son escabeau dans un coin, ne les gênait pas... ils se regardaient longuement l'un l'autre et il semblait à Petra n'avoir jamais éprouvé d'amour aussi profond pour Alf qu'en ces jours où, par suite de son acte généreux, il était en prison.

— Aussitôt que tu seras relaxé, nous nous marierons, lui avait-elle dit à sa dernière visite.

Bornholm caressait les doigts minces de Petra, aux ongles vernis de mauve. Son air soucieux accentuait l'expression virile de son visage anguleux :

— Ton père fera tout pour l'empêcher...

— Il a déjà commencé ; c'est absurde, je t'aime et il n'y a pas d'argument qui tienne contre cela.

— J'aurai du mal, maintenant, à regagner une réputation impeccable...

— On oubliera vite cette histoire. Mais cette femme médecin, cette Erika Werner, je voudrais la tuer, de t'avoir mis dans une situation pareille.

— Petra chérie — Bornholm lui baisait les doigts —, elle l'a peut-être fait par pitié, comme, moi aussi, j'ai agi par pitié. Ne lui en veuillons pas. Elle aura encore maintes semaines terribles à traverser.

— Je la déteste ! dit Petra.

— Plains-la, cela vaut mieux. Et maintenant, raconte-moi ce qui se passe à l'hôpital, ce que disent les collègues, ce qui est arrivé de spécial...

Et tandis que Petra bavardait, rapportant les petits incidents quotidiens, Erika Werner était assise, solitaire dans sa petite cellule et fixait la paroi peinte en gris et ornée de graffiti et de dessins obscènes. Elle avait peur du procès, peur du jugement, peur de la réclusion qui l'attendait. Seule la croyance qu'Alf Bornholm tiendrait sa promesse lui donnait la force de vaincre tout ce qui pourrait la déprimer.

Peu avant le procès, l'avocat réussit à obtenir l'autorisation que Bornholm et Erika se revoient et parlent encore une fois. Le commissaire Flecken escomptait un choc de cette rencontre, qui donnerait lieu peut-être à un autre aveu.

Sous les yeux de trois fonctionnaires portant chacun

un appareil enregistreur dans la poche de son veston, ils se trouvèrent un matin, face à face.

Erika resta sur le seuil lorsqu'elle vit Alf Bornholm se lever précipitamment derrière la table du parloir. Elle devint tour à tour blême et cramoisie :

— Toi... dit-elle tout bas.

— Nous n'aurons plus l'occasion, après le procès, de nous voir d'aussi près, dit Bornholm, hésitant. Et d'ici quatre... (Il avala sa salive et regarda ses mains :) Erika, je voulais te dire quelque chose qu'il faut emporter avec toi dans la détresse qui t'attend : je serai toujours près de toi par la pensée, et je t'attendrai. Et quand tu reviendras, nous nous marierons...

Elle le regarda bien en face, pleine de confiance dans ce qu'il disait. Puis elle fit un signe d'assentiment, baissa la tête et quitta le parloir.

Bornholm, les muscles du visage tressaillant, regardait la porte qui se referma sans bruit derrière Erika. D'un coin de la pièce, le commissaire Flecken s'avança vers Bornholm :

— Je crois que vous allez vous marier avec Petra Rahtenau ? demanda-t-il durement.

Bornholm ne lui répondit pas. Lui tournant le dos, il sortit par l'autre porte et regagna sa cellule.

Le procès fut court et sans aucune sensation, quand bien même de nombreux journalistes y assistaient, et que la jeune et pâle femme médecin fût sous le feu de leurs flashes.

Questions concernant la personne, sa carrière, l'aveu de son acte, sa contrition visible, le motif, la compassion féminine pour une malheureuse, les dépositions des témoins, qui, toutes, étaient en faveur de l'accusée et retraçaient l'image d'un jeune médecin consciencieux, aimé et paisible. Plaidoyers du défenseur et du procureur. Sentence :

Trois années de réclusion.

Il ne pouvait en être autrement. Telle était la loi. Ce n'est pas la situation personnelle qui est déterminante, mais la sanction d'un acte opposé aux règles de la société humaine.

Le visage fixe, Erika écouta, debout, le verdict. Elle ne regarda pas du côté où le Dr Bornholm était assis et attendait son acquittement.

Elle renonça aussi à la dernière déclaration qui lui était proposée. Elle se borna à hocher la tête et se retourna vers la chaise, pour entendre, assise, les motifs du jugement.

Ce ne fut qu'en sortant, alors qu'elle était devenue une détenue et cessait ainsi, automatiquement et pour toute sa vie, d'être un médecin, qu'elle jeta un regard rapide vers Alf Bornholm.

Il était assis, les mains jointes, et regardait la fenêtre. Son visage lui parut décontracté, détendu, exempt de tout souci.

Elle ne s'arrêta qu'une fraction de seconde. C'était un adieu pour trois ans.

Puis la lourde porte de chêne se referma derrière elle. Le procès d'Erika Werner était clos.

La vie continuait. Quelques comptes rendus parurent dans les journaux. Mais, dès le lendemain, personne ne savait plus qui Erika Werner avait été. La dernière actualité était le meurtre d'un chauffeur ; demain, ce serait peut-être la rupture d'un barrage, ou bien une catastrophe aérienne avec soixante-dix morts. Ou bien un viol et meurtre dans la banlieue. La vie est si captivante et riche d'événements.

La voiture cellulaire, le « panier à salade », entra lentement dans la cour de la maison d'arrêt. Il fallut passer par trois portails blindés à fermeture électrique avant que le fourgon s'arrêtât, les freins grinçants, devant l'entrée de l'établissement.

De hauts murs de brique cernaient la cour. Les quartiers des cellules, partant d'une chapelle ronde, formaient une grande étoile rouge ; entre eux s'étendaient les cours de promenade, avec d'étroites et minables bandes de gazon et quelques noisetiers quêtant le soleil. Erika Werner appuya le visage contre la vitre doublée d'un réseau d'acier du fourgon. Les deux premiers portails avaient été ouverts par des surveillants ; à partir du troisième, Erika ne vit plus que des femmes. L'isolement du monde lui fut soudain sensible.

Deux femmes en larges sarraus bleus étaient occupées à balayer le gazon de la cour intérieure. Lorsque le fourgon entra, elles ne levèrent les yeux qu'un instant — des visages mornes, des cheveux broussailleux que l'on ne coupait que de loin en loin. Il n'y a pas de soins pour les cheveux dans la maison d'arrêt. Pas de souvenir de coiffure bouclée : là, l'individu est dépourvu de tous les masques de la civilisation. La condamnée n'est plus qu'une pénitente portant un numéro matricule.

A la porte du bureau d'entrée, se tenait une grosse surveillante. Ses yeux clignaient au soleil derrière ses lunettes, comme si elle sortait d'une longue obscurité. Les poings sur les hanches, elle regardait Erika Werner descendre du « panier à salade ».

— Allons ! dépêche !... cria-t-elle, tandis qu'Erika descendait les quatre échelons de fer. Bien sûr ! avec des talons d'un mètre, ce n'est pas commode. Mais ça changera. Vite ! d'abord le bain et ensuite la visite du médecin.

La grosse surveillante toisa Erika Werner de la tête aux pieds comme ferait un maquignon.

— T'as déjà eu la vérole ? aboya-t-elle.

— Je suis médecin, dit Erika d'une voix faible.

Cherchant une aide, elle regardait les agents du fourgon, ils avaient ôté leurs casquettes et s'épongeaient le front. Il faisait chaud.

— Oui, ici, c'est pas pareil, dit l'un d'eux. Mais on s'habitue. (Et, tourné vers la grosse femme, il dit :) Oui, elle est vraiment un médecin. Tiens un peu ta langue, Katharina !

La surveillante-chef tripota ses lunettes :

— Je connais le règlement ! Et qui entre ici est un numéro matricule.

Elle saisit Erika par le bras et l'entraîna dans le bâtiment demi-obscur, à l'odeur de renfermé. Plusieurs portes claquèrent, puis la jeune femme se trouva devant une table, dut décliner ses nom et prénoms, âge, etc. Une employée, un peu plus aimable, dit simplement : « Cellule 365, Division E. » — et la congédia.

— Bon ! cria Katharina Pleüel depuis le seuil. Et maintenant, au vestiaire ! Quand t'auras quitté tes frusques, tu seras déjà à moitié habituée.

Erika s'en fut, la tête basse, jusqu'au vestiaire. Soudain, elle pleura — pour la première fois depuis son arrestation.

Dans la salle du vestiaire, une autre surveillante se tenait derrière un long comptoir. Petite, au nez pointu, le regard furtif d'une souris. A côté d'elle, deux chauffeuses, détenues à long terme, jouissaient de certains avantages et occupaient des « postes supérieurs », aux douches, à l'atelier de couture en qualité de contremaîtresses, à la vannerie, ou dans le jardin en tant que surveillantes.

— Et alors ? dit la femme au nez pointu à Katharina Pleüel. Elle chiale. C'est une nouvelle ?

— Quelque chose de propre ! Trois ans pour meurtre. Elle a fait passer un gosse à une fille, et là-dessus la petite...

Le nez pointu toisa Erika Werner comme elle ferait d'un tas de pommes pourries.

— On ferait mieux de lui couper le kiki, dit-elle à voix haute. Allez, déshabille-toi !

Erika Werner regarda autour d'elle ; elles étaient debout, au milieu du vestiaire. Katharina Pleüel, près de la fenêtre, ricanait, et les deux détenues tiraient des paquets des rayons, des jupes grossières, du linge, une robe de cotonnade bleue, une veste bleue, des souliers plats à fortes semelles.

— Déshabille-toi ! hurla la femme au nez pointu.

— Ici ? demanda Erika d'une voix plaintive.

— Tu crois qu'on va t'installer un boudoir ? Allez, enlève tout ! Ton soutien-gorge aussi ! On n'aguiche plus, ici.

Erika avait la nausée. Elle se déshabilla sous les

regards moqueurs des autres. Elle était nue, dans un vestiaire où il faisait froid, les bras le long du corps, honteuse mais serrant les dents. Puis on lui jeta divers articles : le linge, les vêtements de dessus. Elle s'habilla promptement. Un frisson la parcourut et lui donna la chair de poule. Elle se demandait qui avait porté ces vêtements avant elle, une criminelle peut-être, ou une voleuse, ou une garce ?

Entre-temps, la femme au nez pointu avait dressé la liste des objets remis : deux bagues, un bracelet-montre, un porte-monnaie contenant 45 DM. Les vêtements furent emballés dans un sac avec mention du nom et de la date où les effets étaient remis. Puis le sac fut porté au fond du magasin, à la réserve. Plusieurs centaines de sacs — centaines de destinées — s'y trouvaient, dont chacun représentait un roman.

L'employé poussa la liste à Erika Werner :

— Signe !

Erika prit le stylo et allait signer, lorsque la surveillante lui saisit le poignet :

— Il faut lire. Sinon on dira encore : Emma m'a refait une bague. Nous connaissons le truc, depuis le temps. Vous êtes toutes les mêmes. Lis et vérifie. Tu signeras après.

Erika lut l'inventaire et le compara aux effets étalés sur le comptoir, puis elle signa.

La belette pointa un doigt sur la signature :

— Qu'est-ce que c'est que ce docteur ?

— Elle est docteur, médecin, dit Katharina Pleüel ; mais ça aussi c'est fini.

Erika ferma les yeux. Le sentiment de cette fin, cette terrible fin, était pire que tout ce qu'elle avait déjà vécu, et qui l'attendait encore. Certaines choses passeraient — si pénibles soient-elles —, mais cette fin était définitive. C'était l'adieu à la vie qu'elle avait tant aimée, où s'étaient amassés tant d'espoirs, d'idéaux et de savoir... « C'est fini. » Lorsqu'elle entendit ce mot, elle eut envie de crier : « Mais je suis innocente ! Ce n'est pas moi qui l'ai fait... j'ai seulement... » Puis cette impulsion tomba.

Elle pensa à Alf Bornholm, à sa belle carrière qu'elle avait préservée et à laquelle elle prendrait part, à ses côtés, dans trois ans, durant lesquels il faudrait subir la peine, et il n'y aurait pas de grâce.

La voix rauque de Katharina Pleüel la tira de ses pensées. Elle donna à Erika un coup dans le dos qui la fit chanceler.

— Là ! Et maintenant à la douche ! dit-elle, et ensuite au médecin. Tu es maintenant le n° 12 456 et rien de plus. On va bien voir ce que dira le médecin et à quoi nous pourrons te mettre, quand tu te seras habituée, au bout de trois mois.

La belette cligna des yeux :

— Elle a roulé des bandes. Mets-la donc au tressage.

— C'est juste !

Katharina Pleüel poussa le n° 12 456 hors du vestiaire. Après avoir passé deux portes massives, elles entrèrent dans un couloir où flottait un air humide et chaud.

Au bout du couloir, dans une vaste pièce aux murs de faïence, se tenaient vingt femmes nues sous les douches chaudes, qui se tournaient en grognant ou en riant, en bavardant et toussant sous le jet d'eau. A gauche, c'était la salle d'attente, aussi spacieuse. Katharina Pleüel ouvrit la porte, poussa Erika Werner dans la pièce et commanda : « Déshabille-toi et attends ! » Katharina Pleüel alla à l'entrée de la salle d'eau et fit signe à la surveillante qui se tenait à distance des douches et observait les corps nus qui se tournaient dessous.

Dans la salle d'attente, Erika se trouvait avec sept femmes nues. Elles étaient assises sur un banc le long du mur et regardèrent avec intérêt la nouvelle venue. Une grosse fille aux larges hanches et à l'opulente poitrine lui fit un signe amical.

— Petit-Bijou, dit-elle en dévisageant Erika de ses yeux ardents au fond de leurs capitons de graisse, déshabille-toi, qu'on t'admire !

— Elle se gêne, dit une grande femme maigre aux mèches noires et aux lèvres minces. (Elle se pencha en avant :) J'ai tué mon homme. Cette charogne me trompait avec une garce de dix-neuf ans. Je lui ai enfoncé sept fois le couteau de cuisine dans le ventre, et il a gueulé, gueulé, le salaud !

— Allez, finis tes vieilles scies. Elle nous raconte ça tous les jours ; ça devient embêtant...

Une grande blonde, bien faite, s'étira :

— Moi, je suis Monika Bergner. Tu n'as jamais entendu parler de moi ? De Robert Haller, le voleur du Heimerberg ? C'était mon homme. Ils nous ont traqués pendant quatre semaines avant de nous avoir.

La grosse femme se donna de grandes claques sur ses hanches énormes :

— Moi, je suis Helga Pilkowski, surnommée « la valse des hommes ». Je n'ai pas eu de pot, j'ai fait le portefeuille d'un client et cet imbécile était fonctionnaire de je ne sais quel ministère ; et vlan ! me voilà en taule. Quand j'en sortirai, je me ferai d'abord montrer les passeports, et j'y mettrai le cachet, comme à la frontière...

Les autres femmes s'esclaffèrent. Erika Werner se tenait toujours adossée à la porte, les yeux grands ouverts, horrifiée.

Une petite femme brune, gracile, au visage angélique d'innocence, se leva, ainsi qu'on se présente :

— Je suis Jutta Herrscheid, la voleuse, dit-elle, spécialiste des grands magasins. Recettes annuelles, environ trente-deux mille marks...

— Moi, je fais plus que ça ! cria la grosse commère.

Elle se leva et s'avança, avec son énorme corps blanc, véritable montagne de chair qui donnait l'impression qu'elle allait déferler, telle une avalanche, sur la silhouette muette et encore vêtue, adossée à la porte.

— Tiens, cette brune, là, elle est trop distinguée, elle ne parle pas à tout le monde, dit Helga Pilkowski. C'est un escroc, comme disent ces messieurs les avocats. Elle va trouver les familles et leur apporte des nouvelles des jeunes gars disparus. Et elle encaise au nom d'une société de secours dont le bureau est dans son corsage.

Nouveaux éclats de rires parmi les femmes nues. Maria Jüttner, l'escroc distingué, ne sourcilla pas. Hautaine, elle était assise parmi les autres et, dans sa nudité, donnait encore l'impression de porter un manteau de vison sur ses épaules blanches.

— Et celle-là...

Le doigt de Helga Pilkowski pointa comme une pique sur une petite blonde, menue, assise au bout de la rangée des femmes nues, et qui leva sur Erika un regard triste. Un petit visage maigre qui semblait pleurer continuellement et demander : pourquoi suis-je ici ? Qu'est-ce que je vous ai fait ?

— Celle-là, c'est Lore Heimberg, présenta la grosse commère, notre mignonne. Elle a mis un gosse dehors, aussitôt après la naissance et, comme c'était l'hiver, le petit est mort, gelé. Au lieu de mettre en taule le type qui le lui a fabriqué, c'est elle qui est ici. Parlez de justice ! «Infanticide !» ont dit les robes noires. Et le salaud qui l'a plantée là ? Celui-là court toujours. Faudrait cracher sur tous leurs articles de loi !

Helga Pilkowski s'arrêta devant Erika. Le bruit des douches, dans la salle voisine, avait cessé. On entendit les femmes parler et une forte voix de commandement.

— C'est Blauberg qui vérifie si elles se sont toutes lavé le derrière, dit la grosse commère. Allez ! déshabille-toi. Ça va être notre tour. Comment que tu t'appelles ?

— Erika Werner, dit Erika à voix basse.

— Et pourquoi que t'es ici ? Fraude, vol, détournement ? T'as pas l'air d'une criminelle... ou d'une putain.

— Je suis innocente, dit Erika tout à coup.

Elle se sentit contrainte de le dire, à haute voix. Les mots lui jaillirent des lèvres comme une protection, comme un mur dressé entre elle et toute l'ordure qui l'entourait. Helga Pilkowski recula d'un pas. Son corps gras vacilla. Puis toutes se mirent à crier, sauf la petite Lore Heimberg qui baissa la tête :

— Innocente ! Mon œil !

Helga Pilkowski se dandinait devant Erika. Aguichante, elle balançait ses grosses hanches et ses cuisses rebondies.

— Comment diable a-t-elle atterri ici, cette innocente ? Tiens, tiens ! Elle s'est envolée du Paradis. Petite colombe à laquelle on a arraché les plumes...

Ses gros doigts saisirent Erika ; en quelques gestes elle fit tomber les vêtements et la laissa nue contre la porte.

— Voilà ! cria Helga Pilkowski. T'es pareille à nous, maintenant, poseuse ! Mais cette comédie-là n'a pas cours ici. Personne ici n'est innocente. Gare à tes fesses, si tu continues. Allez ! assieds-toi, ouvre-la, et dis pourquoi tu es ici !

Elle entraîna Erika jusqu'au banc et l'y assit parmi les corps nus.

Impuissante, Erika la laissa faire. Ce serait absurde de résister. Elle était tombée dans un bourbier, et le remous l'y enfonçait avec tant de force qu'elle n'avait plus aucune défense.

Assise, elle s'aperçut du regard que Helga fixait sur elle. Un regard impudent, exigeant, lascif. Comme pour se protéger, Erika croisa les bras sur sa poitrine.

— Un bijou ! dit Helga en se léchant les lèvres. Rien à faire pour vous autres, mes enfants. Elle sera mon amie. Et celle qui y touchera, je lui ferai son affaire. Compris ?

La porte de bois s'ouvrit brusquement. La surveillante des douches, Jule Blauberg, parut sur le seuil : « Sortez ! » hurla-t-elle. Lorsqu'elle aperçut Helga Pilkowski, elle fit une grimace, comme si elle avalait du vinaigre.

— Seigneur ! c'est cette divison-là ! (Elle recula d'un pas et, montrant la salle de douches à bras tendu :) Au pas de gymnastique et plus vite que ça encore, ou je vous le ferai voir sur vos fesses !

Helga Pilkowski, les poings sur les hanches, passa au petit trot devant Jule Blauberg, dans la salle de douches ; les jambes comme des poteaux, les semelles martelant le sol carrelé, « la valse des hommes » se dirigea vers les douches ; les autres la suivirent. Seule Erika sortit lentement de la salle d'attente. Jule Blauberg la regarda, surprise.

— Et alors ? demanda-t-elle. T'as jamais appris à courir ? (Puis elle vit le teint hâlé d'Erika et fit un signe de tête :) Toutes celles qui sont en taule ont la peau blafarde. Tu es la nouvelle ? Mme Pleüel t'a annoncée. Alors, tâche de te souvenir : la douche une fois par semaine. Ici, c'est moi la reine. Compris ? Ce que je dis compte plus que les Ecritures. La désobéissance mène au cachot. Tu ne le connais pas, mais celles qui y sont allées feraient tout plutôt que d'y être enfermées à chanter entre les murs. Alors au pas de gymnastique, file !

Erika Werner courut à la salle de douches. Helga lui fit signe. Le jet d'eau chaude ruisselait sur sa figure grasse.

— Viens par ici, petiote ! criait Helga, je te décrasserai, je te frotterai bien !

Erika se plaça plus loin sous la douche. Près d'elle se tenait la petite blonde, Lore Heimberg. Helga Pilkowski les guettait toutes deux, les yeux étincelants. Puis elle eut une discussion véhémente avec Jule Blauberg, parce qu'elle voulait changer de douche, pour se rapprocher d'Erika.

Après s'être lavées, dans leurs amples sarraus bleus elles semblaient presque toutes pareilles. Leur blouse de détenues leur donnait l'air d'être des sœurs. Leurs cheveux mouillés pendaient en mèches sur leurs visages. A grand bruit de semelles de bois, on les reconduisit à leur division, Katharina Pleül les y attendait déjà.

Dans la troupe qui arrivait au pas accéléré, elle saisit Erika au passage. Helga Pilkowski s'arrêta, mais Katharina lui donna une bourrade qui la fit rentrer dans le rang.

— T'es propre ? demanda la Pleül.

— Oui.

— Viens tout de suite au médecin. Tu passeras dans dix minutes.

Elles traversèrent plusieurs couloirs, franchirent deux

contrôles et atteignirent une partie du bâtiment un peu plus plaisante avec ses parois blanches, son sol de linoléum et ses portes à poignées. De nouveau une salle d'attente, mais en dépit des fenêtres grillagées, Erika éprouvait une impression quasi familière, presque comme un retour après une longue errance. Elle sentait l'odeur du lysol, elle regardait la porte blanche sur laquelle un écriteau portait : Service Médical. Inscription.

Une surveillante en blouse blanche ouvrit la porte. Elle avait déjà reçu le dossier. D'un air critique, elle toisa la jeune femme médecin qui se tenait devant elle dans l'ample sarrau bleu de l'établissement. Une détenue pareille à cent autres ; et qui avait tué une jeune fille.

— Entrez !

Le médecin se lavait les mains dans la salle de pansements lorsque Erika Werner entra. Elle regarda lentement autour d'elle. La table d'examen, un divan recouvert de toile cirée, une petite armoire à instruments, un appareil de radiothérapie, une table d'opérations pour petites interventions. Tout cela un peu minable comparé à la splendeur éblouissante de l'hôpital. Le médecin se retourna et s'essuya les mains. Il avait un visage étroit, bronzé, aux yeux clairs, et un beau profil. Ses cheveux blonds commençaient déjà à blanchir. Il pouvait avoir trente-cinq ans... ou cinquante. Son visage glabre, aux traits énergiques, n'avait pas d'âge.

— Matricule 12 456, Werner Erika, dit l'auxiliaire. Entrée aujourd'hui. Premier examen.

Le médecin acquiesça et fit signe à Erika d'approcher. La surveillante de l'infirmerie la poussa devant elle.

— Déshabillez-vous, susurra-t-elle.

Erika se dévêtit de nouveau. Le torse nu, elle frissonnait au milieu de la salle d'examen. Le médecin prit une liste de questions imprimées et la déposa sur son bureau.

Il avait examiné des centaines de fois les nouvelles détenues ; posé toujours les mêmes questions ; écrit toujours le diagnostic de routine ; écrit des centaines de fois la phrase : capable de travailler ; oui ou non. Si oui, travaux durs, moyens, légers.

(Biffer les mentions inutiles.)

— Je suis le Dr Rumholtz, dit le médecin en se tournant vers Erika. Si vous êtes réellement malade, vous pouvez me faire appeler, on vous amènera ici. Vous signalerez les refroidissements ou malaises ordinaires à la surveillante de votre division. Il y a dans chaque quartier une armoire à pharmacie. Je reconnais immédiatement les simulations et la sanction est sévère.

Erika fit un signe de tête affirmatif. Ele allait dire : « Oui, monsieur mon collègue. » Mais elle se retint. Il n'y avait plus de Dr Werner. Elle n'était que le n° 12 456, rien de plus. Tout le reste était dans le passé.

Ce passé la saisit de nouveau. Elle ferma les yeux et se prêta à l'examen. Le Dr Rumholtz biffa à la question : capable de travailler, *non* et souligna *oui*. Puis Erika répondit à ses questions d'une voix aussi monotone qu'une machine remontée.

— Maladies d'enfants ? Oui. Lesquelles ?

— La scarlatine et la varicelle.

— Avez été opérée ?

— Oui, l'appendicite.

Elle dit « appendicitis in graviditate ». Le Dr Rumholtz leva les yeux, surpris, puis continua :

— Maladies vénériennes ? Non. — Fausses couches ? Non. — Et dans la famille, syphilis, tuberculose ou autres maladies chroniques ? Non.

— Vous pouvez vous rhabiller, dit le Dr Rumholtz qui remplit le questionnaire. L'examen était achevé. La détenue n° 12 456 était bien portante. Et, chose rare, elle ne se plaignait d'aucun mal. Ni rhumatisme incontrôlable, ni maladie nerveuse, ni la comédie d'une fausse honte. Faits que le Dr Rumholtz voyait tous les jours. Les pires étaient les hystériques, elles s'arrachaient leurs vêtements, criaient en réclamant un homme et harassaient le médecin. Seules les fortes gifles données par la surveillante ramenaient les furieuses à la raison. On leur faisait alors une piqûre calmante et on les conduisait dans leur cellule ; et elles dépeignaient toute une semaine dans l'atelier la joie de voir une homme, ne fût-ce que cet idiot de docteur que les femmes laissaient froid.

Le Dr Rumholtz regarda Erika tandis qu'elle se rhabillait. « Une fille singulière, pensait-il. Tout autre que les femmes qui entrent ici, relèvent leur jupe et s'écrient en ricanant : Bonjour, monsieur le docteur ! Elle dit la vérité. Elle ne se plaint pas, ne demande pas de privilèges tandis que la Pleüel en reprenait possession et la poussait hors de la pièce.

— Pourquoi est-elle ici ? demanda le Dr Rumholtz.

La surveillante de l'infirmerie haussa les épaules :

— Pour meurtre.

— Tiens ! Presque incroyable. Un homme ?

— Une jeune fille, par un avortement.

— Cela semble impossible.

Le docteur ôta sa blouse blanche. La surveillante fit un signe de tête affirmatif.

— Celles qui ont l'air d'être des anges sont les pires. Nous le savons, nous autres. Un cochon, on voit que c'est un cochon ; mais ces mines-de-rien me dégoûtent !

Elle jeta un regard oblique vers le médecin.

— Même vous, docteur, vous vous y laissez prendre, pas vrai ?

— Elle a quelque chose dans le regard...

— L'aplomb sous un air innocent.

— Non. La tristesse. Ou plutôt un amer chagrin. Un regard très singulier.

— D'ici une semaine, elle aura fait peau neuve. Plus de beau masque. Elle ne nous la fera pas, à nous autres, cette belle personne...

Le procès eut peu de suites fâcheuses pour le Dr Alf Bornholm. Son « implication dans cette pénible affaire », ainsi que s'exprima le Pr Rahtenau, lors de sa déclaration au Syndicat des médecins, valut au Dr Bornholm de prendre son congé annuel plus tôt que de coutume. Et il se rendit à Capri.

Durant les six semaines où il prit des bains de soleil,

rama jusqu'à la grotte bleue, ou, muni de palmes, d'un masque et une bouteille d'oxygène sur le dos, il harponna des poissons d'argent, le sable de l'oubli recouvrit « l'affaire Werner ». Le temps, à l'allure rapide, ne s'attarda pas à considérer la petite tragédie d'une jeune femme médecin. Même à l'hôpital, au bout d'un mois, personne ne parla plus de ce scandale interne. Les médecins-chefs ne parlèrent pas parce qu'ils ne voulaient pas fâcher le Patron et qu'ils pensaient à leur carrière ; les assistants se turent puisque les médecins-chefs ne disaient mot ; quant aux malades, ils étaient remplacés depuis longtemps par de nouveaux entrants qui gémissaient dans leur lit et ne pensaient à rien d'autre qu'à leur propre misère.

Seul l'architecte Bruno Herwarth ne connaissait ni les atténuations ni l'oubli. Il avait accepté la mort de sa fille en se disant, en fataliste, qu'aucune plainte, aucun gémissement ne pouvait empêcher ou changer ce qui avait eu lieu, mais il ne croyait pas avec la même certitude que le tribunal à la culpabilité de la jeune femme médecin, ni à la blancheur immaculée de la blouse du Dr Bornholm, ni à ses manières de gentleman. Le fait que ce grand chirurgien, plein d'avenir, ce chercheur scientifique éblouissant ait osé représenter Helga comme une coureuse, avait non seulement blessé profondément le père en Bruno Herwarth, mais l'avait aussi rempli de haine.

Tout père croit bien connaître son enfant, alors même qu'il le connaît peut-être moins que maints étrangers. Bruno Herwarth était de ce nombre, et assez objectif pour reconnaître qu'il s'était trompé et abusé au sujet de Helga. Mais ce que prétendait Bornholm lui semblait non seulement incompréhensible, mais incompatible avec le caractère de Helga. C'était une calomnie contre laquelle la morte ne pouvait plus se défendre. C'était souiller l'image pure que Bruno Herwarth s'était créée en souvenir de sa fille.

Il avait laissé la chambre de Helga telle qu'elle l'avait quittée un soir, avant une promenade qui l'avait conduite au néant. Il avait tout remis en ordre... les livres, les disques, les illustrés, les photos de films et pages de modèles. Tous les vendredis, la femme de ménage nettoyait la chambre, comme si Helga n'était qu'en vacances et pouvait rentrer le lendemain. Le soir, il venait s'asseoir dans la petite pièce aux couleurs vives, écouter les disques que sa Helga aimait tant. Disques qu'il n'avait jamais compris ; qu'il appelait « du bruit », ou « les gémissements d'un chien auquel on a marché sur la queue ».

Assis dans le fauteuil de Helga, il écoutait la voix rauque, gutturale, d'Armstrong, ou les cantilènes nostalgiques du marin perdu et de la fiancée abandonnée dans un port. Il voyait la lune argentée au-dessus des barques de pêcheurs et les jupes ondulantes en fleurs d'hibiscus des danseuses hula-hula, à Tahiti. Et soudain il comprit Helga ; il avait pénétré dans le monde de son imagination et il s'entretenait avec elle comme si elle était encore auprès de lui. Il s'était édifié un musée où il vivait avec sa fille ; et, de jour en jour, sa haine grandissait contre ce Bornholm qui avait été l'amant de sa fille et disait d'elle qu'elle était une femelle en chaleur.

A Capri, les jours coulaient, passés à nager, à se faire bronzer, à plonger et à ramer. Au bout d'un mois arriva Petra Rahtenau.

— Papa a tout arrangé. L'enquête du Syndicat des médecins sera suspendue ; et il t'a procuré une situation de médecin-chef d'une clinique de deux cent quarante lits. Personne ne pense plus à cette affaire idiote. Tout le monde dit, au contraire : « Ce Bornholm est un cinglé ! Il se met la corde au cou pour venir en aide à une jeune collègue. » Voilà ce qu'on dit de toi. Je suis si fière de toi, Alf.

Elle continua à bavarder, à dire beaucoup d'absurdités : œillères d'une amoureuse, raisonnements de jeune fille et dispositions généreuses. Bornholm jouit de ces jours avec Petra, comme s'il pressentait le danger qui pourrait le menacer un jour, venant de Bruno Herwarth. Ce fut comme une chaude tempête tournoyant au-dessus de Petra, qui lui coupait le souffle et la faisait se consumer entre les bras de son amant. Les journées passées au soleil, étendus sur les rochers et arrosés d'embruns n'étaient qu'un répit entre les délires des nuits.

— Oh, toi ! disait-elle sans cesse, baisant les mains de Bornholm, lui mordant les doigts, enfonçant les dents dans les bras vigoureux de Bornholm, près de défaillir de plaisir et de désir tandis qu'il la tenait embrassée : Oh ! Toi ! Toi !

Alors il souriait, muet, l'air presque sage, et il se retenait de pousser un cri de douleur lorsque les dents de Petra entraient dans sa chair, et qu'elle caressait ensuite la morsure.

— Vampire ! lui dit-il une fois.

Et, de la roche où ils se baignaient de soleil, il la jeta à l'eau, la refoulant du pied, jusqu'à ce qu'elle crie : « Je coule ! Je me noie ! » Alors il plongea, la ramena à terre ; mais à peine couchée sur le rocher, elle lui jetait les bras au cou et lui donnait de furieux baisers.

De temps en temps, dans les rares instants de répit que lui accordait Petra, il pensait à Erika Werner. Pensée qui le rendait anxieux. Ce qu'il lui avait promis avait été tenu en partie : il avait chargé le meilleur avocat d'obtenir une commutation de peine. On avait envoyé trois recours en grâce. Le Pr Rahtenau lui-même, après une vive discussion avec son futur gendre, s'était déclaré prêt à user de sa grande influence en faveur d'Erika Werner. Les demandes avaient été adressées. Bornholm ne pouvait rien faire de plus. Ce à quoi Erika croyait, ce qui lui avait donné la force d'assumer la culpabilité et subir la peine — c'est-à-dire l'amour et la promesse du mariage après sa relaxation n'étaient que des rêves irréalisables qui tourmentaient Bornholm chaque fois qu'il y pensait.

Un jour, il exprima ce qu'il méditait depuis des semaines. Ils étaient allongés tous deux dans un voilier blanc et bourlinguaient autour de Capri. La tête de Petra reposait sur la poitrine de Bornholm.

— Qu'est-ce que tu penses de l'Australie? demanda-t-il tout à coup.

La question était si inattendue et si absurde que Petra ne la prit pas au sérieux. Elle sourit, comme après un compliment, et mit la main sur la cuisse de Bornholm.

— Il y a des tas de moutons, dit-elle. On m'a appris ça à l'école. Des moutons mérinos...

— L'Australie recherche des hommes de science, des ingénieurs et des médecins surtout.

— Des vétérinaires? Pour les moutons?

Petra se mit à rire et cligna des yeux sous le soleil. Bornholm dégagea son épaule et se redressa. Son visage prit une expression grave:

— Pourrais-tu vivre en Australie?

— Moi? Suis-je un mérinos?

Mais tandis qu'elle le regardait, elle sentit qu'il en pensait plus long. Elle s'assit:

— Aurais-tu, par hasard, l'idée d'aller en Australie? demanda-t-elle.

— Peut-être...

— Tu es fou! Papa ne le permettra jamais.

— Je n'ai pas d'ordres à recevoir de ton père. Je me suis bien renseigné. J'aurais en Australie tous les moyens qui me sont refusés ici, faute de crédits. On m'offre là-bas un laboratoire pour mes recherches, un grand hôpital, une subvention d'Etat considérable, et un traitement cinq fois plus gros qu'en Allemagne. Est-ce insignifiant?

— Il me suffit de t'avoir!

— La vie n'est pas qu'un jeu d'amour, Petra. Elle est faite surtout de travail et de besogne quotidienne. C'est pourquoi il faut également s'occuper d'autre chose que de l'amour.

— Ton orgueil finira par te dévorer. Voilà tout le mystère. Que veux-tu faire en Australie? Guérir des anthropophages? Vacciner des kangourous? Et surtout, qu'est-ce que j'y ferai, moi?

— Je vois une chance de mener là-bas une vie paisible et raisonnable...

— Tu as la même en Allemagne, en qualité de médecin-chef, de professeur.

— Je ne crois pas, dit Bornholm, pensif.

« Que sont trois ans, songeait-il, si même la réclusion dure aussi longtemps. Et après ? Lorsque Erika sortira de prison et que je serai marié avec Petra ? »

L'Australie était loin. C'était un pays neuf, un monde jeune qui ne s'occupait pas de ce qui avait ému l'opinion publique pendant quelques jours dans la vieille Europe, des années auparavant. Il s'agissait de construire un nouveau monde entre Sydney et Melbourne. On ne s'y encombrait pas des soucis d'un vieux monde décrépit. Ce qui est jeune croît et recouvre ce qui est vieux, dépassé. C'est une loi de la nature. Il s'agit seulement de chercher à la comprendre.

— Je me proposerai pour l'Australie, dit Bornholm d'un ton sec.

Petra saisit le mât à deux bras, son visage se durcit et devint boudeur :

— Vas-tu me gâcher Capri par tes fantaisies ? Papa te parlera autrement...

— Je me fiche de ton papa ! cria soudain Bornholm.

Petra tressaillit, elle serra les lèvres et hissa la voile.

— Rentrons, dit-elle, hésitante. Je t'apporterai un whisky glacé, ça te fera du bien.

Le voilier filait sur la mer azurée vers le port de Capri. Bornholm était assis à l'arrière et laissait pendre son bras dans l'eau. La fraîcheur pénétrait peu à peu tout son corps. « L'Australie, pensait-il, ce serait l'issue, c'est me sauver, mais c'est aussi mon avenir. » Cette pensée ne le quittait plus...

Dans la 3e division de la maison d'arrêt, Helga Pilkowski faisait grève. Elle s'était allongée sur son lit et jeûnait. « Je ferai comme Gandhi, avait-elle crié à Katharina Pleüel. Ou bien on me mettra dans la cellule à deux avec Erika, ou je mourrai de faim ! » On la laissa jeûner. Pendant quatre jours. Puis il devint impossible de tenir l'affaire secrète, et on avisa le directeur, un brave conseiller de régence. Il vint en personne à la 3e division et se fit amener Helga Pilkowski. Elle avait perdu dix livres, mais on ne s'en apercevait pas.

— Elle pourra en perdre encore, dit le conseiller d'un air bonhomme. Laissez-la continuer sa cure d'amaigrissement.

— Brutes! cria Helga qu'on reconduisit et enferma dans sa cellule.

Le sixième jour, elle capitula :

— Je ne vois pas pourquoi je ferais faire des économies à l'Etat sur ma personne! hurla-t-elle à la surveillante, Berta Herkenrath, lorsqu'on ouvrit sa cellule. Y a encore d'autres moyens...

Erika Werner s'était accoutumée tant bien que mal à sa cellule. Katharina Pleüel l'avait fait inscrire à l'atelier de couture. On y fabriquait des sacs de charbonniers et des vêtements d'hommes pour les détenus. Helga Pilkowski, elle aussi, était venue à l'atelier, mais n'y avait passé que trois jours. Puis Anna Schürrhat, la monitrice de l'atelier, avait supplié, les mains jointes, qu'on la débarrassât de la grosse blonde.

Dès le premier jour, vêtue d'un veston d'homme, Helga avait improvisé une danse, puis elle avait couru aux tables où l'on confectionnait les pantalons d'homme et s'était déchaînée :

— Quand je vois un pantalon, ça me rend folle! avait-elle hurlé.

Ce qui s'ensuivit fut décrit sobrement dans les rapports de la prison par ces mots : « Elle se livra à des actes indécents. »

Helga fut envoyée au cachot. Et dans les autres divisions on attendait sa relaxation, car là où Helga paraissait, elle chassait la monotonie et l'ennui de la prison. Pendant une quinzaine Erika Werner n'eut de nouvelles de ses compagnes de douche qu'à la promenade quotidienne dans la cour : la meurtrière Friedel Bartnow était à l'infirmerie pour une pneumonie; on avait surpris Monika Bergner au moment où elle recevait un message dans lequel on lui disait qu'elle serait bientôt appelée en témoignage à un procès, et qu'elle « la boucle ». La « grande dame » de la maison d'arrêt avait envoyé sa septième réclamation parce qu'on ne pouvait pas se procurer de rouge à lèvres dans l'établissement. « Le rouge à lèvres et la poudre sont des nécessités cosmétiques. Votre interdiction est une atteinte aux droits de l'individu, etc. », avait-elle écrit.

Les ragots se multipliaient. Pendant la promenade d'une demi-heure autour du gazon, on échangeait les nouvelles du jour, on transmettait des messages d'une division à une autre, on communiquait aux femmes qui seraient prochainement libérées des adresses pour leur faciliter le retour à la vie normale. Les plaisanteries étaient répétées à la ronde. On échangeait des cigarettes contre des allumettes et personne ne demandait d'où elles venaient. Suffit qu'elles soient là.

Erika s'intégra dans cet organisme, tranquillement, sans dire un mot. Toute la division fut bientôt avertie : rien à faire avec la nouvelle. Elle n'envoie pas de messages ; elle prétend qu'elle est innocente ; elle ne fait pas d'échanges ; elle ne mécontente ni la Pleüel ni la Herkenrath ; elle fait tout ce qu'on exige et ne rouspète pas. Elle ne connaît pas de blagues, et pleure de temps en temps. Absolument rien à faire avec elle. Un zéro. Les autres femmes s'éloignèrent d'elle. Celle qui marchait à côté d'elle pendant la promenade réglementaire considérait que c'était une punition. Erika ne parlait pas. Tête baissée, elle tournait autour de la pelouse, les mains derrière le dos, muette et raide comme une marionnette qui exécute les mouvements commandés. Après le café du matin, on tirait au sort pour savoir qui marcherait à côté d'elle. Celle que le sort désignait recevait en compensation deux cigarettes.

Deux fois encore, l'avocat défenseur d'Erika vint la trouver ; après ses aveux, il ne pouvait plus maintenant que demander la clémence. Il essaya de percer le secret qu'Erika taisait.

— Je sais que vous êtes innocente, disait l'avocat. Vous commettez une absurdité. Vous venez de passer trois semaines ici ; mais vous avez à y vivre *trois ans !* Savez-vous ce que cela représente ?

— Je me sens bien ici, dit Erika tranquillement. J'ai enfin la paix. Je vous en prie, n'insistez pas. Je n'ai rien à ajouter à ce que j'ai dit...

Au cours de la quatrième semaine, pendant la nuit, le signal d'alarme résonna dans la 3e division. Les femmes se redressèrent dans leur lit. Des pas martelèrent les couloirs. On entendit des gens courir, puis des voix étouffées, et Katharina Pleüel déclara : « On devrait la fouetter jusqu'au sang. » Puis de nouveau des bruits de pas précipités.

Tendues, les femmes écoutaient, l'oreille collée aux portes des cellules :

— Quelle cellule ? Pourquoi le signal d'alarme ? Est-ce Helga qui a fait des siennes ? Ou une évasion ?

Puis ce fut de nouveau le silence dans le vaste bâtiment.

Seules, à l'infirmerie, Katharina Pleüel et Berta Herkenrath regardaient, impuissantes, une loque humaine gisant sur le lit recouvert de toile cirée, et respirant à peine.

Un flot de sang avait coulé de son bras gauche. Le petit visage sous les mèches blondes souillées de sang était d'un jaune d'ivoire, le nez pointu, les yeux enfoncés dans les orbites.

— Elle s'en va, dit Katharina Pleüel.

Sa voix n'avait plus rien de la sévérité ni de l'agressivité habituelles qui la faisaient tant craindre :

— Si elle..., Berta, il y aura un rapport, une sanction et un déplacement.

Berta Herkenrath serrait le peignoir avec lequel elle avait ligoté le bras de la loque humaine. Au-dessous du coude, depuis le poignet jusqu'à la moitié de l'avant-bras, le bras avait été lacéré avec un objet émoussé, et la veine déchirée en plusieurs endroits.

— C'est avec une cuiller d'étain qu'elle a chipée et

aiguisée contre un barreau, dit Berta Herkenrath, et si par hasard je n'étais pas...

La surveillante de l'infirmerie entra dans la pièce, l'air affolé :

— Impossible d'atteindre le docteur. Il est parti en voiture, et personne ne sait où ; que faire ?

— Elle perd tout son sang, dit Katharina Pleüel, hésitante. La salope.

Elles fixaient le visage de cire de la jeune femme. Le cœur battait encore, mais Pleüel, comme Herkenrath, savait qu'on ne pouvait laisser un garrot que deux heures, sinon le bras se paralysait...

— Le n° 12 456, dit soudain Katharina Pleüel, elle est médecin...

— Allez la chercher ! s'écria la surveillante.

— Mais c'est contre le règlement... si le directeur l'apprend...

— C'est une urgence ! Et plutôt que la laisser mourir... Allez chercher 12 456, je prépare ce qu'il faut.

Katharina courut à grandes enjambées jusqu'à la cellule, l'ouvrit et alluma la lampe du plafond. Erika Werner était couchée sur le côté, une jambe repliée, et dormait. Katharina Pleüel la saisit à l'épaule. Erika se dressa en poussant un cri et regarda la grosse figure flottant au-dessus d'elle...

— Qu'est-ce qu'il y a ? cria-t-elle, comme si on allait la tuer.

Katharina mit sa grande main sur sa bouche.

— Chut ! Viens, il faut que tu opères...

— Que je fasse quoi ?

Erika s'assit sur son lit. Elle ne comprenait pas ce qu'elle avait entendu.

— Une opération. Une de vous a voulu se suicider. Vite. Habille-toi. Elle perd tout son sang...

Erika enfila en hâte jupe et blouse et toutes deux coururent, par le long couloir, jusqu'à l'infirmerie.

— Qu'est-ce qui se passe ? crièrent plusieurs voix. Katharina s'arrêta :

— Silence ! cria-t-elle d'une voix tonnante. La ferme !

Puis elle entraîna Erika et la poussa dans la salle de pansements.

La jeune mourante était couchée sur la petite table d'opération. Son bras, terriblement lacéré, était attaché auprès d'elle et Berta Herkenrath tenait toujours serrée la ceinture du peignoir.

Erika s'approcha de la table. Elle reconnut la désespérée et comprit soudain pourquoi elle avait essayé d'en finir. C'était la jeune mère coupable d'infanticide, Lore Heimberg, un être pour lequel la vie et l'amour s'étaient arrêtés lorsqu'elle avait abandonné son enfant.

Erika n'hésita pas. Elle alla aussitôt à la vasque se laver les mains et les avant-bras. La surveillante, debout derrière elle, tenait une blouse stérile. Elle la tenait un peu haut, comme pour le Dr Rumholtz, afin qu'Erika puisse l'enfiler. Lorsque Erika ferma la ceinture, il lui sembla que tout ce qui avait fondu sur elle au cours des dernières semaines disparaissait.

— Bistouri ! dit-elle en s'asseyant sur un tabouret devant le bras déchiqueté.

La surveillante lui passa le bistouri. Prudemment, Erika commença à nettoyer le bras lacéré et à ôter les fibres de muscles déchirés. Elle dénuda la veine et vit qu'elle était percée en trois endroits. Le bras au-dessus du garrot était fort enflé et commençait à être violacé.

— Depuis combien de temps est-elle là ? demanda Erika à voix haute.

Katharina Pleüel regarda la paroi blanche au-dessus du corps :

— Sûrement depuis une demi-heure.

— Vous savez ce que ça signifie ? Il faut que je fasse trois sutures. Pourquoi ne m'avez-vous pas appelée plus tôt ?

— C'est contre le règlement, répondit la Pleüel d'une voix sourde.

— Mais quand un être meurt, parce qu'on ne peut pas le secourir à cause du règlement, c'est tout à fait admis...

— Mais elle le voulait... Puisqu'elle s'est elle-même...

— Vous n'avez jamais entendu parler de désespoir ?

— Si elle n'avait pas tué son enfant, elle ne serait pas ici !

— Elle n'est plus un être humain... nous ne sommes plus que des numéros matricules. Un chiffre — sans pensées ni sentiments. Dans ce cas, je n'ai pas besoin de continuer. Laissons mourir la pauvre petite, selon le règlement qui m'interdit d'aider.

Erika se leva et commença à déboutonner sa blouse. La surveillante lui serra le bras. Son visage était ravagé d'inquiétude :

— Continuez, je vous en prie...

— Et si c'était trop tard...

Elle n'acheva pas sa phrase, mais les deux surveillantes en connaissaient la fin. Le visage crispé, elles regardèrent Erika suturer les veines. C'était un travail difficile, lent, exécuté avec la plus grande finesse de toucher. Peu avant la dernière suture, Erika leva la tête...

— Il n'y a sûrement pas de réserves de sang ici ?

— Non. Quand nous en avons besoin, nous les faisons venir de l'hôpital.

— Il est trop tard — pas de sérum physiologique ?

— Nous en avons.

— Alors préparez deux perfusions... Ne restez pas plantées à la regarder...

La surveillante hésita. Une détenue qui l'attrapait ? Elle respira profondément, puis s'en fut, le visage cramoisi, une rage impuissante au cœur.

Muette, elle suspendit les deux bocaux de sérum au support de métal qu'elle approcha de la table d'opération ; elle fixa les aiguilles aux tubes de caoutchouc et les posa sur un champ stérile. Katharina Pleüel, toujours auprès d'Erika, tenait un plateau d'instruments. Berta Herkenrath serrait toujours la ceinture de peignoir. Elle luttait contre la nausée qui faisait remonter le contenu de son estomac à ses lèvres. Elle détournait son visage tout blême.

— Relâchez doucement le garrot, dit Erika.

126

Berta Herkenrath tressaillit et ouvrit la ceinture du peignoir. Aussitôt le sang recommença de sourdre dans le bras lacéré, mais la veine suturée tint bon. Le sang circula lentement, faiblement, et lorsque Erika posa le doigt sur la veine elle sentit à peine le rythme du battement du cœur.

— Perfusion.

Elle leva les yeux. Les bocaux étaient prêts. La surveillante avait déjà découvert les cuisses de la blessée et les avait frottées à l'alcool. Berta Herkenrath, ayant retiré la ceinture du peignoir, s'était assise au plus loin, près de la porte.

Lorsque les perfusions de sérum furent commencées dans les deux cuisses, Erika se leva.

Elle était lasse, ses tempes lui faisaient mal. Elle alla, chancelante, jusqu'à la vasque, et plongea ses mains dans l'eau froide.

Katharina Pleüel la suivait comme une ombre.

— Vivra-t-elle ? demanda-t-elle à voix basse.

— Je ne sais pas.

— Pourtant vous êtes médecin...

— Je suis le n° 12 456.

— Et une foutue orgueilleuse ! cria la Pleül. Bon Dieu ! Faites pas la glorieuse parce que nous vous avons appelée.

Erika écarta du coude Katharina Pleüel et revint à la table d'opération. Penchée sur le corps de Lore Heimberg qui respirait à peine, elle ausculta le cœur avec son stéthoscope. Il était fatigué, il vacillait et n'avait plus le rythme régulier.

— Avez-vous de la coramine ?

— Je crois.

— Croire ne sert à rien, allez vérifier...

Serrant les dents, la surveillante alla à l'armoire de pharmacie. Elle retira les boîtes d'ampoules et les jeta presque sur la table.

— Il y a tout ce qu'il faut : coramine, cardiazol, suprarénine...

— Parfait ! Avez-vous de grandes aiguilles fines ?

— Tout ce que vous voudrez ! cria la surveillante.

— Alors, vite...

Les deux surveillantes ouvrirent les yeux tout grands, en voyant Erika Werner remplir une seringue de 1 cm^3 de suprarénine, ajuster la longue et fine aiguille, puis se pencher sur le torse de la jeune femme. Après un palper rapide, elle enfonça l'aiguille à gauche du sternum, aspira dans la seringue du sang du ventricule droit et injecta ensuite le tonicardiaque.

— Qu'est-ce que vous faites ? bégaya la surveillante.

La sueur perlait à son front blême.

— Je lui ai envoyé directement dans le cœur.

— Vous lui avez piqué cette aiguille dans le cœur ?

— Oui.

Katharina Pleüel empoigna Erika pour l'éloigner de la table d'opération.

— Elle va la tuer ! criait-elle. Et ce sera notre faute. Nous l'avons appelée, ele veut se venger sur nous...

Elle poussa Erika contre la paroi de faïence et s'apprêta à la gifler. Erika ferma les yeux. Elle s'attendait au coup qui la terrasserait. Mais avant que Katharina ait pu la battre, la surveillante lui retint le bras :

— Elle recommence à respirer ! cria-t-elle, abasourdie. Son cœur recommence à battre !

La Pleüel regardait la jeune femme qui respirait mieux. Son pâle visage rosit légèrement. La circulation était rétablie.

De la main gauche, la Pleüel saisit Erika :

— Qu'est-ce que tu as fait là ? lui cria-t-elle au visage...

— On appelle ça des injections intracardiaques, dit Erika avec lassitude. Recouchez-la dans son lit. Il faut que quelqu'un reste auprès d'elle. Appelez-moi s'il y a quelque chose. Je vais dormir, moi aussi.

Comme en transe, Erika se laissa reconduire à sa cellule. Là, elle glissa sur son lit et, tout habillée, s'endormit, couchée en travers des couvertures, les jambes pendantes.

Dans l'entrée de l'infirmerie, la Pleüel, Berta Herkenrath et la surveillante se rejoignirent. Dans la pénombre grise de l'aube, les trois femmes se tenaient dans le couloir, et réagissaient, après leur tension et leur angoisse.

— Elle aura barre sur nous, maintenant ! dit l'auxiliaire de l'infirmerie. Une belle saloperie !

— Penses-tu ! (Katharina Pleüel eut un sourire mauvais :) Je te vas la faire boulonner. Elle n'aura pas le temps de penser ! Avoir barre sur nous ?... pas sur moi ! J'aurai soin d'elle, comme la prunelle de mes yeux.

Erika s'éveilla, parce qu'elle avait le sentiment que quelqu'un la regardait. Elle ouvrit les yeux et vit, au-dessus d'elle, le visage d'un homme.

Elle se mit debout brusquement ; par la porte ouverte de sa cellule elle entendait l'équipe de nettoyage, le bruit des seaux et des balais-brosses, et les vociférations de Katharina Pleüel. La matinée devait être déjà avancée. Personne ne l'avait réveillée. Sur la petite table appuyée au mur, Erika vit une assiette de sandwiches de saucisson et de fromage, une cafetière recouverte d'une housse au crochet, comme au temps des grand-mères.

— Qu'est-ce que c'est que tout cela ? demanda Erika, qui lissa ses cheveux ébouriffés et passa sa main sur ses paupières brûlantes.

— Dr Rumholtz... Vous me reconnaissez ? J'ai donné l'ordre qu'on ne vous réveille pas. Ça n'a pas été facile de trouver dans la maison une housse de cafetière... Mais vous voyez, même dans la maison d'arrêt, rien n'est impossible.

— Comment va la petite Heimberg ? demanda Erika.

Elle se rassit sur le lit, et soudain elle eut honte de ses vêtements de détenue, de son aspect, de l'odeur qui régnait dans sa cellule et venait des cabinets voisins, de toute cette souillure sur le n° 12 456 : trois ans de réclusion pour meurtre d'une femme enceinte.

— Elle ne va pas mal. Les perfusions ont sauvé la situation, et la piqûre intracardiale... Pourquoi ne m'avez-vous pas dit, dès votre incarcération, que vous étiez une collègue ?

— Je ne le suis plus, à la suite du procès. On m'a retiré le droit d'exercer, et le titre de médecin.

— Votre suture de veine a été une merveille, vous savez. J'ai déjà téléphoné au directeur de l'établissement.

— Pourquoi ? Voulez-vous fâcher la surveillante ?

Le Dr Rumholtz se pencha vers Erika. Il scruta son pâle visage.

— Vous a-t-on fait des difficultés ? Dites-le-moi !

— Non, rien.

Erika secoua la tête, mais son accent n'était pas convaincant. Le Dr Rumholtz s'en rendit compte. Il était médecin de la maison d'arrêt depuis quatre ans. Il connaissait les surveillantes et les admirait dans son for intérieur. Quiconque a journellement affaire à des centaines de femmes asociales sent son âme se dessécher, devenir indifférente pour endurer ce qu'on appelle « le service », et avoir droit au titre de surveillante. C'est un dur métier qui use les nerfs, et n'est surpassé que par le dévouement des infirmières des hôpitaux psychiatriques.

— Est-ce la Pleüel ? demanda le Dr Rumholtz.

— Personne, docteur.

— La Pleüel a un complexe. Elle croit que toutes les détenues la prennent pour une imbécile. Cela s'est aggravé depuis deux ans. Deux femmes se sont évadées, cachées dans les grands paniers de linge sale... On les porte par une cour non gardée jusqu'à la buanderie, et c'est de cette manière que les deux bonnes femmes ont pris le large.

« C'était justement Pleüel qui ce jour-là surveillait les transports. Depuis, elle fouille tous les paniers de linge qui sortent de la division. Et que font les femmes ? Elles fabriquent, avec des betteraves ou des bouts de bois de grands mannequins qu'elles fourrent sous le linge. Par trois fois la Pleüel y a été prise, lorsqu'elle a palpé un corps dur sous le linge. Depuis, elle est hors d'elle. Et vous courez un danger spécial parce que vous êtes une intellectuelle.

Il essaya de rire. Erika appuya son visage sur ses deux mains. Elle évitait de regarder le docteur. Il venait d'un

130

monde dont on avait claqué les portes derrière elle. Il lui semblait que les vêtements du docteur avaient cette légère odeur de phénol qui flotte dans tous les hôpitaux. Ses narines palpitaient, elle s'arrêta de respirer. C'était une torture qui devenait insupportable.

— Je suis heureuse que la petite Heimberg aille bien. Pourquoi a-t-elle fait ça ?

— Elle dit que c'est parce qu'elle n'est pas coupable. Lorsqu'elle a mis l'enfant dehors dans le froid, elle était éperdue de désespoir. Elle voit maintenant cette petite en rêve, elle l'entend crier et lui chante des berceuses : « J'aime mieux mourir que de devenir folle ! a-t-elle crié tantôt, et je recommencerai quand je serai sortie d'ici. Puisqu'on m'a enfermée et que je suis innocente ! »

Erika baissa la tête.

— Je comprends ce qu'elle éprouve, dit-elle d'une voix sourde. On accuse Dieu même, et Il se tait. Et l'on désire la nuit de l'oubli. Mais le sommeil n'est ni assez long ni assez profond, et le réveil, chaque matin, n'est qu'un tourment renouvelé. On voudrait s'évader de soi-même... à jamais... On trouverait merveilleux de quitter cette terre, de connaître le repos.

— Vous parlez comme si demain on allait vous trouver les artères ouvertes.

— Serait-ce si insensé ?

Le Dr Rumholtz se pencha vers elle. Un instant il fut tenté de mettre ses deux mains sur les genoux d'Erika. Il avait pris connaissance de son dossier. Aussitôt après avoir renouvelé les pansements de la petite Lore Heimberg, et écouté avec ébahissement le rapport de la surveillante, il s'était fait envoyer le dossier et avait appris la destinée d'Erika Werner. C'était une brève existence résumée en quelques pages ; et qui s'achevait par une nuit insensée. L'être qui végétait dans la cellule de la 3e division n'était plus l'Erika Werner que le Dr Rumholtz s'était représentée : une jeune fille pleine d'ardeur et de joie de vivre, ayant un haut idéal, une carrière pleine d'avenir... Et puis cette nuit incompréhensible où elle avait écarté tout ce qui auparavant était son but... Pourquoi ? Qu'est-ce qui l'y avait poussée ? Se cachait-il là-dessous quelque secret étouffé ? Taisait-elle quelque chose ?

C'est en méditant ces questions que le Dr Rumholtz était venu à la cellule, après avoir avisé Katharina Pleüel de ne pas réveiller Erika.

— Ça commence, la diablesse ! dit Katharina à Berta Herkenrath. La maison d'arrêt est ce qu'elle est mais, même ici, celles qui ont de l'instruction sont plus que nous !

— Vous vous sentez innocente ? demanda Rumholtz.

Erika jeta sur lui un regard oblique :

— Tout figure au dossier, docteur...

— On y expose des faits. Mais derrière tous les actes, toutes les données et les verdicts, il y a tout de même un être humain. Et un être humain, lorsqu'on nous l'amène ici, n'est pas seulement une transgression de la loi ; derrière son délit il faut en chercher la raison... Raison qui correspond à sa nature. Derrière tous les crimes il y a un instinct, ne fût-ce que la cupidité ou l'ambition, ou un complexe de vengeance. Chez vous... il n'y a rien de pareil. Vous êtes enfermée dans votre cellule, vous avez tué quelqu'un, et personne ne sait pourquoi ! Cela ne vous a pas rapporté d'argent, vous n'en retiriez aucun bénéfice, vous n'aviez, en somme, aucun motif...

— La pitié peut-être...

— Et vous voudriez me le faire croire ? Vous, qui aviez une si haute idée de la conscience professionnelle, vous alliez tout à coup commettre un meurtre par pitié ? C'est absurde...

— La vie en soi est absurde... Vous ne vous en êtes jamais aperçu ?

— Tout de même, la vie est belle.

— Qu'est-ce qui est beau ? D'être mis au monde dans des douleurs terribles, de grandir harcelé par les maladies et les dangers, de subir la guerre, d'être forcé de se sauver de sa patrie, de perdre son frère, sa sœur, ses parents, et la folie ne cesse pas... de nouvelles idées surgissent, la guerre recommence, des millions d'hommes tombent, mutilés, encore et toujours, une ou deux guerres par génération, et si l'on survit à tout cela, on a le cancer dans le corps, ou la circulation s'affaiblit, ou les artères durcissent, ou une auto vous écrase, ou la sclérose en plaques vous paralyse, jusqu'à ce qu'on ne soit plus qu'une loque inerte, respirant et râlant. C'est beau ce qu'on appelle la vie ! Si Dieu avait une artère, il devrait se l'ouvrir, de douleur, en voyant ce qu'est l'homme qu'il a créé !

Le Dr Rumholtz acquiesça d'un signe de tête, sans rien dire. Il souleva la housse de la cafetière, et versa une pleine tasse de café. Erika tressaillit, elle huma comme un chien flaire la boucherie. Le Dr Rumholtz eut un pâle sourire.

— Oui, c'est de l'authentique café en grains. Sur mon ordre. La Pleüel a protesté, mais je l'ai fait verser à l'infirmerie et je l'ai apporté moi-même. Tenez, buvez ça. Votre estomac s'en trouvera mieux. Et le bien-être de l'estomac change l'idée que nous nous faisons de la vie. Ici, dans les petites choses, et en politique, dans les grandes, lorsqu'on est rassasié, on change de caractère.

— Vous êtes ironique, docteur.

Erika obéit, prit la tasse et la vida par petites gorgées rapides. Sa première tasse de café depuis trois mois ! Et elle se servit lorsque le Dr Rumholtz lui présenta l'assiette de sandwiches. C'était du bon saucisson sec et du gruyère, et non pas la saucisse à goût de suif et la gelée spongieuse qu'on leur servait d'ordinaire, et qui collait au palais comme de la glu.

La Pleüel regardait par la porte ouverte. Lorsqu'elle vit Erika manger les sandwiches, elle aboya :

— Ça va ? Pas pu nous procurer de caviar. A midi, la soupe à la tortue conviendra ?

— J'ai demandé qu'on ne me dérange pas, dit le docteur à haute voix.

La tête de la Pleüel disparut, on l'entendit maugréer dans le couloir. Les autres femmes durent subir son dépit. Helga Pilkowski, surtout, qui avait la permission de sortir de sa cellule pour se laver la figure.

— Hé ! Boule-de-suif ! cria la Pleüel. Tu as encore fumé ! D'où viennent tes cigarettes ?

— Du ciel ! rugit Helga. J'ai rêvé d'un homme, et tout à coup, je tiens quelque chose dans ma main... Malheureusement je l'avais roulée moi-même...

Dans le couloir, les femmes s'esclaffèrent, l'eau ruissela des seaux qui cognèrent contre les portes... La voix stridente de Helga Pilkowski s'enroua :

— Je me plaindrai au directeur ! Mauvais traitements en service ! M'envoyer un seau d'eau !

Le Dr Rumholtz se leva et ferma la lourde porte de la cellule. Le bruit ne parvint plus qu'assourdi. Erika finit les sandwiches, les mains tremblantes.

—Dans une prison pour hommes, on est plus tranquille, dit le docteur. Ici aussi, dans d'autres divisions. Mais dans celle-ci... Si vous saviez avec quelles sortes de femmes perdues vous vous trouvez. On a parfois l'impression que le cloaque de toute la ville se déverse dans ce couloir, se répand dans les cellules et y reste !

— Je le sais. Cette Helga, qui vient de crier, m'a poursuivie de ses propositions ; une voleuse m'a montré comment on « pique » un pain dans la chambre de Herkenrath ; l'entremetteuse voulait faire passer un message et m'accoupler à un certain Hugo qui me recueillerait après ma libération. Une meurtrière voulait m'acheter pour s'évader avec moi. Je devais lui voler à l'infirmerie un médicament qui lui donne l'apparence d'une morte. Elle se serait alors sauvée de la chapelle. Il court les idées les plus folles...

— Dont je voudrais justement vous délivrer.

Le Dr Rumholtz remplit à nouveau la tasse de café :

— J'ai adressé aujourd'hui une demande à la direction. J'ai quarante-neuf malades à l'infirmerie ; j'ai besoin d'une aide. Je vous ai réclamée...

Dans la main d'Erika la tasse trembla et tinta contre la soucoupe. Elle la posa sur la table dans un dernier effort, puis elle se cacha le visage dans les deux mains et détourna la tête.

Le Dr Rumholtz se leva, muet, et sortit dans le

couloir. Il savait ce que cette nouvelle signifiait pour Erika Werner : c'était sortir de la cellule grise et nue, respirer de nouveau l'atmosphère de l'hôpital, quand bien même ce n'était que l'infirmerie d'une maison d'arrêt. Pouvoir de nouveau soigner des malades, faire des pansements, des massages, des examens radioscopiques...

Il la laissa seule, le temps de se reprendre. Katharina Pleüel le dévisageait d'un air mauvais, depuis l'autre bout du couloir.

Il y avait là trois femmes qui brossaient le sol à une même cadence. C'était une invention de Berta Herkenrath. Pas à pas, les trois femmes s'avançaient, poussant leurs balais-brosses, cinglant leurs serpillières. La troisième division était la plus propre de l'établissement, quant au sol, s'entend.

Au bout de plusieurs minutes, le docteur rentra dans la cellule. Erika Werner s'était vite lavé la figure et coiffée. Elle se tenait près de la fenêtre à barreaux, les yeux rougis où brillaient encore quelques larmes, mais avec un sourire si heureux que le Dr Rumholtz en eut la gorge serrée. Les lèvres d'Erika tremblèrent lorsqu'elle dit :

— Pourquoi faites-vous cela pour moi, docteur ? J'ai fait mourir quelqu'un, moi qui étais médecin.

— J'ai beaucoup de mal à le croire. Je sais qu'une fois, dans un instant de désespoir, vous avez dit : « Je suis innocente. » Et c'était ça, la vérité. Le reste du temps, vous jouez un rôle, un rôle cruel, je le sens, mais je ne sais pas pourquoi.

— Ne posez pas de questions, je vous en prie.

— Je parviendrai bien à l'éclaircir sans votre aide. Venez d'abord travailler avec moi. Demain ou après-demain, nous aurons l'autorisation de la direction.

Il lui tendit la main qu'elle prit en hésitant. Alors il la saisit et la serra cordialement :

— A notre bonne collaboration, ma chère collègue !

— Vous me faites mal.

— Oh ! pardon. (Il desserra ses doigts.)

Elle secoua la tête :

— Ce n'est pas votre main qui m'a fait mal, mais le mot : « Collègue ! ». C'est un écho d'un autre monde. Ça m'a transpercée.

Le Dr Rumholtz sortit de la cellule, tout pensif. Derrière lui, la Pleüel ferma aussitôt la porte à clef. Elle le fit à grand fracas de ferraille, comme si Erika Werner était une dangereuse évasionniste. Rumholtz se retourna :

— Si j'apprends qu'on s'est plaint, il y aura un rapport.

La Pleüel rit méchamment :

— Jolie, jeune et intelligente, c'est un morceau à garder pour soi, hein ?

Le Dr Rumholtz ne répondit rien. C'était inutile. Qui a vécu trente ans dans une maison d'arrêt a le cœur et l'âme sclérosés. Qui plonge dans le marais se couvre d'herbes. Toutes les femmes n'étaient pas comme la Pleüel. La plupart des employées avaient gardé leur nature humaine, mais il y avait quelques Pleüel et Herkenrath qui représentaient ce qu'on appelle le pénitentiaire : un poing prêt à s'abattre sur vous.

Le Dr Rumholtz respira lorsqu'il eut quitté la troisième division et qu'il entra dans sa nouvelle infirmerie claire, aux portes blanches, et où un verset, peint sur le mur du long couloir, annonçait : « Venez à moi, vous tous qui êtes chargés et dans la peine ! »

Cela ne demanda pas deux jours, mais bien trois semaines pour que l'administration autorisât la détenue n° 12 456 à travailler en qualité d'assistante à l'infirmerie. Toutefois, en raison du jugement prononcé, un transfert complet à l'infirmerie n'était pas encore possible. Il ne le deviendrait qu'après deux années d'internement. Cela signifiait qu'Erika Werner serait conduite tous les matins à l'infirmerie, et ramenée le soir à 6 heures à sa petite cellule pour y passer la nuit. Le Dr Rumholtz fit appel au directeur. Il écrivit au ministère de l'Intérieur. Les arrêts rendus étaient définitifs. On ne voyait pas de raison de faire une exception.

Peu importait à Erika de continuer à dormir dans sa cellule, et d'être accueillie le soir par ces mots de la Pleüel :

— Bonsoir, chère madame. Le dîner de madame ne va pas tarder.

Sans dire un mot, Erika allait chercher sa gamelle de soupe et son morceau de pain, parfois la margarine rance, la saucisse aqueuse ou la gelée collant comme de la glu. Son silence chauffait à blanc l'exaspération de la Pleüel. L'endurance muette d'Erika allumait en Katharina un volcan qui explosait en paroles haineuses.

Une fois par semaine, Erika recevait du courrier, de minces signes de vie du monde extérieur. L'avocat faisait part de ses efforts pour obtenir la révision. Tous ses essais en vue de découvrir des faits nouveaux se heurtaient à un mur de silence qu'Erika avait dressé elle-même. Le père de la jeune morte, l'architecte Bruno Herwarth, lui écrivit un jour : il la conjura de dire la vérité. Il traitait Alf Bornholm de monstre, d'ordure, d'individu sans honneur. Erika déchira la lettre sans l'avoir lue jusqu'à la fin. Puis Alf Bornholm lui-même écrivit sur un épais papier filigrané. En haut, à gauche, en caractères discrets : Pr A. Bornholm, médecin-chef de la clinique chirurgicale n° I.

— *Mon Aimée...*, écrivait-il.

Erika ne lut pas plus loin. Elle plia la lettre comme un trésor et la glissa sous sa robe. Elle la lirait le soir, couchée sur l'étroit châlit, sous la petite ampoule entourée d'un réflecteur de fer-blanc. Elle voulait se pencher sur chaque mot, chaque ligne... Boire ses paroles, sentir son amour les yeux fermés, entendre sa voix... S'épanouir dans le rêve pour lequel elle allait de son plein gré passer trois ans en prison. Un mince sacrifice en regard de l'immensité de bonheur qui succéderait à cette obscurité. Alf Bornholm lui écrivait :

« Je pense tout le temps à toi. Ce n'est pas une formule, c'est devenu une habitude chez moi, lorsque je suis seul, de m'entretenir avec toi, comme si tu étais assise en face de moi dans le fauteuil, jolie, heureuse, un verre de vin mousseux à la main — comme jadis dans notre chalet, quand tu murmurais : « Je ne peux plus imaginer le monde sans toi ! »

« Je l'avoue : je ne le puis pas non plus. Lorsque je vois combien trois années peuvent durer, je suis près du désespoir. Je mettrai tout en œuvre pour te faire libérer plus tôt. J'ai déjà adressé au président du tribunal un recours en grâce. Le Pr Rahtenau l'a signé, lui aussi. Peut-être te feront-ils grâce de deux ans ! Et au bout d'un an, tout sera oublié. Tant d'amour me fait honte... Peut-on vraiment endurer pareille peine seulement du fait qu'on aime ? C'est presque inconcevable... »

Erika laissa tomber la lettre sur ses genoux. Son regard erra sur le plafond poussiéreux de sa cellule.

— Moi, je pourrai l'endurer, Alf, dit-elle à haute voix. Que savons-nous de tout ce qu'on peut faire par amour ?

On entendit dans le couloir claquer les pas de Herkenrath. Puis la lumière s'éteignit dans toutes les cellules. Dormez ! la paix.

Les plaques recouvrant les judas dans les portes se levèrent, puis retombèrent. La Herkenrath s'assurait que toutes les femmes étaient au lit. Il y eut de nouveau du tapage dans la cellule de Helga Pilkowski. Celle-ci s'était procuré une bougie. A sa clarté, elle considérait une série d'images obscènes. Elles étaient déjà très froissées, car elles circulaient depuis un an dans tout l'établissement de quartier en quartier, de cellule en cellule. Chacune avait le droit de les garder deux jours. Personne n'avait jamais su comment elles avaient pénétré dans la maison d'arrêt, ni comment elles avaient pu circuler... depuis deux ans.

Cette fois-ci, dans la cellule de Helga Pilkowski, ce fut — provisoirement — leur dernière halte : Berta Herkenrath les confisqua.

— Bande de salopes ! hurla Helga. Vous me les fauchez pour les mettre sur vos tables de nuit !

Berta Herkenrath claqua la porte de la cellule et, une fois dans le couloir, regarda les images froissées. Puis elle les fourra dans la poche de sa jupe et courut chez la Pleüel. Il fallait se concerter et savoir s'il convenait de remettre les biens ainsi confisqués à l'administration, selon le règlement.

Erika était couchée, les yeux grand ouverts. Elle n'avait plus besoin de lumière pour relire sa lettre. Elle la savait par cœur. Ses yeux, son cœur, toute sa personne avaient recueilli les paroles d'Alf. Elle se les répétait et il lui semblait que c'était la voix d'Alf qui murmurait tendrement à son oreille, et tous les soucis, tous les doutes se dissipaient devant la certitude bienheureuse qu'il l'attendait, et que ce terrible délai ne serait qu'une longue nuit après laquelle le soleil, irrésistiblement, se lèverait de nouveau...

La plaque du judas retomba. Erika ne se retourna pas. Elle savait que le regard de Berta Herkenrath perçait l'obscurité et glissait sur son lit...

— Besoin de rien ? demanda la Herkenrath à voix basse.

Erika, surprise, leva les sourcils. C'était la première fois que la surveillante le lui demandait.

— Non, répondit-elle à voix basse.

Le judas fut refermé. Les pas s'éloignèrent.

Dans sa cellule, en compensation des images d'hommes confisquées, Helga se mit à chanter. Une chanson avec chœurs, car dans les cellules voisines, les femmes marquaient le rythme sur leurs gamelles de fer. Katharina Pleüel se précipita hors de sa chambre, mais Berta Herkenrath lui fit signe de se taire, comme l'autre allait rugir.

— Inutile, dit-elle. Regarde-moi ça !

Elle brandissait les images froissées. Pleüel les regarda, sa mine s'allongea, elle eut l'air intéressée.

— Entre ! dit-elle. Elles se fatigueront de cogner. J'ai toujours proposé de se servir d'écuelles en plastique. Elles ne font pas de bruit.

Elle prit les images et se hâta de retourner dans sa chambre, dans la clarté de la lampe.

Les questionnaires à remplir étaient arrivés d'Australie. Le Dr Bornholm les avait étudiés... Les offres faites étaient si avantageuses que c'eût été simplement inepte d'hésiter. On lui promettait une situation de médecin-chef d'un grand hôpital entièrement installé ; le laboratoire le plus moderne équipé de tous les moyens pour la recherche scientifique, une villa nouvellement construite, une voiture et, chaque année, deux mois de congé pour se rendre en Europe.

Aussitôt après son retour de Capri, Petra Rahtenau était allée trouver son père et lui avait dévoilé les projets de Bornholm.

— En Australie ? Impossible, avait dit Rahtenau, je ne te laisserai pas partir dans cette incertitude.

— Il y est fermement décidé, papa.

— Il aura le choix : ou l'Australie ou toi.

— Dis-le-lui. Mais s'il choisit l'Australie — Petra baissa la tête —, je l'aime, il faudra que j'y aille avec lui.

Le Pr Rahtenau se tut. Il regarda sa fille qui baissait la tête et il se détourna pour n'être pas tenté d'en dire plus long. Petra était son enfant unique. Elle était née assez tard, alors que Rahtenau avait déjà l'âge où les autres pères se promènent en donnant le bras à leur fille. C'est pourquoi justement il tenait à elle avec une passion insensée. Elle était la jeunesse qui irradiait sa vieillesse. Elle était l'objet d'un amour qu'il n'avait jamais pu dispenser jusque-là, pas même à sa femme, froide et inaccessible, une Allemande du Nord, une patricienne dont le mode d'existence restait conforme à l'ancien état d'esprit hanséatique. Rahtenau, de tout temps, s'était senti gelé auprès d'elle jusqu'à la venue de Petra, où, pour la première fois, un grand rire joyeux avait résonné dans la vaste villa.

Rien ne comptait autant pour Rahtenau que le bonheur de sa fille, même pas les malades auprès desquels il avait passé la plus grande partie de son existence. Il comprenait que Petra voyait en Bornholm l'accomplissement de sa vie, et il savait aussi que le jour où elle se marierait avec lui le malheur l'atteindrait.

Il le savait depuis quelques jours : on lui avait expédié anonymement une lettre de Helga Herwarth — un bref message qui ne portait pas d'adresse, une lettre à une amie peut-être ? — un avertissement désespéré écrit sous l'effet d'une prémonition, d'une angoisse qui avait obsédé Helga pendant les derniers jours de son existence.

« Alf est le père de mon enfant, écrivait-elle, et le voilà qui m'abandonne. Je n'ai plus eu de ses nouvelles depuis des semaines. Il prétexte son travail, ses conférences, ses recherches scientifiques — je suis absolument désespérée. Dernièrement quelqu'un m'a dit qu'il voulait épouser la fille de son patron.

« Si c'est vrai, il y aura un scandale. Je ne me laisserai pas enlever le père de mon enfant. Je ne suis pas une putain. J'ai vraiment aimé Alf et cru à ses promesses. »

Le Pr Rahtenau avait enfermé cette lettre dans son coffre-fort. C'était une pièce importante, et qui pouvait servir de preuve. Le soupçon monstrueux qui était venu à l'esprit de Rahtenau en lisant cette lettre l'avait troublé et paralysé à longueur de journées. Il avait observé son futur gendre, surpris qu'il semblât libéré de tous problèmes, gai et insouciant et nullement troublé à la pensée qu'une jeune femme et un enfant — son propre enfant — étaient morts dans des circonstances plus qu'étranges.

« Quel homme est-ce ? se demandait Rahtenau. C'est un chirurgien génial, d'accord. Il opère avec un brio et une hardiesse admirables. Ses recherches hématologiques ont ouvert une voie nouvelle à la médecine, un avenir encore trop vertigineux pour les comprendre et les reconnaître.

» Il a un orgueil quasi pathologique. Il n'y a pour lui que l'essor, la montée vers le soleil, la lutte pour gagner le sommet. Il lui sacrifierait tout, Petra incluse, si c'était nécessaire. »

Rahtenau ne put se décider à parler avec sa fille de la lettre de Helga Herwarth envoyée anonymement. Il savait que cette lettre lui ferait mal, la plongerait dans le désespoir — et il eut peur, par amour paternel impuissant devant les faits qui, de toutes parts, semblaient menaçants. « Attendons, se dit-il. Peut-être que tout changera. Peut-être le temps fera-t-il son œuvre ? » C'était s'abuser soi-même mais, pour Rahtenau, une échappatoire désespérée.

— Il n'ira pas en Australie ! dit-il à Petra en lui tournant le dos afin qu'elle ne vît pas son visage se crisper. Je le persuaderai qu'il vaut mieux rester ici.

— Si tu y réussis, mon petit papa...

La voix de Petra fut si joyeuse et heureuse que Rahtenau baissa la tête.

— Je dispose d'arguments, dit-il d'une voix enrouée.

Peu après, il se rendit à l'hôpital. Le Dr Bornholm était à la salle d'opération no I et pratiquait une délicate opération : une cholécysto-gastro-anastomose, dernier recours dans un cas de carcinome du pancréas.

Rahtenau se lava les mains, enfila une blouse stérile et se tint derrière Bornholm. Il regardait, par-dessus l'épaule de ce dernier, le travail des mains, rapide et sûr. L'anastomose était presque achevée ; c'était accorder un sursis à l'opéré — rien de plus — le carcinome lui-même était inopérable.

— Qu'est-ce que c'est que cette histoire d'Australie ? demanda Rahtenau à voix basse, à l'oreille de Bornholm.

Le chirurgien tourna brusquement la tête ; puis il se consacra de nouveau au corps ouvert devant lui. Il passa les derniers fils : l'anastomose était pratiquée.

— J'ai signé ce matin mon engagement, dit-il d'une voix dure.

— Tu annuleras le contrat...

— Impossible.

Le Dr Bornholm s'écarta de la table d'opération et laissa au premier assistant le soin de refermer la plaie. L'anastomose était réussie. Mais le patient n'en avait plus que pour quelques semaines. On lui avait procuré un soulagement... Sa mort serait retardée et plus paisible. Bornholm ne pouvait rien de plus. Il retira ses minces gants de caoutchouc, les jeta dans une cuvette, ôta calot et masque et se dirigea vers le lavabo.

Rahtenau le suivit et s'adossa à la paroi de faïence.

— Pourquoi est-ce impossible ?

— Je n'ai aucun motif de rompre mon engagement.

— C'est *moi* qui donnerai le motif.

— Toi ? (Bornholm jeta un regard oblique vers son futur beau-père :) D'ailleurs, j'ai beaucoup réfléchi avant de prendre ma décision. On m'offre des possibilités...

— On ne quitte pas aussi brusquement l'hôpital où l'on travaille. On a presque l'air de fuir.

— Fuir ? Quoi ?

Le visage de Bornholm devint anguleux. Il tenait les mains au-dessus de l'appareil à air chaud pour les sécher.

— Peut-être le passé...

Bornholm mit les mains dans les poches de sa blouse blanche. Son visage avait rougi :

— S'il y a quelque chose dans mon passé qui te déplaît, dis-le-moi ! Je suis prêt à tout écouter — et à y répondre. Il n'y a rien que je ne puisse justifier. Qu'est-ce que tu as à me reprocher ?

Le Pr Rahtenau baissa la tête. « Il m'a battu, pensait-il, ou faut-il que je sorte mon argument suprême, cette dernière lettre de Helga Herwarth avec ses accusations irréfutables ? Faut-il jeter cette carte dès maintenant ? »

— Rien, dit Rahtenau lentement, je n'ai rien à te reprocher, sinon...

— Quoi ?

Les yeux de Bornholm étincelèrent. L'angoisse le tenaillait et une terrible tension.

— J'ai quelque chose dans mon coffre-fort — une lettre que j'ai reçue dernièrement...

Bornholm eut l'impression que son sang se coagulait. Son cœur avait du mal à refouler cette glu dans les veines.

— Pourrais-je voir ce papier ?

143

— Non !

— Mais...

— Non ! Il suffit qu'il y ait une lettre qui empêche ton départ en Australie, dans l'intérêt de Petra !

— Je n'admets pas de chantage ! cria Bornholm.

Depuis la table d'opération, les visages aux masques blancs le fixèrent. Ils se penchèrent aussitôt sur le patient lorsque Bornholm se retourna. Le Pr Rahtenau se dirigea lentement vers la sortie. Avant de pousser la grande porte de verre, il regarda en arrière.

Bornholm se tenait au milieu de la salle. Son visage était blême et semblait flétri.

— Je vais annuler le contrat en ton nom, dit Rahtenau à mi-voix, afin que seul Bornholm l'entendît. Je vais de ce pas au consulat. Un médecin ne se sauve pas, et encore moins devant soi-même...

Ce jour-là, le Dr Bornholm n'opéra plus d'autres malades. Il confia l'hôpital à son premier chef de clinique et se rendit à la montagne, à son chalet solitaire dans le ciel, à son nid d'aigle. Il buvait du whisky, verre après verre, sans résultat. La tête dans ses mains, il regardait le fond de la vallée et le petit village dont les lumières clignotaient comme des vers luisants.

« Quelle lettre cela peut-il être ? s'inquiétait-il. Qui l'a écrite ? Si Rahtenau l'enferme dans son coffre-fort, elle doit avoir une importance capitale à ses yeux... »

De nouveau l'angoisse lui étreignit le cœur et se répandit par tout son corps. Il se sentait misérable. Il s'était laissé intimider par Rahtenau. Au lieu d'empêcher que le contrat fût annulé, il s'était réfugié dans son chalet, loin des humains, cherchant une issue et une explication qu'il ne trouvait pas ; car soudain sa vie était toute dans la main de Rahtenau. Bornholm explora toutes les possibilités, mais il n'entrevoyait aucune issue. Une seule pensée le tranquillisait : tant qu'Erika Werner se taisait et assumait la culpabilité par amour pour lui, il était inattaquable. C'est ce qu'il se répétait sans cesse. Quand il y aurait dix lettres, elles n'ébranleraient

144

pas les aveux d'Erika. C'était d'elle seule que dépendaient son avenir, son salut, sa carrière. Il but toute la nuit et rentra en ville le lendemain de très bonne heure, dans le brouillard. Revenu chez lui, il prit un bain glacé et téléphona à la maison d'arrêt.

— Ici Bornholm, dit-il au directeur. On m'a recommandé de m'adresser à vous. Il s'agit d'une autorisation spéciale... la permission d'une visite exceptionnelle... Je voudrais vous demander de m'accorder un bref entretien avec Mlle Erika Werner. Il s'agit de plusieurs résultats d'expériences dans ma série de recherches hématologiques, que je ne trouve pas consignées dans mon registre. Vous rendriez grand service à la science si vous consentiez.

— Il faut que j'en réfère au ministère public... (Le directeur se montrait fort obligeant :) Veuillez bien me rappeler au cours de la journée.

Bornholm resta chez lui et attendit. Vers 4 heures de l'après-midi, il avait obtenu l'autorisation. Dix minutes d'entretien le vendredi suivant.

Satisfait, il raccrocha le récepteur, partit en ville, dîna dans un restaurant réputé et arriva chez le Pr Rahtenau au moment où la famille, en tenue de soirée, s'apprêtait à se rendre à l'Opéra.

— Ah ! dit le professeur quand Petra eut accueilli Bornholm avec un baiser, mais assez froidement. L'ermite est revenu. Tu aurais dû nous téléphoner, nous allons à l'Opéra.

— Ne changez pas votre programme ! (Bornholm entoura de son bras l'épaule mince de Petra.) As-tu pu annuler le contrat avec l'Australie ?

— Oui. Il n'y manque que ta signature par-devant le consul, vendredi après-midi.

Bornholm serra Petra contre lui :

— Je vous accompagne à l'Opéra.

Il donna un baiser sur le front de Petra et l'entraîna vers sa voiture.

— Il faut que j'avoue quelque chose, beau-père ! cria-t-il à Rahtenau qui était encore sur le seuil, j'ai été stupide de me cramponner à ce contrat... Je suis tout heureux maintenant, libéré d'un poids sur mes épaules...

Il poussa Petra dans sa voiture, grimpa à côté d'elle et ils filèrent vers la sortie.

Rahtenau les suivit des yeux, pensif :

« Qu'est-ce qui lui arrive tout à coup ? se demandait-il. Cette joie, cette assurance ! Que s'est-il passé pendant ces deux jours qui lui redonne courage ? »

— A l'hôpital ! cria-t-il à son chauffeur qui l'attendait à la porte de sa voiture.

— Mais l'Opéra va commencer dans dix minutes, monsieur le professeur !

— A l'hôpital, Dussel.

Arrivé à l'hôpital, Rahtenau monta à son bureau. Il traversa le couloir en courant, ouvrit la porte fermée à clef, et vérifia la serrure de son coffre-fort — qui était intacte. Il composa le mot et ouvrit la lourde porte de fonte. La lettre se trouvait toujours sur le rayon inférieur, sous quelques notes personnelles. Rassuré que son soupçon subit n'ait pas été confirmé, mais de plus en plus perplexe, il referma le coffre-fort.

Dans l'hôpital, l'apparition subite du Patron à cette heure indue avait fait l'effet d'une bombe. Depuis la porte, on avait avisé tous les services de l'arrivée du chef. Sans bruit, mais dans la plus grande hâte, tout fut mis en ordre, les bassins rangés, les rapports vérifiés, quelques feuilles de température complétées...

Dans leurs chambres respectives, les médecins de garde attendaient, figés comme des soldats de plomb, le signal annonçant : le Patron est à l'étage A ou E. Mais Rahtenau ne se souciait pas des services. Il quitta l'énorme bâtiment aussi vite qu'il y était venu. Lorsque la voiture noire eut franchi la cour de l'hôpital, la sœur portière donna le signal général : le Patron est reparti.

On respira dans les divers services, et l'on se regarda surpris. « Qu'est-ce que cela veut dire ? Le vieux débloque ? Il arrive et repart sans raison, sans contrôle, sans dire un mot ?... »

Rahtenau n'arriva qu'au début du deuxième acte. Il

s'assit sans bruit dans la loge, et toucha Bornholm sur l'épaule.

— Excusez-moi, mes enfants, murmura-t-il, j'ai pensé tout à coup qu'il y avait un nouvel opéré à revoir ce soir.

— Et tout va bien à l'hôpital ? demanda Bornholm.

Rahtenau fit un signe affirmatif.

— Tout. Heureusement.

Les lumières s'éteignirent, le rideau se leva et le deuxième acte commença. *Le crépuscule des Dieux,* de Wagner.

Helga Pilkowski avait essayé à trois reprises de rejoindre Erika Werner à l'infirmerie. Elle faisait preuve, pour cela, d'un don d'invention que personne n'eût supposé chez cette grosse fille blonde. Elle commença par s'enfoncer un clou dans l'aisselle, et introduire une écharde de bois dans la petite plaie. La déchirure devint une grosse inflammation suppurante que Helga ne laissa voir que lorsqu'elle eut très vilain aspect et menaçait de causer une septicémie.

— Espèce de toquée ! rugit Katharina Pleüel, lorsque Berta Herkenrath amena Helga, avec une température de 39,5. Mais tu mangeras ta soupe salée, je te préviens. Tu seras soignée dans ta cellule !

— Bande de salopes ! répliqua Helga qui se jeta sur le lit de la Pleüel. D'après le règlement, j'ai droit à un traitement et à un séjour à l'infirmerie ! Je me plaindrai !

— C'est au médecin à décider...

— Vous êtes toutes de mèche. Je veux aller à l'infirmerie et tout de suite ! (Elle souleva son bras, il était tout enflé et très rouge.) Oh ! mon bras ! gémit-elle, je vais mourir, j'ai un empoisonnement du sang...

— Oui ! cria la Pleüel, mais c'est la syphilis !

Entre-temps, Berta Herkenrath avait appelé au téléphone le Dr Rumholtz. Il vint à la troisième division et examina le bras. Helga Pilkowski s'était tue, elle ouvrait de grands yeux en voyant le médecin palper prudemment la chair enflée.

— Ça fait mal ? demanda-t-il.

— Non ! (Helga eut un sourire canaille :) Ça ne m'a jamais fait de mal qu'un homme me pince — même si vous n'êtes qu'un médecin...

Le Dr Rumholtz ne fit pas attention à ce ton. Il y était habitué. Nulle part la vie n'est plus vile que dans une maison d'arrêt pour femmes. Ce que les détenues du type de Helga Pilkowski peuvent accumuler en fait de bassesse et d'hystérie est incroyable. La petite écharde de bois s'était incrustée. Le Dr Rumholtz la sentit sous son doigt. Il ne posa pas de questions. Il connaissait trop bien toutes les ruses.

— Compresses à l'alcool, dit-il en lâchant le bras de Helga. Plus tard, quand l'inflammation aura diminué, pansements avec une pommade vésicante. (Il déposa un tube de comprimés sur la table :) Et ça contre la fièvre.

Les yeux de Helga étincelaient :

— Alors je n'irai pas à l'infirmerie ?

— Non. (Le docteur se détourna, se lava les mains :) Il faudrait inventer quelque chose de plus malin.

— Merde ! (Elle regarda son bras enflé et cuisant :) Et si j'attrape un empoisonnement du sang ?

— On t'incisera le bras.

— A l'infirmerie ? dit Helga, jubilante.

— Non. Je ferai ça ici, sur la table.

La tête basse, Helga fut reconduite à sa cellule par Berta Herkenrath. Là elle s'assit sur son lit, et gémit toute la nuit comme un chiot abandonné.

Quatre jours après commença une période de pluie. Il faisait froid, l'automne s'annonçait. Le vent sifflait à travers le petit jardin de la maison d'arrêt et la pluie fouettait les vitres. Helga Pilkowski, qui travaillait au jardin, passa deux heures debout dans ces rafales. Elle se laissa tremper par l'averse, elle frissonna au vent froid, elle ouvrit sa blouse et resta, claquant des dents et les yeux clos, adossée au mur où giclait la pluie.

Mais la pneumonie espérée ne se produisit pas. Rien qu'un rhume.

— Tu es trop grasse ! ricana la Pleüel lorsqu'on lui fit

148

part du nouvel exploit de Helga. Avant que le vent te traverse, il préfère ne plus souffler...

Helga rentra dans sa cellule en maugréant quelques remarques peu aimables, et se frotta avec une pommade son nez rougi par le rhume.

— Foutue baraque ! cria-t-elle à la Herkenrath lorsqu'on lui apporta le repas du soir. Je ne peux même pas tomber malade un bon coup, ici...

Erika ne fut pas émue de ces incidents. Elle ne les apprit que lorsque les surveillantes en parlèrent ou qu'une malade de la troisième division fut admise à l'infirmerie. Le Dr Rumholtz l'en isolait comme sous une cloche. Il avait obtenu qu'Erika quittât sa cellule et vînt loger à l'infirmerie. Cette mesure d'exception avait été justifiée par l'intervention qui avait sauvé la petite Fore Heimberg lors de sa tentative de suicide.

« Ce cas démontre combien il est nécessaire que l'infirmerie dispose jour et nuit d'un personnel médical qualifié. Puisque la détenue N° 12 456 est un médecin diplômé, on devrait, dans l'intérêt des 1 500 détenues. ne pas appliquer aussi étroitement le règlement », écrivait le Dr Rumholtz dans sa dernière pétition. Le directeur vint le trouver en rapportant cette lettre. Il la posa sur la table :

— Déchirez ce chiffon de papier, dit-il au Dr Rumholtz, en respirant péniblement.

C'était un grand et gros homme qui, outre son poids de cent sept kilos, souffrait d'une forte tension artérielle. Chaque année il se rendait à Worishofen pour faire la cure de Kneipp ; il perdait vingt livres pour les regagner au bout de deux mois en mangeant du pied de veau et en buvant de pleines chopes de bière.

— C'est une demande de service, protesta le Dr Rumholtz.

— Je le sais. Et vous croyez qu'un papier rédigé de cette manière passera par la voie hiérarchique ? Vous êtes pourtant un fonctionnaire comme moi. Je ne peux pas transmettre ça dans mes dossiers! Considérons que cette lettre n'a pas été écrite, je n'y ai pas mis le timbre de réception et ne l'ai pas fait inscrire dans le registre d'accession du courrier. Elle est encore privée, alors déchirez-la.

— Et la détenue 12 456 ?

— Mon Dieu, vous l'aurez à l'infirmerie...

— Mais c'est tout ce que je demande!

Le docteur se mit à rire et déchira la lettre. Il en jeta les morceaux dans la corbeille. Le directeur s'épongea le front :

— Et que fait votre ange en ce moment ?

— Des pansements à la salle d'opération. Deux accidents du travail. (Le docteur se leva.) Venez, et regardez-la bien.

— Je connais son dossier...

— Les dossiers sont du papier mort couvert d'écriture.

— Pas chez nous. Chacun de nos dossiers contient une vie complète et parfois terminée.

— C'est tout de même du papier, en dépit des dépositions, des enquêtes, des examens psychiatriques et des admirables jugements qui épluchent le caractère et restent néanmoins à la surface.

Ils passèrent dans la petite et primitive salle d'opérations. Une femme assez âgée était couchée sur la table et Erika Werner pansait une énorme plaie. En hachant des betteraves la femme s'était entaillé la jambe. La femme serrait les dents, tandis qu'Erika enlevait d'un coup la dernière compresse de gaze.

Erika ne se retourna pas lorsque les deux hommes entrèrent dans la pièce. La blessée ne les avait même pas vus. Elle fermait les yeux et serrait les dents pour ne pas crier lorsque Erika, à l'aide d'une pince, tira prudemment mais vivement quelques lambeaux déchiquetés.

— Vous avez de la chance qu'elle ne soit pas entrée plus profondément, et que la plaie ne soit pas infectée. Sinon cette jambe serait perdue, dit Erika en nettoyant les bords de plaie. Quel est votre métier ?

La vieille femme regarda avec méfiance la jeune femme en blouse blanche de médecin.

— Pourquoi ? Je suis une paysanne.

— Et vous vous donnez un coup de hache dans la jambe ? (La tête de la femme retomba.) C'est curieux, hein ?

— Tu es une moucharde ? siffla la femme. Tu es pourtant une détenue comme nous autres.

— Justement. Pourquoi faites-vous ces bêtises et vous estropiez-vous vous-mêmes ? Ça ne va pas mieux pour ça.

— Meilleur boulot, et un vrai lit... ça vaut le coup !

— C'est pour ça que vous risquez vos bras et vos jambes ? Réfléchissez, voyons.

— Tu parles ! T'es pas comme nous autres. Tu vis dans le lard ici. Tandis que nous... la maison d'arrêt doit nous rendre « meilleures et plus raisonnables » a dit le juge. Sais-tu ce qu'on apprend ici ? Le dernier truc pour devenir une criminelle. Ce que tu ne savais pas encore, on te l'enseigne ici. Et quand je sortirai d'ici dans dix ans, je pourrai réussir toutes les sales besognes. C'est vrai. Le pasteur peut bien prêcher tous les dimanches à la chapelle et distribuer ses brochures dans les cellules... Sais-tu ce qu'elles ont fait il y a pas longtemps d'une image de la Madeleine ? Elle ont changé le dessin et puis l'ont accroché dans la salle. Elles en ont fait une putain qui courait après les hommes. N'ont pas de respect ni de Dieu ni des hommes... C'est ça qui nous rendra « meilleures » ? Allez, panse-moi ma jambe, mais tâche que je reste encore deux semaines ici.

— Et pourquoi es-tu ici ? dit Erika en mettant des compresses de gaze sur la plaie nettoyée.

— Mon vieux couchait avec la fille de ferme, encore à soixante-sept ans... Et cette charogne avait tout juste vingt ans. Elle tournait toujours autour de lui. Je les ai trouvés ensemble dans le fenil, oui, et c'est arrivé.

— Tu l'as tuée ?

— Ce n'est pas tout. J'ai d'abord assommé mon vieux avec la hache à betteraves, comme celle qui m'a tranché la jambe. Et puis j'ai pris la garce par les cheveux, je l'ai traînée le long de l'escalier, à travers la cour, jusqu'au tonneau d'eau de pluie. Elle gueulait, oh ! ce qu'elle gueulait ! Je lui ai enfoncé la tête dans l'eau, encore et encore, tout doucement, jusqu'à ce qu'elle ait trépassé.

La vieille femme s'étira, comme si elle savourait encore sa vengeance :

— Ils m'ont donné quinze ans. Je les ferai. Je ne veux pas de grâce... seulement un peu de meilleure nourriture de temps en temps, quand bien même il faut me la gagner avec ma hache. Qu'est-ce que je ferais, une fois dehors ?

— La vie est si belle pourtant, dit Erika en tournant une bande autour de la jambe blessée. Si tu pensais aux fleurs qui pointent dans la prairie, au commencement du printemps, comme si elles cherchaient le soleil, quand les hirondelles reviennent et tournent autour de la maison, quand l'alouette monte haut dans le ciel et que la terre attend d'être retournée...

La vieille femme avait tourné la tête et se mordait les lèvres :

— Tout ça est passé, soupira-t-elle.

— Rien n'est passé. Je l'ai cru d'abord, moi aussi, quand j'ai été écrouée ici. Et le premier soir où je me tenais devant la fenêtre à barreaux. Et puis j'ai vu le soleil se coucher, dorant les toits, tandis que dans ma cellule je n'en apercevais qu'un petit reflet, alors j'ai pensé moi aussi : « Tout cela est passé. Je suis morte. » Eh bien, ce n'est pas vrai. Notre vie n'est finie que lorsque nous cessons de respirer. Et, tant que nous respirons, Dieu, ou la nature, nous a donné une grande tâche : c'est d'espérer. Celui qui n'espère plus n'est plus digne de vivre.

La vieille femme hocha la tête :

— Bandez ma jambe. Dépêchez-vous, docteur, ou je vais chialer.

Le Dr Rumholtz ferma doucement la porte de la salle

d'opération derrière le directeur et lui-même. Arrivé dans le couloir, il le regarda en face.

— Eh bien ? demanda-t-il, comme le directeur se taisait.

— Eh bien, quoi ?

— Est-ce ainsi que parle une femme censée en avoir tué une autre ? Sans motif, sans but de s'enrichir, sans raison ?

— Mon Dieu, n'allez pas dire qu'Erika Werner est une erreur judiciaire. Puisqu'elle a fait des aveux...

— Mais pourquoi ? C'est cela ce qu'il fallait demander...

— Parce qu'elle l'a fait.

— Ou bien parce qu'elle couvre quelqu'un.

— Impossible. Cette « solidarité » a des limites. Elle n'endurera pas trois ans de réclusion. Elle finira bien par parler !

— J'observe Mlle Werner depuis des semaines. Elle n'est pas une détenue comme les autres...

Le directeur frappa sur l'épaule du Dr Rumholtz :

— Vous êtes jeune, cher docteur, et idéaliste. Derrière tous les petits visages candides vous croyez apercevoir l'innocence. Si je vous racontais ce que j'ai vu dans mon expérience de près de trente ans à la maison d'arrêt ! Des madones qui ont tué leur mari ; des anges qui ont escroqué des millions ; des petites poupées, suaves comme des sucres d'orge et dont la cruauté dépassait celle des bourreaux chinois... tout cela détruit la confiance en la nature humaine, et la croyance à la phrase absurde : « Le visage est le miroir de l'âme. »

Le Dr Rumholtz se mordillait les lèvres :

— Pouvez-vous me communiquer le dossier encore une fois ?

— Que voulez-vous faire ?

— J'ai un ami qui est avocat, je voudrais le lui montrer.

Le directeur fit une grimace :

— Un avocat ? Un jeune, hein ?

— Oui.

— Et ambitieux ?

— Naturellement.

— De mieux en mieux. Un de ces passionnés de révisions ? Où diable voulez-vous trouver un motif de révision ? Mais si vous y tenez... Vous allez buter contre un mur. Je commence à croire que vous êtes amoureux d'Erika Werner...

— Monsieur le directeur ! protesta le Dr Rumholtz en rougissant.

— Ne faites pas de bêtises, docteur, attention ! En un rien de temps nous nous retrouverions au quartier des hommes, et vous en cotte bleue... Je ne vous communiquerai pas le dossier.

— Alors je ferai une demande...

— Par pitié, plus de lettres ! J'en ai plein le dos de vos pétitions. Passez chez moi demain, chercher le dossier.

Il partit à grands pas de l'infirmerie. Katharina Pleüel l'attendait dans le couloir, blême de fureur.

— Cette Pilkowski ! râlait-elle. Cette Pilkowski ! Monsieur le directeur, il doit tout de même y avoir un moyen de la faire taire ! Elle recommence à brailler dans sa cellule !

— Le cachot.

— Elle y braillera encore.

— Privation de nourriture.

— Elle vivra trois mois de sa graisse.

— Trois seaux d'eau froide.

— Le règlement l'interdit, monsieur le directeur.

— Je n'en sais rien...

Katharina Pleüel s'épanouit. Elle fit presque une révérence avant de se sauver.

— Berta ! cria-t-elle en entrant dans la salle de douches de la troisième division. Vivement les seaux ! Va y avoir un feu d'artifice !

Quelques minutes plus tard on entendit les éclats de voix stridents de Helga Pilkowski, dans le couloir, interrompus par les jets d'eau claquant sur le sol. Et dans les cellules, les détenues battaient la mesure en tapant avec leurs cuillers sur leurs gamelles de fer-blanc.

Le Dr Bornholm était assis dans le parloir de l'infirmerie en feuilletant de vieux journaux illustrés qui se trouvaient sur la table. Il était inquiet. Pourquoi ne l'avait-on pas conduit dans le parloir de la maison d'arrêt, mais ici à l'infirmerie ? Il avait vainement essayé de s'informer si Erika était malade, ou s'il lui était arrivé quelque chose, ou si elle-même, peut-être... dans un moment de désespoir...

Il repoussa les journaux illustrés et alluma une cigarette. Il s'alarmait moins de la santé d'Erika que d'une possibilité qu'elle ait rompu le silence qui le protégeait, et dit la vérité. Alors même que personne ne la croirait, ce serait désagréable d'avoir à répondre à de nouvelles questions, d'infirmer les soupçons et de devoir tout représenter comme la création d'un cerveau atteint de la psychose de la détention.

— Vous vous énervez ?

Bornholm se retourna brusquement. Un homme en blouse blanche de médecin se tenait sur le seuil. Il dévisageait Bornholm avec une aversion non déguisée. A voir ce visage, le visiteur comprit que ce nouveau venu entré dans la pièce en savait plus long qu'il n'avait même craint en lui-même.

— Bornholm, dit Alf en se présentant.

L'homme sur le seuil fit un signe de tête :

— Je sais, vous avez été annoncé. Dr Rumholtz. Je suis le médecin de l'établissement. Vous désirez parler à la détenue 12 456.

— Au Dr Werner, oui, dit Bornholm, troublé. Est-elle malade ?

— Non.

Bornholm écrasa sa cigarette. Il l'enfonça si fort dans le cendrier qu'elle se déchira.

— Je ne comprends pas... docteur.

— J'ai demandé l'autorisation de m'entretenir avec vous au sujet de Mlle Werner.

— Je ne vois pas que vous ayez à vous entretenir avec moi.

Bornholm regarda d'un air arrogant le médecin qui se tenait encore à la porte, en observateur immobile.

— C'est ce que je vais préciser...

— Et moi, je refuse de m'entretenir avec vous...

— Je m'y attendais.

— Alors pourrai-je maintenant voir Mlle Werner ?

— Pas encore. Elle se trouve dans mon infirmerie, et c'est à ma demande que l'entrevue a lieu ici. Il faudra donc que vous m'écoutiez, si vous désirez voir la détenue.

— Je me plaindrai de votre attitude ! s'écria Bornholm.

Son visage s'empourpra, mais ses yeux étaient hantés d'angoisse. «Que sait-il ? pensait Bornholm, qu'est-ce qui lui donne cette assurance ? Erika a-t-elle parlé ?»

— Vous êtes libre de porter plainte, docteur. Il est d'ailleurs absurde de faire appel chez vous à quoi que ce soit de conforme à la morale ou à la dignité humaine...

— Je ne tolérerai pas...

Le Dr Rumholtz leva la main et son geste coupa court la phrase sur les lèvres de Bornholm. Rumholtz entra dans la pièce et alla droit au visiteur. Bornholm resta immobile, les poings fermés. «Où veut-il en venir ?» pensait-il. Une boule se forma dans sa gorge, lui bouchant l'œsophage, et bien qu'il avalât fortement à plusieurs reprises, cette boule ne fondait pas, et au contraire, ne faisait que gonfler.

— Je voudrais vous dire quelque chose, cher collègue, dit Rumholtz. Je suis convaincu qu'Erika Werner, écrouée ici, est innocente. Et je m'efforcerai par tous les moyens à ma disposition, si modestes soient-ils — de faire la lumière sur le fond véritable de l'affaire.

Bornholm respira. La boule dans sa gorge fondit. «Il ne sait rien, pensa-t-il, jubilant. Il ne fait que présumer. Erika n'a rien dit.»

— Vous m'ennuyez, dit-il d'un ton insolent, en allumant une nouvelle cigarette. Vous vous grisez de paroles...

156

— Nous aurons le temps. C'est long d'attendre trois ans. Je vous prie de ne pas perdre de vue que, dans mes actes, je ne me laisserai pas influencer...

— Vous me faites des menaces ? Qu'est-ce que tout cela signifie ? (La voix du Dr Bornholm s'éleva.) Je viens ici pour parler avec mon ex-assistante et je suis importuné par un minable dans votre genre ! Vous feriez mieux de consulter un psychiatre. Que m'importe ce que vous pensez ? Si triste que ce soit, Mlle Werner a été condamnée. Et le fait que je sois ici et veuille lui parler prouve bien que je ne lui tiens pas rigueur, bien qu'elle m'ait entraîné, moi aussi, dans une situation fatale.

Bornholm tourna le dos au Dr Rumholtz et souffla la fumée de sa cigarette vers le plafond.

— Et maintenant délivrez-moi de votre présence. Il me serait pénible d'avoir à appeler un employé de l'établissement pour me protéger.

Le Dr Rumholtz ne répondit pas. Il quitta doucement la pièce. Il avait atteint son but : il avait semé la méfiance, l'angoisse et le doute. Le sujet troublé commet des fautes qui le trahissent... C'est là ce qu'espérait le Dr Rumholtz.

Bornholm n'avait pas entendu son adversaire s'en aller. Il n'entendit pas non plus la porte s'ouvrir de nouveau. Ses idées se précipitaient. Il évoquait tout le passé, l'accusation, le procès, les aveux d'Erika, la diffamation morale de Helga Herwarth, la contestation de la paternité de l'enfant... il n'y avait qu'une lacune — elle pouvait devenir dangereuse et personne jusqu'ici n'avait pu l'expliquer. Comment Helga Herwarth était-elle entrée pendant la nuit à l'hôpital ? La sœur portière avait juré qu'elle n'avait pas dormi, et le serment d'une religieuse ne permettait aucun doute.

— Je voudrais être délivré de votre présence, dit durement Bornholm, croyant que Rumholtz était encore dans la pièce.

— Alf, dit une voix basse et toute timide...

Bornholm sursauta, la cigarette lui tomba des doigts ;

Erika se tenait sur le seuil, en blouse blanche de médecin. Les tubes du stéthoscope à membrane sortaient de sa poche.

— Erika ? Mais est-ce que je rêve ? Je croyais... Chérie !

Il lui tendit les deux mains. Elle avança de quelques pas vers lui, mais ne contourna pas la table qui les séparait et représentait la frontière, la loi, la scission d'avec le monde extérieur.

Soudain Bornholm aperçut l'employée grassouillette qui s'était assise sur une chaise dans un coin. Elle observait fixement Bornholm comme s'il allait, au premier instant, glisser dans les mains d'Erika un outil destiné à l'évasion.

— Tu... as bonne mine, dit Bornholm gêné.

Cette blouse blanche l'irritait. Il comprenait soudain la relation entre le Dr Rumholtz et Erika Werner : Erika avait été transférée à l'infirmerie. Il reconnut aussitôt le danger qui pourrait naître de ce changement.

— Je vais très bien.

Erika s'assit sur la chaise de l'autre côté de la table. Les yeux grand ouverts, elle contemplait Bornholm. « Il n'as pas changé, pensait-elle, élégant, viril, sûr de lui. L'homme de science éminent, l'homme dont toute femme doit inévitablement s'éprendre, qu'elle le veuille ou non. Il est assez pâle seulement. Surmené, sans doute, et ses yeux clignent. » Elle joignit les mains et eut un fragile sourire :

— C'est une chance que tu aies pu venir.

Bornholm avala sa salive. Il restait debout, ses mains le gênèrent soudain, il les mit dans ses poches. Il avait de nouveau l'air du médecin-chef qui se fait expliquer le cas d'un entrant et écoute patiemment ce que dit l'interne, déjà décidé à faire un autre diagnostic qu'on devra accepter.

— Je voulais seulement te dire — sa voix était voilée par l'émotion — que je t'aime, et qu'il ne faut jamais l'oublier...

— Je ne l'ai jamais oublié, Alf...

— Jamais ?

Cette question contenait toute son angoisse. Elle la comprit et secoua la tête :

— Jamais !

— Et tu travailles maintenant à l'infirmerie ? Tant mieux !

— C'est le docteur qui l'a obtenu. Je lui en suis très reconnaissante.

Bornholm acquiesça d'un signe de tête. Il ignorait si Erika était au courant de sa conversation précédente avec le médecin. Il évita d'y faire allusion. Il jeta un coup d'œil vers l'employée muette. Puis il s'assit et couvrit de ses mains les doigts minces et froids d'Erika. Il sentit comme ils tremblaient et il les caressa et les serra, comme s'il voulait dire en secret : « Tout finira bien. Sois courageuse comme jusqu'à présent. »

— Je suis tout près de développer les recherches hématologiques sur une plus grande échelle, dit-il hésitant. Je ne sais pas si tu l'as appris...

— Félicitations, dit-elle avec un sourire — et soudain les larmes lui vinrent aux yeux.

Bornholm baissa la tête :

— Je ne le dois qu'à toi, chérie... (Il reprit les mains d'Erika dans les siennes. L'employée jeta sur lui un regard méfiant.) Tout ce qui se réalisera dans l'avenir est entre tes mains. C'est à quoi il faut toujours penser : notre destin est entre tes mains.

— Je le sais, Alf. Et ces trois années passeront, ce n'est pas si terrible. Je commence à travailler auprès des malades et, sans les fenêtres à barreaux, je pourrais me croire de nouveau dans un hôpital...

— Je ne pourrai jamais te rendre ce que tu as fait pour moi...

— Si, Alf. (Elle dégagea ses doigts d'entre les mains de Bornholm, et caressa doucement les cheveux argentés de ses tempes :) Il n'y a qu'à attendre. Lorsque je pense au jour où je serai libérée, c'est indicible !

— Plus que deux minutes ! dit l'employée près de la porte.

— Tu devrais m'écrire plus souvent, Alf...

— Je te le promets.

— Et... où en es-tu avec Petra Rahtenau ? demanda-t-elle à voix basse.

Question qui lui était si pénible. Bornholm s'en tira par un ton plaisantin, qui lui réussit à merveille :

— La fille du vieux ? Que vient-elle faire là-dedans ? Nous nous voyons de temps en temps...

— Mais tu voulais rompre tes fiançailles ?

— Naturellement. Nous y viendrons. Mais sans scandale. Ce sera un éloignement naturel...

— La permission d'entretien est terminée, dit l'employée en se levant.

Bornholm se mit debout aussitôt, il était soulagé d'échapper aux questions d'Erika. Elle se leva lentement : son regard était voilé de tristesse.

— Ç'a été si court ! dit-elle en se retenant de sangloter. Quand reviendras-tu, Alf ?

— A chaque permission de visite.

— Tant mieux. Je te remercie...

Elle allait lui tendre la main, mais l'employée s'approcha de la table et fit un signe négatif.

— Venez, dit-elle.

Erika fit lentement demi-tour et se dirigea vers la porte. Bornholm s'appuya à la table et suivit Erika des yeux.

— Je t'aime ! cria-t-il soudain comme Erika ouvrait la porte.

C'était comme un cri, et comme un dernier ordre : « Tais-toi ! »

Puis la porte claqua derrière Erika. Bornholm était de nouveau seul dans la pièce. Il s'essuya le front avec son mouchoir de soie. Il lui semblait que la chaleur était intolérable dans cette pièce nue, badigeonnée de blanc, avec, au milieu, sa table étroite, et ses trois chaises. Une image de désolation.

Il resta immobile encore quelques instants, comme s'il attendait quelque chose, puis il sortit par la porte de derrière dans une salle où une autre employée l'accueillit et le conduisit par maints couloirs et portes fermées à clef jusqu'à l'air libre.

— Vous vous marierez à Noël, dit le Pr Rahtenau.

Il avait débouché une bouteille de vin couleur de rubis et l'avait chambrée très soigneusement, auprès de la cheminée. Il remplit deux verres de cristal et les tendit à Petra et Bornholm. Bornholm leva son verre. La lueur vacillante de la flamme se brisa dans le cristal et scintilla comme un feu d'artifice. Petra s'était blottie dans la large bergère, les jambes repliées. Elle jeta sur Bornholm un regard amoureux.

— Convenu ! s'écria Bornholm joyeusement.

Son visage était rosi par le vin, son humeur excellente. Son premier rapport sur son « sang synthétique » avait suscité un intérêt mondial. Echos pour la plupart négatifs, comme on pouvait s'y attendre. Tout ce qui est nouveau, inattendu, révolutionnaire, en médecine, a presque toujours été combattu. Il faut modifier trop d'opinions personnelles, réprimer trop d'orgueil ; trop de théories considérées jusqu'alors comme des dogmes scientifiques sont soudain déclarées erronées. Mais le succès avait grandi, le nom du Dr Bornholm était sur toutes les lèvres. Il semblait qu'il eût atteint le zénith.

Rahtenau lui-même en oublia ce qu'il gardait encore dans son coffre-fort. Il était prêt à déchirer cette lettre aussitôt après le mariage. Il croyait savoir maintenant que sa fille serait heureuse. C'était le but suprême qu'il s'était donné à son existence si riche en succès et comblée d'honneurs.

Le « cadeau de noces » s'élevait de jour en jour : c'était une petite villa dans un grand jardin, que Rahtenau faisait construire dans la banlieue pour sa fille. Elle serait prête pour l'installation un peu avant Noël.

Trois fois par semaine, Rahtenau se rendait au chantier et passait des heures entre les échafaudages, les sacs de ciment, les bacs de chaux et les monte-charge. Il suivait le progrès des travaux, modifiait çà et là quelque chose, et trinquait avec les maçons et plus tard avec les divers ouvriers. Il se sentait comme rajeuni, ramené à l'époque de ses propres fiançailles, où il louait une voiture à deux chevaux et, vêtu d'une livrée de cocher, allait chercher sa fiancée et la promenait au parc.

A l'heure même où devant la flambée, le Dr Bornholm vidait son verre et caressait l'épaule de Petra, trois femmes de la troisième division de la maison d'arrêt tentaient une évasion longuement mûrie et préparée. C'étaient Friedel Bartnow, la meurtrière, Monika Bergner, l'entremetteuse, et l'élégant et discret escroc, Maria Jüttner. L'évasion commença par une ruse ancienne, mais toujours efficace : Friedel Bartnow se roula sur le sol de sa cellule, geignant et gémissant, appelant au secours : « Mon appendice ! criait-elle. Mon ventre me brûle ! Aidez-moi ! Au secours ! »

Berta Herkenrath, qui était de garde cette nuit-là, courut dans le couloir, et ouvrit, terrifiée, la porte de la cellule. Elle vit la femme qui se tordait sur le sol de béton, le visage ravagé de douleur, les yeux révulsés.

— Je vais chercher le médecin ! s'écria-t-elle. Il sera là dans cinq minutes. Viens, étends-toi sur ton lit...

Elle se pencha sur la forme geignante, la prit sous les bras, essayant de la soulever. Immédiatement, deux mains semblables à des serres d'oiseau saisirent Berta Herkenrath à la gorge pour l'étouffer. Tels deux crampons de fer à son cou. Râlant, se débattant, Berta Herkenrath tomba à genoux. La dominant, elle voyait la face souriante, impitoyable, de Friedel Bartnow, la meurtrière. Dans les cellules voisines Monika Bergner et Maria Jüttner écoutaient, l'oreille collée au mur : les gémissements de la meurtrière avait cessé ; elles avaient entendu le pas de Berta Herkenrath, le cliquetis des clefs, la porte s'ouvrir, il y avait maintenant un silence suspect. Avait-on réussi ?

Le plan d'évasion avait été préparé jusque dans les plus petits détails. Pendant plus de six mois. Au moyen de messages emportés par des femmes libérées plus tôt, les comparses de Monika Bergner, qui n'étaient pas sous les verrous, avaient été avisés. Ils attendaient les trois femmes dans une grande auto, au coin d'une rue voisine. On devait alors filer à toute allure en ville. On y est plus libre, et on risque moins d'être découvert parmi cinq cent mille personnes qu'à la campagne où tout le monde se connaît.

Friedel Bartnow lâcha le cou de la Herkenrath. Plouf! le corps tomba sur le sol carrelé et roula contre le lit. Friedel se pencha, tâta le pouls, mit un doigt sur les lèvres de Berta et s'assura qu'elle n'était pas morte, mais seulement inconsciente. Puis elle prit les clefs, courut aux cellules de Monika Bergner et Maria Jüttner et les ouvrit.

— Vite! siffla-t-elle. Nous avons déjà vingt minutes de retard. J'ai peur que Berta...

Pour plus de sûreté, elle retourna à sa cellule, donna un bon coup sur la tête de la surveillante, puis commença à la déshabiller. L'uniforme était un peu étroit, mais Friedel Bartnow s'y engouffra, rentrant le ventre afin que la fermeture-éclair ne s'ouvre pas. Elle courut ainsi tout le long du couloir à la salle de garde, et ne referma même pas les cellules.

Dans la salle de garde, même scénario. Encore plus silencieux et plus rapide. Katharina Pleüel et Jule Blauberg, la surveillante des douches, étaient au lit. Elles avaient fêté l'anniversaire de Katharina et vidé, à elles trois, une bouteille de kirsch mêlé de rhum. Elles dormaient profondément et sans rêver. Elles n'entendirent ni la lourde porte s'ouvrir ni l'entrée des femmes libérées. La Pleüel ronflait très fort, la bouche ouverte. L'élégante Maria Jüttner s'arrêta devant le lit. Son visage se crispa de dégoût :

— Je ne peux pas souffrir les femmes qui ronflent, dit-elle, elles sont une offense à la féminité.

— Pas de réflexions! susurra Monika Bergner qui tremblait d'émoi. Fous-lui un coup sur la poire !

Katharina Pleüel se retourna sur le côté dans son sommeil et poussa un soupir. Maria Jüttner prit un coussin qui se trouvait sur son siège, et l'appuya fortement sur la tête de Katharina. Au même instant, Monika, la complice des voleurs, s'approchant de Jule Blauberg étendue à plat sur le dos, lui cogna la tempe avec la bouteille de «kirsch mêlé de rhum». Katharina agita vaguement les bras puis ne bougea plus, respirant à peine.

Friedel Bartnow parut sur le seuil.

— Grouillez-vous ! siffla-t-elle.

Elle aida les deux autres à enfiler les uniformes, puis elles couvrirent jusqu'au cou les deux femmes évanouies, fermèrent à clef la salle de garde, et se trouvèrent dans le couloir mal éclairé par une lampe en veilleuse : trois surveillantes mal ficelées dans leurs uniformes.

— Il va falloir passer par sept barrages, dit Friedel Bartnow à voix basse. J'ai repéré tout très exactement. De la troisième cour nous passerons sur le toit de la buanderie, et de là au mur de la rue. Il y aura assez de draps dans la buanderie pour en faire une corde. Je vous laisserai descendre et vous m'attraperez en bas quand je sauterai ensuite. Tout est très simple.

— Il faut d'abord gagner la troisième cour, dit Maria Jüttner, regardant le trousseau de clefs que la Bartnow avait arraché des mains de Herkenrath. Avant que tu les aies toutes essayées, on donnera l'alarme.

— Toujours ce baratin ! (Monika Bergner courut à la sortie de la division.) Si on nous découvre nous n'aurons plus la paix. Il faut en sortir sinon la maison d'arrêt sera trop dégueulasse. Ils n'auront aucune pitié pour des évadées. Il y a des cachots souterrains ici. Allez ! sortons de la boîte. Franz et Willi nous attendent déjà depuis une demi-heure au coin de la rue...

La quatrième clef était la bonne. Pareilles aux ombres que les nuages font passer sur les murs, les trois femmes se glissèrent dans les escaliers. Elles ouvrirent deux grandes portes, la lourde porte d'acier. Friedel Bartnow, en sueur, tâtonnait. Elle essaya les clefs jusqu'à ce que la huitième tournât en grinçant. Le froid de la nuit les cingla, mais c'était comme un frais courant d'air, arrivant d'un autre monde. «Etre libres ! pensaient-

164

elles, encore deux portes, deux petites cours, puis la buanderie, le toit, le mur et la rue — et nous serons libres ! »

Elles coururent le long du mur jusqu'à la petite porte de la cour et l'ouvrirent dès la première clef. Mais au second mur les séparant de la troisième cour, elles essayèrent vainement toutes les clefs. Pas une ne tournait dans la serrure. Monika Bergner s'adossa au mur et se retint de sangloter. Maria Jütner regardait fixement les mains tremblantes de Friedel Bartnow dans lesquelles cliquetaient les clefs.

— Aucune ne va ! Nous ne pourrons pas passer dans la troisième cour ! Je n'avais pas prévu ça.

— Alors tout est foutu, dit Monika Bergner.

Elle se cramponnait pour ne pas tomber.

— Un mois de cachot. Nouveau procès pour coup de main et tentative de meurtre. Quinze ans de plus. J'en crèverai.

Friedel Bartnow laissa tomber le trousseau de clefs. Ses yeux étincelaient. Elle était la seule qui ne perdait pas la tête. Pour elle, quinze de plus ou de moins ne signifiait rien. Elle ne survivrait en aucun cas à la maison d'arrêt...

— Jetons-nous contre la porte, dit-elle, toutes les trois. Je presserai sur le loquet, ce sera plus facile et vous autres, enfoncez la porte.

Maria Jüttner saisit le loquet et l'abaissa. La petite porte s'ouvrit sans bruit. Comme devant un effet de magie, les trois femmes regardaient ce trou bâillant vers la liberté.

— La porte était ouverte, bégaya Monika.

— C'est pourquoi la clef ne tournait pas dans la serrure. Ça les embête d'ouvrir et de refermer chaque fois qu'ils vont à la buanderie — alors ils ont laissé la porte ouverte, puisque personne ne s'évade d'ici.

Maria Jüttner se mit à rire. Elle sortit la première dans la vaste troisième cour.

Toute sombre, le toit plat, et plus basse que les quartiers des cellules, la buanderie s'adossait au mur.

Seule sa haute cheminée se dressait dans le ciel nocturne.

— Grimpez sur le toit ! commanda Friedel Bartnow. Accrochez-vous au tuyau de la gouttière.

Tous les couloirs de la troisième division s'éclairèrent. Presque au même instant les sirènes retentirent, avertissant la ville endormie. La sirène hurlait. Des lampes s'allumèrent dans tous les autres bâtiments. Signal d'alarme : Evasion. Soudain, de la troisième division le long rayon blanc d'un projecteur passa sur les cours et les murs. Il glissa lentement aussi sur le toit de la buanderie.

— La Herkenrath s'est réveillée ! cria Monika Bergner. Tu ne l'as pas enfermée ?

— Non, je...

— Idiote !

Elle gifla plusieurs fois Friedel puis courut à la gouttière et grimpa sur le toit, telle une chatte. L'élégante Maria Jüttner la suivit, comme si elle avait toute sa vie escaladé les façades. Friedel Bartnow monta la dernière. Son visage lui cuisait des gifles reçues. La haine la faisait avancer. Une haine insatiable. « Dehors, je la tuerai. Me gifler maintenant que nous allons être libres ! »

Elle était au bord du toit lorsque le rayon du projecteur éclaira la buanderie. Maria Jüttner était collée contre le mur, dans un angle noyé d'ombre. Monika Bergner se glissa dans le large chéneau et s'y blottit, comme si elle était un débris entraîné par la pluie. Contre le mur, à une manche du toit, Friedel Bartnow était accrochée au tuyau d'écoulement de la gouttière.

Monika Bergner serra ses griffes. Elle savait que si la tête de Friedel Bartnow entrait dans le rayon du projecteur — et elle allait paraître au prochain effort — tout serait perdu. Sans pitié, elle souleva les doigts tâtonnants de la Bartnow à l'instant où elle allait se hisser sur le toit. Elle griffa cette main, la pressa, puis, fermant les poings, cogna sur les doigts qui cherchaient à s'agripper à la gouttière.

— Charogne! hurlait Friedel Bartnow. Putain!
Fumier! Laisse-moi monter; laisse-moi monter...

Le rayon du projecteur glissa plus loin, au-dessus du
toit de la buanderie, le long du mur de la troisième
division et sur les autres murs.

Monika Bergner se pencha dans l'obscurité, elle
regarda par-dessus le chéneau, les yeux écarquillés de la
meurtrière, puis elle leva les deux poings et cogna dans
le visage en sueur, encore, encore, jusqu'à ce que les
mains de Friedel Bartnow lâchent leur appui et que,
avec un cri strident, elle tombe du toit sur le pavé de la
cour.

Le bruit de sa chute fut couvert par un nouveau
hurlement des sirènes. Dix gardiens sortirent du bâtiment central pour fermer toutes les issues. Monika
Bergner courut au mur, à côté de Maria Jüttner.

— Vite, il faut sauter! Sinon, qu'est-ce qui va se
passer?

Maria Jüttner se hissa sur le mur. Elle domina sa peur
et passa les jambes de l'autre côté. Elle allait sauter dans
l'obscurité lorsqu'une voiture, tous feux éteints, tourna
au coin de la rue, fila à toute vitesse jusqu'au premier
tournant et disparut. Monika Bergner frappa de ses
deux poings sur le mur, sa voix s'étranglait, le désespoir
l'avait cassée.

— C'étaient eux, Franz et Willi! Les lâches! Les
salauds!

Elle s'appuya contre le mur, pressant son visage
contre les briques. Le rayon blême du projecteur la
saisit, en repassant. Cela lui était égal. Tout était perdu.
La clarté l'enveloppait, ne la lâchait plus. Monika
Bergner se retourna seulement et s'abrita les yeux
derrière son bras.

— Venez me chercher, charognes que vous êtes!
cria-t-elle d'une voix stridente.

Puis elle s'effondra. Maria Jüttner sauta dans le rayon
du projecteur et souleva le corps inerte. Elles entendirent
beaucoup de pas dans la troisième cour, puis une voix
s'écrier : « Mais en voilà une autre, ici! » puis l'ordre :

— Descendez ! Sinon je tire !

Soudain il y eut des échelles. Quatre policiers grimpèrent sur le toit et coururent aux deux femmes. En bas, on emportait Friedel Bartnow sur une civière. Maria Jüttner ne put voir si elle était morte ou seulement blessée. Elle se lissa les cheveux avant de descendre l'échelle, et donna un coup sur la main de l'agent qui voulait la saisir à l'épaule.

En bas, Katharina Pleüel était plantée, les jambes écartées et les poings sur les hanches.

— Comment Madame a-t-elle pu commettre une chose pareille ? cria-t-elle à Maria Jüttner.

L'élégant escroc toisa la Pleüel, comme elle aurait fait d'une poissarde qui lui eût offert des harengs pas frais. Puis elle articula un mot qui, tombant de ses lèvres peintes, eut un effet surprenant :

— Fumier !

Elle suivit fièrement les agents de police par la petite porte qui leur avait volé un temps précieux parce qu'elle n'était pas fermée à clef. On traîna à sa suite Monika Bergner complètement anéantie. Katharina Pleüel, au pied de l'échelle, l'avait saisie par le revers de l'uniforme volé.

— Qui a la Bartnow sur la conscience ? avait-elle demandé.

— Ecris au *Journal de la Ménagère*, Tante Anna sait tout, peut-être qu'elle te le dira.

— C'est une tentative de meurtre, tu le sais ?

— Ah ! fiche-moi la paix...

Monika appuya la tête contre l'épaule d'un des agents. Ses forces étaient vidées. Elle ne désirait plus que son lit dans sa cellule, la chaude couverture, le dur matelas, la paix. Quand bien même cette paix durerait dix ans... tout lui était égal. Elle revint en chancelant, soutenue par l'agent, jusqu'à la troisième division. On y avait conduit Berta Herkenrath qui balbutiait et jetait des regards effrayés autour d'elle. De temps en temps, elle ouvrait la bouche et râlait sans raison. Le choc nerveux l'avait complètement égarée.

Un silence de plomb pesait sur toutes les cellules. Helga Pilkowski elle-même restait muette. Les femmes, collées contre les portes, écoutaient. Qu'allait-il arriver maintenant ? Une surveillance plus sévère ? Le travail au jardin supprimé ? La réclusion en cellule, sans travail à la salle commune ? Des contrôles jour et nuit... transfert des criminelles dans d'autres quartiers, et ainsi, fin des relations qui duraient depuis des mois, parfois des années... Congédiement des filles de service qui procuraient tout : depuis le petit flacon d'eau de Cologne jusqu'aux bigoudis, du crayon pour les sourcils jusqu'aux photos masculines — et aux plus sales illustrés.

Les détenues attendaient vainement, l'oreille collée contre les lourdes portes blindées. Plus rien ne bougeait dans la troisième division. Les fugitives avaient été conduites directement aux cachots du sous-sol. Cette nouvelle courut de cellule en cellule, criée de paroi à paroi. Personne ne savait d'où elle venait ni si c'était vrai...

— Il y en a une de morte...

— Qui ?

— On ne sait pas encore.

— Et comment ?

— On a tiré...

Quelques détenues se recouchèrent et se signèrent. D'autres regardaient fixement les fenêtres à barreaux et le rayon de lumière des projecteurs qui continuait de fouiller les murs. Sa lumière aveuglante glissait devant les fenêtres et projetait l'ombre du grillage, comme un gigantesque motif de carrelage.

Soudain plus de lumière dans tout le bâtiment. Le projecteur s'éteignit. L'obscurité était écrasante et pesait sur le cœur comme une chape de plomb. Dans les ténèbres on entendait une voix qui chantonnait une longue et étrange mélopée. Elle venait d'une cellule tout au bout du couloir.

C'est là que la Grecque, Alexandra Tromopulos — une faussaire —, était assise sur son dur lit de camp.

Elle avait joint les mains, et elle priait dans sa langue maternelle pour l'âme de la défunte.

Dans l'infirmerie aussi, le signal d'alarme avait retenti. Erika sauta à bas de son lit, enfila ses vêtements. Elle entendit la surveillante qui jurait dans la pièce voisine. Elle courut à la fenêtre à barreaux et regarda dans la cour. Le projecteur fouillait la nuit, promenant son rayon aveuglant sur les toits et les murs. La sirène hurlait, réveillant en sursaut plus de deux mille femmes.

— Une évasion ! cria la surveillante en entrant dans la chambre d'Erika. C'est la première tentative depuis sept ans. Cette fois-là, trois femmes se sont échappées, mais on les a rattrapées quatre jours après. A Hambourg, sur les quais. Elles essayaient d'y gagner un peu d'argent pour se sauver à l'étranger. C'est pourtant absurde de risquer, pour quelques heures de liberté, une prolongation de peine de plusieurs années...

Elles se tenaient toutes deux près de la fenêtre. Elles entendirent au loin des appels, des ordres, une motocyclette qui s'éloigna. Elles écoutaient avec tant d'attention les bruits du dehors qu'elles sursautèrent lorsque le téléphone sonna derrière elles. La surveillante saisit le récepteur.

— Oui, dit-elle, amenez-la. J'avertis le docteur. Le nº 12 456 est là aussi.

Elle posa le récepteur et, se tourna vers Erika :

— Accident au cours de l'évasion. Friedel Bartnow est grièvement blessée. Elle est tombée du toit de la buanderie — ou bien on l'a poussée... on le vérifiera plus tard. On l'amène ici. Je crois qu'il faudra que vous opériez.

Erika Werner ne posa pas de questions. Elle courut à la petite salle d'opération. Tandis qu'elle se lavait les mains, la surveillante préparait en hâte le plateau des instruments, découvrait la table d'opération, cherchait le flacon d'éther, les boîtes stériles de catgut et de soie, des seringues, les ampoules de tonicardiaques. Elle venait d'achever les préparatifs lorsqu'on apporta la civière.

Friedel Bartnow, le visage creusé, gisait sans connais-

170

sance entre les deux porteurs. Sa jambe droite sortait de la civière, presque à angle droit du corps.

Erika Werner jeta un coup d'œil rapide tandis qu'elle se lavait les bras. La position typique et anormale de la jambe dictait le diagnostic : fracture totale. On verrait à l'examen s'il y avait aussi des lésions internes.

— Déshabillez-la et étendez-la sur la table ! cria-t-elle depuis le lavabo.

Les deux porteurs hésitaient : la femme qui s'adressait à eux portait la blouse des détenues.

— Allez-y ! commanda la surveillante. Quand bien même elle est en taule, elle est médecin. Le Dr Rumholtz va arriver tout de suite. Il est en route.

Pendant qu'on déshabillait Friedel Bartnow, Erika enfila la blouse de chirurgien, mit une coiffe sur ses cheveux et plongea les mains dans une solution antiseptique. Puis elle examina prudemment, mais à fond, le corps étendu sur la table, avec sa jambe écartée. Hormis quelques écorchures, elle ne découvrit rien. Lorsqu'elle en vint à la jambe et voulut la remettre en place, Friedel tressaillit dans son inconscience et gémit.

— Il faut d'abord faire la radio, dit Erika en se redressant. Si la fracture est telle que je le suppose, il faudra clouer l'os.

— Le clouer, ici ? (La surveillante regardait Erika d'un air incrédule.) Nous n'avons jamais fait ça... Des plâtres, oui... mais, clouer ?

— Eh bien, nous le ferons pour la première fois.

— Mais ce n'est pas une clinique universitaire, ici...

— Mais cette jambe est cassée comme celle de la femme d'un directeur général dans un accident d'auto, quand bien même c'est la jambe d'une meurtrière... Je vais l'enclouer. Mais commençons par la radio.

Elles apportèrent ensemble les tubes conducteurs à la table d'opération. Erika glissa la plaque sous la jambe cassée, régla le temps de pose, et fit signe aux autres de quitter la pièce.

— Sortez, s'il vous plaît. Les rayons X sont dangereux.

— Mais vous restez bien dans la pièce !

— Je ne peux pas faire autrement.

Erika attendit que tous eussent quitté la petite salle d'opération, puis elle fixa le tube de rayons X et recula dans un coin de la pièce. Une vibration, un déclic à peine audible sur la plaque dans sa boîte de plomb, et la jambe cassée était photographiée.

La surveillante passa la tête par la porte entrebâillée :

— Terminé ?

— Oui. (Erika tira la plaque de dessous la jambe et la tendit à la surveillante :) Exposez-la tout de suite, je préparerai ce qu'il faut, en attendant.

Vingt minutes plus tard, le Dr Rumholtz se précipitait à l'infirmerie. Il trouva Erika Werner occupée à monter un appareil d'extension. Friedel Bartnow gisait encore dans la salle d'opération et était interrogée par deux agents de la brigade criminelle. Elle geignait doucement et répondait à peine aux questions qui pleuvaient sur elle.

— Qu'est-ce qu'on me dit, docteur ? Vous voulez clouer l'os ? (Rumholtz avait la radio en main :) Une fracture comminutive qui même après réduction et extension pourrait causer un raccourcissement, si l'on se bornait à la traiter comme autrefois par plâtre et immobilisation de la jambe...

— Cela vous effraie ?

Erika vérifiait l'installation d'un appareil d'extension.

— Il vaudrait mieux laisser faire une chose pareille dans les grandes cliniques... Je ne pourrai pas assumer la responsabilité. S'il y a une faute professionnelle...

— J'ai vu chez le Pr Rahtenau comment cela se pratique. Nous pouvons le faire ici aussi.

Une demi-heure plus tard, le Dr Rumholtz et Erika se tenaient des deux côtés de la table d'opération. Sous anesthésie locale, le clou fut enfoncé dans le calcaneum. Puis on plaça l'étrier, et la réduction normale et une extension furent pratiquées, la position de l'os étant régulièrement contrôlée par des observations à la radio jusqu'à ce que le Dr Rumholtz fasse un signe de tête affirmatif et satisfait.

— Position correcte, dit-il en s'épongeant le front.

— Et c'est dans cette position que nous enfoncerons le clou de Küntschner ! dit Erika Werner.

Le Dr Rumholtz regarda Erika, surpris. Il ne la contredit plus. « Quelle femme ! pensait-il, elle ne devrait jamais être en prison. Pourquoi n'a-t-elle pas confiance en nous ? Pourquoi porte-t-elle le poids d'une faute à laquelle personne ne croit ? Et dont elle veut persuader tout le monde ? Quel secret se cache là-derrière ? Qu'est-ce que ce Dr Bornholm ? »

Soudain, il se mit à haïr furieusement cet homme, car il avait le sentiment qu'il ne pouvait plus laisser Erika sans défense.

L'ascension de Bornholm était fulgurante. Après la publication de sa série d'articles, après les discussions relatives à son «sang synthétique», les offres se multiplièrent. Le beau-père Rahtenau choisit la meilleure : une situation de médecin-chef d'une grande clinique spécialisée dans les accidents. Bornholm fut nommé chargé de cours à l'Université. Il y avait foule à ses conférences. Les étudiants étaient debout dans les couloirs, ils apportaient des pliants, s'asseyaient sur le rebord des fenêtres... Ascension verticale dont Bornholm était grisé. Il voulut qu'Erika prît part à sa joie. Il lui envoya des coupures de journaux publiant sa nomination, des photos, des commentaires de ses conférences. Après avoir passé par la censure sévère de la maison d'arrêt, ces lettres et articles furent remis par le Dr Rumholtz à Erika Werner.

— Votre médecin-chef a réussi, dit-il un jour d'un ton assez sarcastique, sans subir les injustices communes à son entourage.

— Que voulez-vous dire ? demanda Erika en glissant ses lettres dans la poche de sa blouse de médecin. Vous ne pouvez pas souffrir le Dr Bornholm, n'est-ce pas ?

— C'est bien vrai...

— Que vous a-t-il fait ? Rien !

— Absolument rien. C'est justement pourquoi je le méprise.

Erika Werner se détourna. Elle savait à quoi le Dr Rumholtz faisait allusion, et elle avait chaque jour la plus grande angoisse qu'il lût son secret sur son visage. Nier et se taire, ou bien rire comme d'une plaisanterie absurde — cela ne servait pas à grand-chose, car la vérité se lisait dans son regard. Elle ne savait pas mentir. Bornholm lui-même l'avait dit. Jadis, au chalet, au cours de ces quelques heures de bonheur qui devaient lui donner la force de tenir pendant trois longues années derrière les barreaux.

En raison de la nomination de Bornholm, la date du mariage fut déplacée. Rahtenau souhaitait que l'événement fût une double célébration : remise de la lettre de nomination et échange des anneaux. Cela devait avoir lieu officiellement sous les yeux du public. Si attaché que Rahtenau fût aux traditions du siècle dernier, et par nature, et par son mode d'existence, il découvrait, auprès de sa fille, l'avantage de la « publicité ».

Bornholm tenta vainement de s'opposer à cette solennité. Petra, transportée, elle aussi, par la réalisation de tous ses désirs, étouffa toutes ces protestations sous des baisers.

Toutefois, avant d'assumer ses nouvelles fonctions de médecin-chef, le Pr Bornholm fit une rencontre désagréable à la clinique médicale de son beau-père. Devant le labo, il croisa un homme qui, un « bleu » à la main, étudiait le plan de l'hôpital.

Ils se dévisagèrent au même instant. L'homme replia lentement son plan.

— Que faites-vous ici, monsieur Herwarth ? demanda Bornholm, vous avez dû lire sur la porte : « Entrée interdite. »

— Je le sais, dit Bruno Herwarth en glissant le plan dans la poche de son manteau. J'étudie la disposition des pièces et entrées.

— Je ne sache pas qu'on vous en ait chargé ?

— Si, si, dit le vieil architecte avec un signe de tête affirmatif.

Bornholm ne l'avait pas revu depuis les semaines du procès. L'architecte avait vieilli. Il s'était voûté. Un homme ravagé dont les vêtements n'étaient pas repassés, les cheveux mal coupés, les yeux cernés de bistre et les lèvres agitées d'un tic, comme si une douleur persistante travaillait ce corps amaigri.

Personne ne se serait douté qu'il avait jadis construit des gratte-ciel et l'Opéra, des palais abritant des compagnies d'assurances et des banques.

— Vous ignorez sans doute les mesures prévues par l'administration de l'hôpital ? dit Bruno Herwarth aimablement. (Mais derrière cette aménité il y avait un danger que Bornholm pressentit et reconnut.) On a décidé de modifier divers bâtiments, d'aménager plusieurs caves, de construire un nouveau service de radiologie et une nouvelle salle de garde. J'ai demandé l'adjudication des travaux et l'ai obtenue : mon projet est le moins coûteux. Honnêtement, j'y mettrai du mien.

Bornholm sentit de nouveau cette boule écœurante monter à sa gorge.

— Qu'est-ce à dire, monsieur Herwarth ?

— Comment dois-je comprendre cette question ? Je fais une affaire...

— Vous disiez à l'instant qu'il vous en coûterait ?

— C'est tout de même une affaire...

— Voyons, c'est absurde ! dit Bornholm mécontent.

Il observa le vieil architecte avec plus d'attention. Le soupçon lui vint que la mort de sa fille avait dérangé l'esprit du vieil homme.

Bruno Herwarth, levant les yeux vers le visage de Bornholm, clignait comme un myope qui cherche à distinguer une image éloignée.

— Vous avez étudié l'anatomie, dit-il, pour mieux connaître l'homme. Je suis en train d'étudier l'anatomie de ce bâtiment afin de le connaître aussi bien que vous connaissez le corps humain. Vous avez fait maintes découvertes, et, grâce à elles, porté secours... Je suis en train de découvrir toutes sortes de choses, et m'en servirai, moi aussi, pour venir en aide. C'est ainsi que j'ai découvert comment on peut entrer dans ce bâtiment sans passer par la porte principale, aussi bien la nuit...

Il sembla à Bornholm qu'une poigne de fer lui étreignait le cœur. Son visage se figea et devint anguleux :

— Je croyais que vous étiez chargé de transformer et de construire les bâtiments ?

— La police judiciaire a trébuché dans cette affaire mystérieuse. Le tribunal aussi n'y a rien vu. Et pourtant. C'est si évident... Puis-je vous le montrer ?

Bruno Herwarth tira le plan de sa poche et le déploya. Tournant le dos à Bornholm, il étala le plan sur le mur.

— Regardez : là, cette petite porte dans le mur d'enceinte. Il suffit de la laisser ouverte, par oubli. Qui accorderait attention, parmi tant d'entrées et de portails, à cette petite porte qui ne sert plus à rien aujourd'hui, et date de la première période de construction de l'hôpital ? Elle était peut-être utilisée par le jardinier. Personne ne le sait plus aujourd'hui, j'ai fait une enquête. Oui. Et de cette petite porte dans le mur, part une allée qui traverse le jardin et conduit au labo où vous logiez autrefois, docteur, vos singes et vos rats. En face de ce labo, une porte de cave s'ouvre sur une pièce vide. C'était jadis la buanderie de l'ancien hôpital. On n'y trouve aujourd'hui que quelques bicyclettes, appartenant aux employés de l'hôpital.

»Supposons que, par hasard, cette porte n'ait pas été fermée à clef, qu'un ouvrier l'ait laissée ouverte. Il était allé prendre sa bicyclette. Peut-être n'avait-il pas trouvé la clef et, par paresse, n'était-il pas retourné au bâtiment pour l'y chercher. «Personne n'entre par ici, aura-t-il pensé. D'ailleurs, que pourrait-on voler dans un hôpital ?»

Bruno Herwarth se retourna tout à coup ; le plan, glissant de ses mains, tomba à terre.

— Mais quelqu'un est venu pendant la nuit, et on a volé quelque chose : la vie d'une jeune fille ! (Bruno

Herwarth cria soudain, et son visage ravagé se crispa :)
Et je prouverai comment, et par qui, cette vie a été
volée... quand je devrais dépenser tout ce que je possède
pour établir cette preuve, citer le nom que je connais et
que personne ne soupçonne... du moins pas encore !

— Vous êtes malade, dit Bornholm d'un ton glacial.
(Il repoussa du pied le plan par terre :) Vous délirez en
plein jour : la porte, la porte de cave — ne vous rendez
pas ridicule !

— Je suis encore ridicule ; c'est entendu, je l'accepte.
J'avale aussi l'accusation d'être fou. Je laisserai déferler
tout sur moi, si, par là, j'atteins mon but ; et je suis près
de l'atteindre. Vous le savez aussi bien que moi ! Vous
feriez mieux de regarder vos yeux dans la glace. Ils sont
remplis d'angoisse. L'aveu est écrit sur votre visage, mais
personne ne le voit. Seul le regard d'un père peut l'y
découvrir.

— On devrait vous interner !

Bornholm passa devant Bruno Herwarth, mais la
main de l'architecte le tira en arrière, cramponnée à la
manche de son veston.

— Est-ce que ç'a été un accident ?... Ou bien avez-
vous tué Helga pour la faire taire ?

— Lâchez-moi, espèce d'idiot ! cria Bornholm, donnant un coup sur la main de Herwarth.

L'architecte lâcha prise et chancela.

— Sale brute, murmura-t-il.

Bornholm s'éloigna à grands pas dans le couloir du
labo ; il ne resta pas plus longtemps à l'hôpital, rentra
chez lui et tourna, comme un fauve prisonnier, entre ses
quatre murs.

Il ne savait pas comment il pourrait se défendre
contre Bruno Herwarth. Il n'y avait pas moyen de le
devancer. Pas d'issue — sauf une ! Herwarth mort ne
pourrait plus parler...

Les mains tremblantes, Bornholm saisit la bouteille de
whisky.

— Mon Dieu ! se dit-il à haute voix, dire que j'en suis
arrivé là !

Il étouffait presque d'épouvante de lui-même.

Le mariage du Pr Bornholm avec la fille du professeur titulaire Rahtenau ne fut pas seulement un événement mondain. Dans les deux hôpitaux, la clinique universitaire et l'hôpital Sainte-Catherine (le nouvel hôpital de Bornholm), le bureau du médecin-chef était un massif de fleurs. Dans toutes les salles, les malades attendaient la dernière visite du médecin-chef, où Bornholm prendrait congé, avant de partir en voyage de noces.

A chaque lit, on lui offrait un bouquet. Les malades, femmes surtout, rivalisaient de témoignages de sympathie. Le fait que cet homme grand, intelligent, charmant, dont le seul regard faisait battre le cœur de toutes les femmes, allait se marier, le rendait encore plus intéressant.

— Nous devrions être fâchées contre vous, dit une des malades, qui exprimait la pensée de toutes les autres. Un homme comme vous ne devrait pas se marier. Savez-vous combien votre femme aura d'ennemies à partir d'aujourd'hui ?

— Mais pourquoi donc des ennemies, mesdames ? Devenez les amies de ma femme, ainsi nous pourrons nous voir encore plus souvent et gentiment.

Bruno Herwarth lui-même envoya des félicitations — et une énorme gerbe de lis — la fleur des morts.

Les cadeaux de mariage s'amoncelaient dans la villa Rathenau ; des télégrammes, des envois de fleurs arrivaient de l'étranger, de magnifiques orchidées, des soieries, des pièces d'argenterie ou de cristal qui étincelaient sur les grandes tables au milieu du salon. Une véritable exposition : Voyez s'il est célèbre ! Les représentants de la radio et de la télévision s'étaient annoncés. Ils voulaient photographier la cérémonie du mariage et celle de la remise du diplôme. Toute la journée, Bornholm fut exposé à la lumière éblouissante et impitoyable de la publicité. Il ne l'avait pas voulu. Il évita autant que possible les interviews, et se réfugia dans la pièce attenant au boudoir de la jeune mariée rayonnante.

Tandis que dans la villa Rahtenau les coupes de champagne tintaient et que l'heureux Rahtenau portait le toast du beau-père, tandis que Bornholm et Petra dansaient les premiers, seuls au milieu du salon, une valse viennoise — «un couple de conte de fées», murmura quelqu'un — ; tandis qu'arrivaient de la cuisine de grands plateaux chargés de homard, foie gras, pâtés de gibier..., à l'infirmerie de la maison d'arrêt, la meurtrière Friedel Bartnow gisait de nouveau sur la table d'opérations dans un appareil extenseur. La radio montrait que les fragments osseux étaient en bonne position, qui permettait l'enclouage. Le Dr Rumholtz avait pris exactement les mesures et commandé le clou «Küntscher».

— Vous le savez, puisque vous êtes médecin, avait dit le directeur du pénitentiaire, si l'opération rate, ce sera vous le responsable — pas *moi!*

A cette heure, le directeur était assis contre le mur, près du lavabo, et regardait la meurtrière Friedel Bartnow qu'on amenait sur une civière à la salle d'opération.

— Et pourquoi, en vérité? demanda-t-il à haute voix, lorsque la Bartnow lui sourit d'un air insolent. Que cette jambe ait un raccourcissement de deux centimètres ou non, cette femme ne sortira plus de prison : la tentative de meurtre sur l'employée entraîne la réclusion à vie.

— Il faut qu'il y assiste? s'écria la Bartnow, en montrant de son long index le directeur. Un profane n'a rien à voir dans une salle d'opération !

— M. le directeur est là en sa qualité de fonctionnaire de l'Administration, et n'est donc pas un profane.

— Ah ! (Friedel Bartnow détourna la tête.) Est-ce que ça fera mal ?

— Vous ne sentirez rien, vous serez endormie.

Le Dr Rumholtz se lava les mains. Un journal replié sortait de la poche de sa blouse et tomba par terre tandis qu'il se penchait. Erika Werner, qui se tenait près de lui, voulut ramasser la feuille. Le Dr Rumholtz mit le pied sur le journal et le retint à terre.

— Ne le lisez pas, dit-il.

— Pourquoi donc ?

— Non, pas maintenant, je vous prie... j'ai mes raisons. Après l'opération seulement...

— Il y a quelque chose de spécial ? (Les yeux d'Erika s'ouvrirent tout grands.) Est-il arrivé quelque chose ?

Elle se pencha et tira le journal sous le pied du docteur.

— Non, je vous en prie, dit de nouveau Rumholtz.

Mais Erika avait déjà déployé le journal.

En première page, la photographie d'Alf Bornholm lui criait la nouvelle à la face :

A son bras, se tenait, rayonnante de bonheur, Petra Rahtenau...

« C'est aujourd'hui que le Pr Bornholm se marie avec la fille du célèbre chirurgien Rahtenau. Bornholm s'est déjà fait un nom par ses recherches hématologiques... »

Erika laissa retomber le journal qui glissa sous le lavabo. Le visage d'Erika était aussi blanc que la paroi de faïence.

— Ce n'est pas possible... souffla-t-elle.

Elle fixait le Dr Rumholtz qui évitait son regard.

— Je vous avais priée de ne pas lire... Allons-nous ajourner l'opération ?

— Mais non, non... (Erika s'essuya le visage.) Pourquoi donc ? Qu'est-ce que la malade y peut ? Non. Je vais opérer... mais après...

Elle se retourna et vit le directeur assis dans son coin, et comme oublié. Le visage d'Erika s'empourpra, elle pressa la main contre son cœur et respira profondément, parce qu'elle sentait qu'elle allait défaillir.

— Après, je ferai une déclaration ; je dirai la vérité — toute la vérité.

Elle se retourna brusquement et fit signe à la surveillante de l'infirmerie :

— Anesthésiez-la. Qu'une de nous, du moins, oublie pendant une heure qu'un monde extérieur existe... et qu'il s'y trouve des gens...

On eût dit qu'elle crachait le mot « gens ».

L'opération se passa sans incidents. L'enclouage qui devait retenir solidement les deux fragments osseux fut pratiqué avec une sûreté et un calme qui fascinèrent le Dr Rumholtz. Il n'était que l'assistant d'Erika Werner, exécutant comme un aide ce qu'elle dictait d'un mot. La délicate opération de l'enclouage, le calcul à un millimètre près, ce fut Erika qui s'en chargea. Il ne resta plus au Dr Rumholtz qu'à recoudre la plaie, radiographier la place exacte où se trouvait le clou, et à ramener la jambe dans sa position normale.

Ronflant sous l'anesthésie, la bouche ouverte et la langue pendante, Friedel Bartnow fut transportée dans sa chambre verrouillée. C'était l'une des trois « chambres fortes » de l'infirmerie... une chambre de malade qui ne différait d'une cellule ordinaire que par sa literie blanche, sa table de nuit, ses murs blancs.

Sinon, le reste était pareil à la troisième division : la lourde porte avec son judas, la petite fenêtre à forts barreaux, touchant le plafond, la planche sur laquelle étaient rangés l'écuelle et le couvert, une bible froissée et la pancarte du règlement de l'Administration.

Erika Werner retira lentement ses gants de caoutchouc, tandis qu'on emmenait Friedel Bartnow. Le directeur se leva de son siège dans le coin. Il essuya la sueur froide qui perlait à son front. C'était la première fois qu'il assistait à une opération... un os dénudé qu'on reclouait comme un morceau de bois. Il avait lutté contre la nausée qui l'envahissait de temps en temps. Il respira profondément lorsque le Dr Rumholtz ouvrit la grande fenêtre et qu'un vif courant d'air balaya l'odeur du sang et de l'éther.

Erika se lava soigneusement les mains et les bras, fit couler dessus le jet d'eau chaude, puis les retrempa dans une solution antiseptique avant de les sécher. Le Dr Rumholtz l'observait, depuis l'autre lavabo. Elle était très calme, très résolue... trop calme presque après le choc qu'elle avait subi. Elle ôta sa blouse blanche de médecin. Elle portait dessous la tenue des prisonnières : la vilaine jupe beaucoup trop large, la camisole de laine délavée, qui avait l'air d'un sac fendu pour laisser passer la tête.

— Merveilleux! dit le directeur. (Il glissa dans sa poche son mouchoir trempé de sueur et s'avança, les mains tendues, vers Erika :) Je n'y connais rien. C'est la première opération que j'aie vue. Néanmoins, c'est merveilleux. J'en informerai le ministre. Cela figurera dans votre dossier. Ce sera décisif pour une grâce anticipée...

— Je n'ai plus besoin d'être graciée, monsieur le directeur.

La voix d'Erika était claire, tranquille.

Le Dr Rumholtz laissa tomber le savon dans la vasque. Ses mains tremblaient si fort qu'il ne pouvait les tenir.

— Que voulez-vous dire? demanda le directeur ébahi.

Il continuait de tendre les mains à Erika, sans s'apercevoir qu'on ne s'apprêtait pas à les lui serrer.

— Je suis injustement écrouée...

— Voyons, voyons! (Le directeur fit une grimace. Voilà trente ans qu'il entendait la même chose... peut-être à ce jour sept mille cinq cents fois.) Votre condamnation...

— Ma condamnation a été basée sur mon aveu. On ne s'est pas donné la peine de vérifier mes aveux, parce que la personne du co-accusé, le Dr Bornholm, était au-dessus de tout soupçon. Mais mon aveu était faux! Je le rétracte aujourd'hui. Et je demande la révision de la procédure...

Le directeur laissa retomber ses mains et regarda le Dr Rumholtz.

— Comprenez-vous cela, docteur? demanda-t-il, consterné.

— Oui. Entièrement. (Le Dr Rumholtz s'approcha d'Erika :) Depuis une heure, tout un monde a changé dans cette pièce. Cela a commencé avant l'opération. Un journal est tombé de ma poche et Mlle Werner l'a ramassé. A partir de ce moment, et à son insu, ses yeux se sont dessillés — une illusion a été anéantie, et il n'est resté qu'une telle vilenie que tout silence prolongé deviendrait un crime.

— Je ne comprends absolument plus rien...

Le directeur se tourna vers Erika. Elle avait les yeux baissés, son visage pâle était crispé. Les muscles de ses joues tremblaient.

— Que se passe-t-il, détenue 12 456 ?

— Veuillez bien prendre un procès-verbal, dit-elle à voix basse.

— Mais voyons...

— Voici du papier, et un stylo...

Le Dr Rumholtz courut au fond de la pièce, prit une feuille de papier sur une table ; c'était un papier d'emballage qu'il lissa sur la table d'opération.

— Mais c'est macabre ! s'écria le directeur.

— « En présence du Dr Peter Rumholtz, en sa qualité de médecin attitré de la maison d'arrêt de Freienstadt, et du directeur du pénitentiaire, M. le Dr Benter, conseiller de régence, je déclare, moi détenue n° 12 456, ex-Dr Erika Werner », écrivit et lut à haute voix le Dr Rumholtz.

Puis il jeta un regard encourageant à Erika Werner. Elle regardait par la fenêtre le jardin de la maison d'arrêt, les cimes mouvantes des arbres, les buissons dont les feuilles jaunies tombaient, l'herbe qui devenait rousse, et les asters qui donnent le regret de l'été.

— Je déclare, dit-elle d'une voix basse mais distincte, que la déposition que j'ai faite devant le tribunal était fausse. J'ai pris sur moi sciemment la faute qu'un autre avait commise. Je l'ai fait par amour, croyant que notre amour valait ce sacrifice. Je n'ai plus, aujourd'hui, de raison de me taire. La mort de la jeune Helga Herwarth a été une mort par hémorragie, causée par un avortement chirurgical, avec perforation du fond de l'utérus. Cette intervention mortelle a été pratiquée par le Dr Bornholm... Quand je suis arrivée, la jeune fille était déjà mourante. Telle est ma déclaration. Je jure devant Dieu qu'elle est vraie.

Sa voix se brisa... Le Dr Rumholtz et le directeur se précipitèrent... mais c'était trop tard. Erika Werner était tombée sur le sol, ses jambes avaient fléchi soudain, comme si son corps délicat se rompait. Elle tomba la tête la première sur le carrelage, petite masse pitoyable gisant entre des bandes souillées et le baquet de déchets.

— Erika ! s'écria le Dr Rumholtz qui s'agenouilla auprès d'elle et souleva la tête d'Erika sur ses genoux. (Un petit filet de sang coulait de sa bouche.) Une vessie de glace ! hurla Rumholtz à la surveillante revenue, dépêchez-vous ! de la glace !

Aidé du directeur qui tenait les jambes, Rumholtz porta Erika Werner dans une chambre à un lit disponible. Là, il tâta le pouls — faible, à peine soixante. La surveillante revint, portant une cuvette de glace et une vessie, une grande aiguille de 10 cc et plusieurs ampoules d'une solution de sucre de raisin.

Avec des gestes presque tendres, Rumholtz déboutonna la blouse grossière d'Erika toujours inconsciente, et l'étendit à plat sur l'oreiller.

— Une grave commotion cérébrale, dit-il en réponse au regard interrogateur du directeur. Elle est tombée de tout son poids sur la tête. En même temps, il y a le choc moral. (Il se pencha sur la forme évanouie, et effleura les joues d'une blancheur de cire.) J'ai peur, balbutia-t-il, j'ai presque peur que nous l'en tirions. Elle ne voudra plus vivre...

— Vous y avez un intérêt personnel, n'est-ce pas, docteur ?

Le Dr Rumholtz fit un signe de tête affirmatif. Il injecta lentement le sucre de raisin dans le bras d'Erika :

— Je l'aime, monsieur le directeur.

— Mais elle est pourtant une détenue...

— Pas à mes yeux. Je l'ai toujours crue innocente. Vous avez maintenant sa déposition véridique.

— Dieu veuille que ce soit vrai !

Le directeur regarda le pâle visage mince et les lèvres serrées :

— Ou plutôt Dieu veuille qu'on la croie, et qu'on ne jette pas sa déposition au panier !

— J'en ferai mon affaire. On recommencera tout...

Le Dr Rumholtz retira l'aiguille de la veine et pressa un tampon sur l'endroit de la piqûre.

— Les tribunaux n'aiment pas révoquer leurs jugements.

— Vous ne connaissez pas mon opiniâtreté...

— Je vous souhaite tout le succès, docteur. Je ferai tout mon possible : je transmettrai la déclaration écrite sur un papier d'emballage. (Il mit la main sur l'épaule de Rumholtz :) Encore un mot : Avez-vous déjà dit à Mlle Werner que vous l'aimiez ?

— Je n'en ai jamais parlé avec elle, et ne le lui ai jamais laissé voir.

— Alors n'en parlez pas pour le moment, docteur ; jusqu'à ce que tout soit terminé de façon satisfaisante. Comprenez-moi : la déposition d'un médecin de l'établissement qui a une liaison avec une détenue... n'est nullement une preuve d'innocence, mais au contraire un nouveau chef d'accusation. Ce que je vous en dis, c'est un avis paternel.

— Je saurai attendre, monsieur le directeur. Ce qu'on a fait à cette jeune fille est une telle infamie qu'on se sent presque capable d'un crime.

— Vous pensez à ce Bornholm ? (Le directeur secoua la tête.) N'y touchez pas, Rumholtz. C'est un homme célèbre. Un homme célèbre a d'abord toujours le droit pour lui.

— D'abord...

— Justement. C'est ça que je veux dire. La bataille sera longue, et peut-être vaine. D'ici sept mois au plus tard, on graciera Mlle Werner et on fera remise du reste de sa peine. Vous pourrez vous marier, et personne ne parlera plus du passé. Votre lutte contre Bornholm, contre le procureur, contre le tribunal, contre tous ceux qui ont condamné Erika Werner et qui voudront se justifier, sera plus longue et plus difficile. Et sans chance de succès !

— Il ne s'agit que d'une chose : de la vérité pleine et entière. Ce ne doit pourtant pas être si difficile de dire la vérité !

— Pensez-vous ! dit le directeur en tapant sur l'épaule de Rumholtz. D'ailleurs, qui donc aujourd'hui croit encore à la vérité ?

Erika Werner demeura quatre jours inconsciente. On la nourrit artificiellement, lui injectant des tonicardiaques de sucre de raisin, et on renouvela les vessies de glace sur la tête. Le Dr Rumholtz mit ce temps à profit. Il courait de la maison d'arrêt à la ville. Lorsqu'il était dehors il téléphonait d'heure en heure et s'informait de l'état d'Erika. La surveillante de l'infirmerie, regardant sa montre, savait lorsqu'il allait appeler ; et la réponse restait la même :

— Elle ne s'est toujours pas réveillée. Le pouls est faible.

Les visites en ville, c'était chez son ami, le jeune avocat Hermann Plattner.

Jusque-là on n'avait guère entendu parler de ce Me Plattner. Plein d'optimisme, il avait ouvert son cabinet, espérant qu'un jour le grand cas intéressant se présenterait, qui ferait connaître son nom. Pour l'instant, ce n'étaient que des brouilles insignifiantes : sommations conduisant au protêt, offenses mineures, une rixe, un divorce ; une contestation sur le bornage de deux terres pour laquelle on avait eu recours à quatorze avocats, au cours de trois générations. C'était un procès dont on héritait, et qui ne finissait jamais, car chacun, à son lit de mort, exigeait de son héritier la promesse de ne pas céder. La seule affaire plus sérieuse que Me Plattner ait eue dans sa clientèle était la défense d'une fille, qui avait déclaré officiellement que les agents de police étaient sa meilleure clientèle. C'était une cause perdue.

— Cela aussi ne vaut rien, déclara Me Plattner lorsque son ami Rumholtz lui eut exposé « le cas Werner ». Elle commence par avouer, puis elle se rétracte, parce que l'Adonis se marie avec une autre. Tout le monde dira : « C'est un acte de vengeance. » Les tribunaux ne sont pas faits pour entretenir des guerres privées entre amants. D'ailleurs cette nouvelle déposition de ta merveilleuse chirurgienne n'est nullement un motif à révision. Moins encore dans ces circonstances dramatiques. Il faut pouvoir apporter des preuves !

— Eh bien, je les apporterai ! s'écria le Dr Rumholtz tout excité. Vous autres, hommes de loi, vous êtes des gens ennuyeux. Vous ne voyez que des méfaits et des articles de loi. Jamais le côté humain...

— Le droit, c'est de la logique... la vie humaine est-elle logique ?

— Je ne suis pas venu ici pour parler philosophie avec toi. Il *faut* obtenir la révision du procès d'Erika. Elle est innocente...

— Je suppose que tu veux dire du seul point de vue juridique ?

Rumholtz se leva, prit un dossier sur la table et le jeta à la tête de l'avocat.

— Bon, dit-il d'un ton glacial, voilà notre amitié définitivement rompue...

Me Plattner laissa partir son ami... qui revint au bout d'une heure. L'avocat lui présenta un papier. « Signe ! » dit-il durement. Rumholtz lut :

« Plainte pour lésion corporelle commise sur la personne de l'avocat Hermann Plattner... »

Rumholtz déchira le papier en petits morceaux qu'il jeta au panier, puis s'assit en face de son ami sur l'unique siège neuf qui ne provenait pas d'une vente aux enchères comme tout le reste du mobilier.

— Tu as l'air de considérer la tragédie de la jeune chirurgienne comme un vaudeville ! s'écria Rumholtz. Pourtant tu as là un procès qui te mettrait au premier rang des avocats, si tu le gagnais.

— Si je le gagnais, précisément. Mais les choses, telles que tu me les a rapportées, sont déplorables. Ce Pr Bornholm n'avouera jamais... ce n'est pas un imbécile ! Pas de témoins. Rien que la déposition d'une condamnée qui a renoncé précédemment à toute défense et accepté le jugement...

— Par amour, par aveuglement !

— C'est ce que pas un homme raisonnable n'admettra, Peter ! Fin d'une carrière ; fin de l'exercice de la médecine, retrait du diplôme ; trois ans de réclusion — et tout cela accepté volontairement pour un homme dont la carrière ne doit pas être compromise ! C'est bon pour un romancier qui ne trouve pas d'autre sujet, mais ça ne vaut rien devant un tribunal. Oui, si Bornholm avouait, s'il était assez gentleman pour dire tout à coup : « Oui, cette petite n'a fait que me couvrir. » Mais on ne rencontre de pareils gentlemen que dans les romans sur la table de chevet de ma grand-mère.

— Eh bien, il faudra donc que nous fournissions les preuves...

L'avocat acquiesça :

— Oui, on les trouve partout ; il suffit de se baisser et de les ramasser. Comment diable te représentes-tu les choses ? Dans un roman policier, c'est tout simple : les affreux font la bêtise au moment où l'on en a besoin. Mais dans la vie quotidienne, c'est plus compliqué. Et surtout lorsqu'on est aussi célèbre que ce fameux Pr Bornholm.

— Tu y arriveras, Hermann.

— Jamais la confiance ne m'a paru un poids plus écrasant qu'en ce moment. Et ce regard de chien fidèle ! Peter, retourne à la maison d'arrêt, console ton Erika, et dis-lui que je ferai ce que je pourrai !

— Je te remercie, tu es un chic type.

— Que tu dis ! Il faut d'abord que je parle moi-même avec ton agneau. Et je la vrillerai ferme, tu peux y compter.

— Pour l'instant elle est inconsciente, et incapable de répondre.

— Ce n'est pas un état qui va durer ?

— Espérons-le, mon Dieu !

— Aïe ! quand un médecin dit ça...

Me Plattner feuilletait un annuaire de téléphone :

— Je vais commencer par parler avec Bornholm.

— Avec qui ?

Le Dr Rumholtz s'assit, les jambes coupées.

— Avec le merveilleux héros.

L'avocat avait trouvé et inscrit l'adresse de Bornholm.

— Je me demande seulement ce que je ferai, si je cède, moi aussi, à son charme mystérieux...

— Abruti ! cria Rumholtz qui, furieux, sortit en claquant la porte.

De la cabine téléphonique publique, près de la station de tramways, Rumholtz appela de nouveau la maison d'arrêt. La surveillante répondit, tout agitée :

— Elle s'est réveillée un moment, criait-elle. Mais elle n'a rien reconnu. Puis elle est retombée dans son inconscience. Cependant le pouls est meilleur, la tension remonte...

— J'arrive tout de suite, dit Rumholtz raccrochant le récepteur. « Le pouls est meilleur, la tension remonte, elle s'est réveillée un instant, elle est sortie de sa crise. Elle va vivre... »

Il pressa son visage contre la vitre froide et sale de la cabine, et ferma les yeux. Il ne s'apercevait pas que ses lèvres tremblaient, ni qu'un autre usager frappait à la porte. « Elle vivra, se répétait-il, et ce sera une vie nouvelle. »

Le Pr Bornholm fut moins perplexe ou surpris qu'extrêmement prudent lorsque la femme de chambre, annonçant un visiteur venu à l'improviste, remit sa carte :

« H. PLATTNER. avocat », lut Bornholm. Il haussa les épaules et jeta la carte dans le grand cendrier sur le manteau de la cheminée.

— Un malade ?

— Je ne sais pas, professeur.

— Hum. Faites-le entrer. Revenez dans dix minutes et dites que mon beau-père a téléphoné et me demande de passer chez lui.

— Très bien, professeur, dans dix minutes.

La femme de chambre sortit pour introduire le visiteur, et le Pr Bornholm se planta devant la cheminée flamboyante. Il avait ainsi une stature imposante, l'air distant, inabordable, dominateur.

Petra était allée au cinéma et ne rentrerait pas avant 23 heures.

« Un avocat ? pensa Bornholm, peut-être la profession n'est-elle qu'un hasard, et cet homme vient-il à titre de malade ? »

Plattner entra, l'air guilleret. Il ne fut pas impressionné par l'attitude pittoresque de Bornholm devant la flamme ; ou, tout simplement cette pose théâtrale lui échappait. Il traversa la pièce avec aisance et jeta sa serviette sur un des sièges auprès de la cheminée.

— Comme c'est aimable à vous, professeur, de me recevoir tout de suite, dit-il sans façon. Un homme aussi chargé de travaux et de gloire que vous l'êtes...

Bornholm leva les sourcils, il avait aussitôt perçu la nuance : Plattner n'avait pas dit « comblé d'honneurs » ou usé de quelque autre formule fleurie, il avait dit clairement un homme aussi *chargé* de gloire.

— Si je puis vous venir en aide...

Bornholm considérait attentivement le visiteur : jeune encore, un type d'arriviste. Des vêtements de qualité ordinaire, de confection, des souliers pointus. Un sourire juvénile mais, au-dessus du nez aigu, des yeux dont le regard pouvait être glacial. Bornholm s'en aperçut aussitôt, lorsque Plattner dit, toujours souriant :

— Me venir en aide ? Ce serait gentil, professeur. Si les hommes s'entraidaient davantage, il y aurait moins de problèmes en ce monde.

— C'est mon rôle... (Bornholm regarda Plattner dans les yeux :) De quoi souffrez-vous ?

— Certains faits ne me sortent pas de l'esprit...

— Pardon ? (Bornholm appuya les mains sur le marbre tiède du manteau de la cheminée.) Qu'entendez-vous par là ?

— J'ai devant moi des faits qui restent voilés. Mais je

190

me porterais mieux et d'autres gens aussi, si ces faits étaient mis au jour.

— Vous feriez mieux de consulter un psychiatre, dit Bornholm railleur (il sentait néanmoins qu'il avait chaud), et non un chirurgien.

— Seul un chirurgien pourrait m'aider. Il ferait une prompte incision chirurgicale, et tout s'éclaircirait.

— Vous éprouvez des vertiges ? Vous souffrez d'hallucinations ?

— Oui. Constamment.

— Comment se manifestent-elles ?

— Je vois sans cesse des gens qui me disent la vérité. N'est-ce pas maladif ?

— Qu'est-ce que vous venez faire ici ? cria Bornholm grossièrement. Je n'ai pas le temps d'écouter vos balivernes.

On frappa à la porte. La femme de chambre entra, un calepin à la main :

— Excusez-moi, professeur, dit-elle bien sagement, M. le Pr Rahtenau vient d'appeler. Il vous prie d'aller le voir tout de suite.

— Merci bien, Erna.

Bornholm attendit que la femme de chambre fût sortie, puis il se détacha de la cheminée, comme s'il allait fondre sur Plattner, mais il ne fit que tendre les deux bras et les appuya sur le dossier d'un fauteuil anglais :

— Vous voyez, monsieur Plattner, je suis occupé. Si demain vous voulez venir à mon hôpital...

— Je suis surpris. (Me Plattner eut un sourire poli :) Le Pr Rahtenau se trouve actuellement à Rome, à un congrès... Je me suis informé. Il rentrera samedi soir. Quant au coup de téléphone, c'est un vieux truc périmé, professeur. Nous avons aujourd'hui de meilleurs expédients. Si cela vous intéresse, je pourrai vous en indiquer quelques-uns.

— Qu'attendez-vous de moi, à la fin ! cria Bornholm en serrant les poings.

Plattner s'en aperçut et hocha la tête :

— Je vous tenais pour un homme maître de soi, professeur. Ne me décevez pas, je vous en prie. En outre, dès le second semestre à l'Université, j'étais déjà fort en judo. Et je continue à m'entraîner...

— J'ignore pourquoi vous êtes ici, à débiter des âneries. Je vais appeler la police et vous faire sortir, si vous ne le faites pas de vous-même à l'instant.

Me Plattner ouvrit sa sacoche et en tira une photographie qu'il tendit à Bornholm.

— La police est toujours utile.

C'était une photo d'Erika devant le chalet de Bornholm. Me Plattner avait fait composer ce cliché avec une vue du chalet comme fond, et devant, une photo d'Erika Werner. Personne ne pouvait voir que cette image était faite de deux photos superposées. Le Pr Bornholm tomba, lui aussi, dans le piège. Il regardait tour à tour la photo et Me Plattner. Son visage rougit.

— Qui a fait cette photo ?

— Comment le saurais-je, professeur ?

— Personne ne nous a photographiés tandis que nous étions au chalet. Nous y étions tout seuls et...

Le visage de Me Plattner n'était plus confiant ni aimable, mais durci, au contraire, rigide comme un masque. Bornholm s'avisa du piège où il était tombé. Il se retourna vivement et jeta la photo au feu.

— Salaud, murmura-t-il.

— On n'a jamais révélé au procès de Mlle Werner qu'elle était amoureuse de vous, et que vous étiez allés à ce chalet où vous aviez été l'amant de Helga Herwarth. On n'a jamais révélé que vous aviez mis Mlle Werner en tel état de dépendance et de sujétion qu'elle s'est accusée d'une faute qu'elle n'avait pas commise, pour vous couvrir *vous,* le vrai coupable ! C'est vous qui avez pratiqué l'avortement. Vous qui avez laissé mourir d'hémorragie Helga Herwarth. Vous ne le vouliez pas, bien sûr, il s'agit d'un malheureux accident, mais si l'on vous avait accusé d'avoir pratiqué cette intervention interdite, votre brillante carrière se serait effondrée.

Alors vous avez poussé à votre place la petite Erika Werner, toute confiante, éperdument amoureuse de vous, vous lui avez promis le mariage à sa sortie de prison, et vous êtes ainsi tiré d'affaire. Vous avez atteint le sommet de la gloire, et vous saviez parfaitement que, si la vérité venait enfin au jour, personne ne la croirait. « Réaction de vengeance d'une amoureuse abandonnée », admettriez-vous tout au plus. Et jamais on ne reproche une liaison à un homme célèbre. Au contraire, elles rehaussent son charme ! Voilà ce que vous pensiez et qui se serait passé si Me Plattner n'avait pas existé !

— Vous ? Vous êtes un mythomane. Qui croira un feuilleton pareil ?

— Le tribunal !

— Espèce de blanc-bec ! (Bornholm eut un rire rauque. Il regarda le petit tas de cendres qui avait été la photo reconstituée.) J'ignore quelle illusion vous obsède, mais si vous pensiez logiquement, si vous pensiez en homme de loi, vous devriez vous dire que vous vous attaquez, les mains vides, à plus fort que vous ! Vous arrivez avec un soupçon, la déposition vengeresse d'une détenue, et c'est tout. Il me sera facile de jurer que tout cela est faux. Et je le répète : je ne suis arrivé que lorsque tout avait eu lieu... Le lendemain matin ! Tout le reste n'est que ragots. Je demande à voir celui qui peut jurer qu'il m'a vu la nuit à l'hôpital ou dans la salle d'opération. Ce doit être un fantôme.

— Je le découvrirai !

Bornholm regarda Plattner en clignant des yeux. Il sentait que ce n'était pas de la vantardise, il voyait le danger, et il ignorait quelles preuves le jeune avocat avait déjà en main. Personne ne s'avance autant, s'il n'est couvert... Sans doute y avait-il quelque chose que Bornholm avait négligé, un témoin, silencieux jusque-là, une trace pas effacée, une faute commise dont personne ne s'était aperçu jusqu'ici. « Il n'y a pas de crime parfait », vérité qui n'avait jamais pu être réfutée.

— Eh bien, bonne chance ! dit Bornholm d'une voix enrouée. Et maintenant sortez d'ici. Sinon je perdrai mes bonnes manières et je vous flanquerai à la porte de mes propres mains...

La femme de chambre reparut.

— Ah! oui, j'oubliais. Votre beau-père vous attend!

Plattner prit sa serviette, la glissa sous son bras, salua Bornholm aimablement, ainsi que la femme de chambre.

— Eh bien, bon voyage à Rome, professeur! dit-il en sortant rapidement de la pièce.

La femme de chambre regarda Bornholm :

— Monsieur part en voyage?

— Sortez! rugit Bornholm.

Il donnait de grands coups de poing sur le dossier du fauteuil. Il avait le visage crispé.

Terrifiée, la femme de chambre se sauva.

Plattner, dans le vestibule, enfilait son manteau. Il tendit la main et remit à la femme de chambre un billet de cinq marks.

— C'est pour l'appel du beau-père.

— Mais comment? dit l'autre, ouvrant de grands yeux.

— Tout travail mérite son salaire... Attention, jeune fille, chez Bornholm, vous pourrez, d'ici peu, gagner davantage.

Le dimanche, un visiteur inconnu se présenta chez le Pr Rahtenau.

— Qu'il repasse! dit le professeur. Le dimanche, je veux avoir la paix. D'ailleurs j'ai à travailler. Dites-lui que je rentre de Rome et que je n'ai pas le temps.

La gouvernante alla porter cette réponse. Elle revint au bout de deux minutes :

— Ce monsieur dit qu'il laisse à votre intelligence, c'est le mot dont il s'est servi, le soin de décider si l'île Bornholm peut être conquise à Rome!

Le professeur fronça le sourcil :

— Ça m'a l'air d'être un homme plein d'esprit, dit-il avec un peu d'hésitation. Faites-le entrer et, dans dix minutes...

— Entendu, monsieur. (La gouvernante eut un large sourire :) On vous appellera à l'hôpital.

Me Plattner entra, tout souriant, dans le salon du vieux Pr Rahtenau. Il voyait pour la première fois cet homme célèbre. Il avait beaucoup entendu parler de lui, de ses opérations qui tenaient de la magie, de preuves de courage quasi légendaires. Il voyait la tête chenue d'un savant, au regard aigu, pénétrant, aux lèvres minces qui avaient articulé les plus charmants compliments et les plus fantastiques bordées de réprimandes. Deux générations de médecins avaient tremblé devant lui ; quelques milliers d'étudiants n'avaient oublié de leur vie les épreuves passées devant Rahtenau, et ses assistants se demandaient parfois, devant la glace, s'ils avaient l'air aussi idiots que Rathenau le leur disait en public.

Plattner n'était pas médecin. Il n'avait donc pas lieu de craindre le célèbre chirurgien. C'était un avocat moderne, qui cheminait à travers l'existence avec une grande provision d'ironie. Il connaissait et comprenait toutes les faiblesses humaines sauf une : la peur des Puissants et des Supérieurs.

— Bonjour, professeur, dit-il aimablement. Excusez-moi de troubler votre repos du dimanche, mais j'ai quelque chose sur le cœur qui ne trouble pas la paix d'un seul dimanche, mais causera du tourment pendant trois ans.

Il s'aperçut que la gouvernante se tenait toujours sur le seuil :

— Par ailleurs, au cas où l'usage serait le même ici, épargnez-vous la peine de revenir dans dix minutes annoncer un appel téléphonique. Votre collègue, chez le Pr Bornholm, a encaissé cinq marks de ce fait, mais je ne puis recommencer, un jeune avocat compte ses deniers.

La gouvernante sortit, le visage cramoisi. Le Pr Rahtenau demanda :

— Vous avez nommé mon gendre à l'instant. Votre visite a-t-elle un rapport avec le Pr Bornholm ?

— Elle est à son sujet, professeur. (Plattner haussa les épaules, tristement :) J'ai constaté chez votre gendre les signes d'un oubli chronique. Il ne peut être question, *à son âge,* d'une sclérose cérébrale. C'est pourquoi je suis venu vous voir dans l'espoir que vous vous souviendriez mieux.

— Qu'est-ce que le Pr Bornholm a oublié ? demanda Rahtenau à voix haute.

Il regardait Plattner comme il ferait d'un animal déplaisant qui se serait faufilé par une porte entrebâillée.

— Beaucoup de choses, professeur. Premièrement que la jeune Erika Werner, condamnée à trois ans de réclusion pour avortement suivi de décès — et dont je défends les intérêts —, a été la maîtresse du chargé de cours Bornholm, et qu'elle était à tel point fascinée par lui qu'elle a assumé la culpabilité d'une faute qu'elle...

— Restez-en là !

Le Pr Rahtenau se leva, s'appuya sur le bord de la table, et hocha la tête :

— En quoi cela me concerne-t-il ? Le procès a eu lieu.

— Je suis en train d'obtenir la révision...

— Mais... (Le Pr Rahtenau, la bouche ouverte, fixait le jeune avocat :) Il a cependant été prouvé que mon gendre...

— Il a été prouvé que le Dr Bornholm était aussi l'amant de Helga Herwarth, qui a été tuée, et il sera prouvé que l'enfant qu'elle attendait était de lui. De même qu'il était l'amant du Dr Erika Werner. Il est déjà prouvé que Helga Herwarth n'a pas pénétré dans votre hôpital comme un esprit, par le trou de la serrure, professeur, mais qu'on l'y a fait entrer. Par des portes de derrière, par quelqu'un qui, seul, connaissait cet accès. Car il connaît l'hôpital comme sa poche. Ce ne pouvait être Mlle Werner, car elle n'était que depuis six semaines dans la maison. Il a été prouvé également que Mlle Werner n'avait aucune raison de pratiquer cette intervention... tandis que le père de l'enfant voyait sa carrière en jeu. Et lorsque le malheur se produisit dans

196

la salle d'opération, sa carrière se serait effondrée si Erika Werner ne l'avait sauvée par amour, et sur la promesse d'être épousée après trois ans de détention à la maison d'arrêt. C'est dans cette croyance qu'elle est allée au tribunal, qu'elle est allée en prison...

— Ce... n'est pas vrai, bégaya le Pr Rahtenau.

Il fallait qu'il le dît, c'était sa seule protection : le refus de croire. Cependant il ne faisait qu'entendre ce dont il se doutait depuis des mois ; et qu'il avait refoulé dans son for intérieur, en voyant combien Petra était heureuse avec son célèbre et beau mari.

— Que puis-je y faire ? demanda-t-il.

Le ton était si plaintif que Plattner éprouva presque un sentiment de pitié.

— Je voudrais vous demander d'obtenir du Pr Bornholm que Mlle Werner soit réhabilitée. Lui seul peut le faire. Rétablir les faits...

— Vous voulez dire qu'il avoue...

— Oui.

— Vous savez ce que vous exigez ?

— La vérité.

— La fin de tout ce qu'il a édifié — la fin du bonheur de ma fille....

— Vous ne pensez pas à la fin de la jeune Erika Werner ?

Le Pr Rahtenau baissa la tête.

— Si ce que vous venez de me dire est vrai... J'aurai soin, avec mon gendre, qu'après sa libération, Mlle Werner ne manque de rien. Je m'engage à veiller, financièrement et moralement, à ce que son existence...

— Professeur. (La voix de Plattner était douce, mais coupait court à toute proposition.) Je pense que c'est votre émotion qui vous fait parler ainsi... mais ce ne peut être sérieusement votre pensée et votre prise de position. Je sais que parmi les étudiants, on dit : « Chez Rahtenau, si l'on arrose les préparations de Coca-Cola, il ne se fâche pas, mais il faut lui dire la vérité. Voilà ce que les étudiants disent de vous, et c'est sur cette force de caractère que je fonde mon action, professeur. C'est là ce que je voulais vous demander, rien d'autre. Aidez-moi à trouver la vérité, quand bien même elle serait dans votre propre maison...

Le Pr Rahtenau continuait de regarder fixement la porte, alors que Plattner était parti depuis longtemps. Son regard ne visait qu'un seul point comme si ses prunelles étaient paralysées. Un frisson le parcourut, son corps se pencha en tremblant, il s'appuya des deux poings sur la table, et le visage tordu il cria d'une voix perçante maintes et maintes fois : « Le salaud! le salaud! le salaud! » Puis il s'effondra, livide et râlant.

Tandis qu'il se rendait chez le procureur, Plattner fut dépassé par une ambulance filant à toute allure. Il ne se doutait pas que le Pr Rahtenau, sanglé sur une étroite civière, suffoquant, victime d'un grave choc nerveux, se débattait avec une effrayante énergie. A côté de lui, secouée par les cahots du véhicule, Petra retenait la main agitée de son père dans la sienne. Elle pleurait et ne s'expliquait pas ce brutal effondrement. Elle comprenait moins encore les mots balbutiés par Rahtenau et qui ressemblaient à « salaud, salaud ».

Plattner avait l'impression de faire une course d'obstacles, seulement il trébuchait sur presque tous ceux qu'il rencontrait. Il n'avait pas encore parlé avec Erika. Il voulait d'abord s'informer exactement des faits. Il « tâtait le terrain », dit-il à Rumholtz. Il ne parlerait avec Erika que lorsque ses efforts auraient déjà remporté quelques succès. C'est pourquoi il essaya de sauter seul les obstacles qu'il rencontrait, sans rien d'autre en poche que l'assurance vague de son ami Rumholtz, amoureux, c'est-à-dire troublé dans sa logique.

Le Pr Bornholm avait réagi comme Plattner s'y attendait. Il était conscient de la puissance de sa situation que l'on ne saurait ébranler avec de simples soupçons. Le Pr Rahtenau semblait en savoir plus long qu'il ne laissait voir mais, pour lui, il s'agissait avant tout du bonheur de sa fille, Petra. Son offre de dédommager

Erika Werner à sa sortie de prison était en quelque sorte un aveu.

« Tout bien pesé, réfléchissait Plattner en se rendant chez le procureur, j'ai devant moi le cas d'une jeune fille injustement incarcérée et un solide motif de révision. Seulement... quelles preuves fournir ? Tous les entretiens ont eu lieu entre quatre-z-yeux. Il y aura un déluge de parjures impossibles à démontrer, sous lesquels le procès sera englouti. Si même il a jamais lieu... » Ce dont Plattner doutait de plus en plus, à mesure qu'il reconnaissait l'innocence d'Erika Werner.

Le procureur prenait le café dans la véranda de sa maison lorsque Plattner se présenta.

— De quoi s'agit-il, mon cher ? dit-il gaiement.

Hermann Plattner était le fils de son vieil ami Hans Plattner, l'inspecteur de l'Instruction publique, et censeur du Lycée municipal. La fille cadette du procureur y préparait son bachot, et Hans Plattner y enseignait la physique. Dans pareille conjonction de destins, il convient de ne pas être mesquin, et de sacrifier sa sieste.

— Il s'agit d'une révision, dit Hermann Plattner, acceptant avec un petit salut la tasse de café que lui tendait la femme du procureur.

— Mauvais cas. Les révisions doivent être tellement fondées que les juges qui ont précédemment prononcé la sentence paraissent idiots. Ce que personne n'accepte. Il faut montrer des vices de forme, des preuves favorables à vos mandants et qui ont été oubliées, des faux témoignages, des faits nouveaux ignorés du Tribunal.

— Je sais, dit Plattner en savourant le moka brûlant et murmurant « quel délice ! », ce qui fit plaisir à la femme du procureur, car son mari n'appréciait jamais ce moka et se contentait de le boire.

Puis Plattner regarda le procureur et dit :

— Il s'agit du Dr Erika Werner, condamnée à trois ans de réclusion et qui est innocente.

— C'est ce que vous dites, parce que vous êtes son avocat.

— C'est ce qu'elle dit elle-même. L'aveu sur lequel est fondé le jugement est faux. Elle le rétracte.

— Pas possible ! Et depuis combien de temps est-elle en prison ?

— Près de quinze mois.

— C'est un peu tard, non ? pour inventer ça. Elle s'aperçoit que l'air de la maison d'arrêt ne lui convient pas et croit qu'en faisant quelques simagrées, elle sortira de sa cellule.

Le procureur se pencha en avant. Son visage n'était plus qu'un large sourire chargé d'enseignements :

— Ecoutez-moi, mon cher Plattner, un innocent qui a fait de faux aveux n'attend pas quinze mois, mais se dédit aussitôt qu'il voit les barreaux devant sa fenêtre. A moins que...

— Quoi donc, monsieur le procureur ?

— Qu'elle couvre quelqu'un.

— C'est précisément le cas.

Le procureur posa brusquement sa tasse de café sur la table :

— Voyons, c'est une plaisanterie !

— Elle serait bien mauvaise, car elle se solde par trois ans à la maison d'arrêt.

— Vous avez des preuves ?

— Oui et non.

— Qu'est-ce à dire ?

— Les intéressés en conviennent, mais seulement entre quatre-z-yeux. Devant le tribunal, ils jureront le contraire et je n'ai pas le moyen de les convaincre.

— Déplorable, dit le procureur en gonflant les joues et laissant filer l'air, comme d'un ballon d'enfant.

— Le coupable est si sûr de lui, que ce sera presque se suicider que le dénoncer...

— Qui est-ce ?

— Vous allez vous moquer de moi...

— Jamais, quand il s'agit d'affaires aussi graves.

— C'est le Pr Alf Bornholm !

— Le célèbre gendre du Pr Rahtenau ?

— Lui-même...

— Plattner! (Le procureur considéra le jeune avocat comme il ferait d'une pomme pourrie.) Allez prendre un bain de vapeur et faites cuire votre cervelle!

Plattner jeta vers la femme du procureur le regard d'un chevreuil blessé:

— Ne vous l'ai-je pas dit? Mais si je motivais la demande en révision sur le seul fait que le véritable coupable est le Pr Bornholm...

— Votre carrière serait achevée, je puis vous le dire sans être prophète. C'est absurde!

— Mais c'est la vérité!

— Fournissez les preuves! souffla bruyamment le procureur.

— Je ne les ai pas. Du moins pas palpables, pas de témoignages écrits. J'ai deux aveux intimes, mais qui seront rétractés.

— Qui a avoué?

— Le Pr Bornholm et le Pr Rahtenau.

— Lui aussi? (Le procureur sentit qu'il commençait à transpirer.) Qu'ont-ils avoué?

— Ce serait idiot de ma part de vous le raconter. Personne ne me croirait. Personne. Vous-même vous me diriez: des preuves! Tout le monde peut raconter des choses extravagantes, mais prouver la vérité! Je ne le puis pas, parce que je suis seul et vraiment seul à la connaître, excepté la jeune fille injustement condamnée. Mais personne ne la croira. Et c'est pourquoi je suis venu vous trouver, monsieur le procureur, pour vous demander conseil. Que faut-il faire?

— Rien.

— C'est trop peu.

— Ou travailler en silence. Rassembler des preuves. Je pourrais vous dire: le ministère public se met dans le circuit, il rassemble des preuves, lui aussi. Mais je ne le peux pas. Je ne puis pas, sur un soupçon aussi vague, interroger et faire surveiller deux personnages aussi éminents. Comment le justifierais-je? Le procureur général me croirait fou! Autre chose encore: comme il ne nous serait pas possible, ni à vous ni à moi, d'apporter des preuves de la culpabilité du Pr Bornholm, on peut fort bien retourner l'arme et, sur une plainte de Bornholm, vous poursuivre, *vous,* pour diffamation. Et cette plainte serait justifiée par preuve. Car vous accusez d'un crime, sans pouvoir le prouver, un homme célèbre ! C'est un cercle infernal, mon cher Plattner, sortez-en vivement, avant d'y être enchaîné.

Plattner rentra chez lui une heure après. Il avait essayé de sauter le dernier obstacle. Et cette fois encore, il avait trébuché. Et il avait été avisé en outre que le procureur n'entreprendrait aucune démarche sans preuves concluantes.

Sa réputation était la meilleure sauvegarde pour Bornholm, cette réputation créée par Erika Werner en allant pour lui en prison, alors qu'elle était innocente.

— Il y a de quoi vomir ! dit Plattner à haute voix.

Le chauffeur de taxi, lui jeta un regard de travers :

— Des ennuis ?

— Et comment ! j'ai une cliente sous les verrous, et elle n'a rien à se reprocher !

— Je connais ça, dit le chauffeur avec mépris. Le mari de ma cousine est au pénitencier, alors qu'il n'a mérité que quelques jours de taule !

Plattner s'était réservé une dernière démarche : Le lendemain soir, il se rendit chez Bruno Herwarth. L'architecte était assis dans son bureau, et dessinait. Plattner s'assit en face de la grande planche à dessin louchant vers le plan.

— Une belle bâtisse, dit-il, un bungalow en équerre, avec une piscine. Ce doit être un type riche qui a commandé cela !

— Pourquoi ? (Bruno Herwarth posa son crayon, et passa sa main sur ses yeux fatigués, bordés de rouge. On eût dit qu'il venait de pleurer.) Aidé d'un bon conseiller de contentieux, le premier commerçant parvenu peut se l'offrir.

— Pas moi. Je suis avocat, diplômé de l'Université.

— Ah ! bien sûr, ça ne vaut rien. Il faut être marchand de légumes, ou importateur de fromage, ou fabricant de vin...

Ils se regardèrent en riant, le jeune avocat alerte, et le vieil architecte fatigué, terrassé par la vie. Et ils éprouvèrent aussitôt de la sympathie l'un pour l'autre. Ils ignoraient pourquoi.

— Faudra-t-il que je transforme votre cabinet ?

— Non, mon existence.

Bruno Herwarth cessa de sourire. Il considéra attentivement son visiteur. Non, il n'était pas dément. C'était un jeune homme gai, aux yeux bleus limpides, à la tête ronde, aux cheveux en brosse.

— Cela peut, dans certains cas, exiger maints supports de fer, reprit-il lentement.

— Pas pour moi. Je n'emploie que les matériaux les moins coûteux : du papier, de la logique, de la réflexion, de la mémoire. Vous voyez, des articles très communs. Je suis le nouvel avocat du Dr Erika Werner.

— Le *nouvel* avocat ? (Bruno Herwarth sursauta et écarta la planche à dessin :) Qu'est-ce à dire ?

— Je sais qu'Erika Werner est innocente !

— Je le sais aussi ! Mais personne ne me croit.

— Et vous connaissez le coupable ! s'écria Plattner.

— Si je le connais !

— Nommez-le !

— Dites son nom...

— Bornholm !

— C'est lui ! (Bruno Herwarth se cramponna à la table :) Qu'allez-vous faire ?

— Rien.

— Rien ?...

— Je n'ai pas de preuves !

— Mais moi j'en ai ! cria Herwarth.

Il jeta par terre le plan de villa, et retira sous de nombreux projets une grande esquisse, qu'il étala, les mains tremblantes, devant Plattner.

— Voilà ma preuve ! dit-il, la voix rauque. Le plan de l'hôpital où Helga est morte. J'ai tracé au crayon rouge le chemin qu'elle a suivi... depuis la rue, par la petite porte, puis à travers le jardin et la cour, devant le labo de Bornholm jusqu'à la porte de la cave. Depuis la cave par le monte-charge, jusqu'à la salle d'opération où elle a été tuée... (La tête de Herwarth retomba sur sa poitrine :) Tuée comme on abat le bétail...

Plattner regardait fixement le plan et la ligne rouge qui traversait l'hôpital comme un filet de sang, s'arrêtant dans une pièce marquée « morgue ». Il frissonna, et se rassit.

— Cela a pu se passer ainsi, dit-il d'une voix sourde.

— Cela s'*est* passé ainsi ! s'écria Bruno Herwarth. C'était impossible autrement. C'est logique, démontré par un plan, aussi incontestable que deux et deux font quatre ! Et je l'ai dit à Bornholm lui-même !

Plattner se redressa :

— Vous avez montré ce plan à Bornholm ?

— Oui, je le lui ai mis sous le nez.

— Et qu'a-t-il dit ?

— Il a ri et m'a traité de fou.

— Vous l'étiez en effet : le voilà averti !

— Je voulais voir son visage ; ses yeux où paraîtrait la culpabilité lorsqu'il verrait ce plan. Et j'ai vu ses yeux, remplis de crainte, quand bien même il riait. Il a peur, une peur mortelle de moi, et cette peur le précipitera à sa perte. Rien ne dévore plus un coupable que la crainte. J'ai le temps. J'attends qu'il commette une faute... et il la commettra.

— Moi, je n'ai pas le temps. C'est là où nous différons, monsieur Herwarth. Il faut que j'agisse, parce que ma cliente innocente est en prison et qu'on ne pourra pas lui rendre un seul jour de ceux qu'elle passe derrière les barreaux ! Et plus il y aura de temps écoulé, plus il deviendra difficile de retrouver des traces. (Plattner tendit la main :) Confiez-moi ce plan, monsieur Herwarth.

— Mon document le plus précieux ? Non. Je vais vous en faire une copie. Mais n'espérez pas qu'un juge croira à ce plan. J'ai déjà essayé à la brigade criminelle.

Savez-vous ce qu'ils ont fait ? Ils ont fait monter de la bière, m'en ont versé, et dit : «Buvez-en un peu, monsieur Herwarth. Cela vous fera du bien. Il fait salement chaud dehors.» Voilà quelle a été leur réaction.

— Je sais. (Plattner eut un rire amer :) Mon oncle avait attrapé un renard. Il le mit en cage sur un sol de béton. Un jour, près d'un an après, le renard s'est enfui. Il avait gratté un passage dans le béton. C'est ce qu'il faut que nous fassions, monsieur Herwarth : nous frayer un passage dans ce béton de l'incrédulité. Et nous y arriverons, sacrebleu !

Deux heures après, Plattner tenait la copie du plan de l'hôpital. Il l'emporta aussitôt aux immeubles des diverses cliniques.

Erika Werner ne reprit conscience que lentement, et par intervalles. Lorsqu'elle ouvrait les yeux et regardait autour d'elle, perplexe, le Dr Rumholtz avait le sentiment qu'elle s'étonnait d'être encore en vie. La conscience de n'être pas évadée de ce monde devait chaque fois l'émouvoir si fort qu'elle retombait dans le coma. Elle ne voulait plus vivre.

Le monde de son âme avait été trahi, et elle s'était vengée en criant la vérité. Il ne restait plus rien qui pût donner un sens à sa vie. Le Dr Rumholtz comprenait très bien la détresse d'Erika. Il se désolait, et se rongeait de ne pouvoir lui venir en aide. Il faisait, en qualité de médecin, tout ce qui était possible. Il avait installé un goutte-à-goutte avec vitamines et solution fortifiante ; il faisait des injections de tonicardiaques, il soutenait le système nerveux, mais ce n'étaient que des stimulants. Il n'atteignait pas l'âme d'Erika ; elle s'enveloppait dans l'inconscience comme un ver à soie dans son cocon. Une seule fois, au bout de quatre jours, elle resta un peu plus longtemps en ce monde. Elle regarda le Dr Rumholtz avec de grands yeux vides, et murmura :

— Pourquoi ne me laissez-vous pas mourir ?

— Parce que c'est trop tôt...

— Que fait Alf ?

Le Dr Rumholtz serra les mains derrière son dos. «Elle pense à Bornholm», songeait-il, et cela lui fait mal.

— Je ne sais pas.

— On l'a arrêté ?

— Non.

— Pourquoi a-t-il fait ça ! Pourquoi ? murmura-t-elle. (Elle regardait le plafond ; le soleil brillait et les barreaux de la fenêtre projetaient une ombre énorme.) Pourquoi ? murmura-t-elle tout bas.

— Parce qu'il est un salaud ! ne put s'empêcher de dire Rumholtz.

Lorsqu'il regarda Erika, elle avait glissé dans l'inconscience.

Encore heureux que cette situation critique coïncidât avec les examens en série de l'automne. Plus de mille détenues passaient à la radioscopie pour déceler une tuberculose à son début. En outre, à des fins statistiques, l'état sanitaire de toutes les détenues était contrôlé.

Jule Blauberg avait fort à faire ; avant que les femmes soient présentées au Dr Rumholtz il fallait leur faire prendre un bain. Cauchemar qui tourmentait Jule Blauberg des semaines à l'avance, quand venait l'automne. Plus de mille détenues, toutes nues, pendant deux semaines ; quatorze jours de fourmillement de corps maigres, gras, longs ou courts, dans les cellules d'attente, les couloirs et la salle de bains avec ses douches de vapeur. Quatorze jours de criailleries, de plaisanteries obscènes, de bagarres où l'on se griffait la figure ou s'arrachait les cheveux, de scènes de jalousie, et de vols dans les vêtements accrochés.

«Il faudrait avoir un grand fouet ! » soupirait Jule Blauberg en menant la horde des corps nus de la douche chaude à la douche froide, ce qui était toujours accompagné d'injures et cris assourdissants, «comme si elles avaient attendu toute l'année pour faire les folles ici ! ».

C'était beaucoup de besogne aussi pour le Dr Rumholtz, mais un dérivatif à ses pensées. Il était assis, couvert du tablier de plomb, devant l'écran de la radio-scopie, et regardait deux mille poumons éclairés d'une lueur verdâtre, des côtes et des torses déformés. Il palpait mille corps blêmes, lisses ou ridés, auscultait le cœur, regardait à l'intérieur de mille bouches ouvertes qui râlaient : « Ah ! »

Au cours de ces examens en série, le Dr Rumholtz découvrit un phénomène : Monika Bergner, l'amie des voleurs, maintenue en cellule après sa tentative d'éva-sion... était enceinte ! Vu qu'elle était depuis sept mois à la maison d'arrêt, en santé normale à son entrée, il n'y avait qu'une explication : le père de l'enfant vivait dans l'établissement.

— Manquait plus que ça ! s'écria Katharina Pleüel lorsque le Dr Rumholtz la fit appeler, après l'examen attentif de Monika Bergner.

— Il n'y a pas d'erreur, docteur ?

— Je vous demande un peu ! Comment pourrait-on se tromper là-dessus ?

— Mais ici... à la maison d'arrêt... c'est pourtant impossible !

— Vous voyez que c'est possible !

— Ce sera une catastrophe...

— En tout cas, l'affaire est sérieuse. J'ai avisé la Direction, et la police arrivera dans une demi-heure. Comment cela a pu arriver, c'est ce que j'ignore, mais en ma qualité de médecin, je constate que cela a eu lieu.

— Mais ici, il n'y a pas un homme, sauf vous, docteur, et M. le directeur et, à trois cours de distance, les gardiens du poste d'entrée — et deux prêtres.

Katharina Pleüel s'était effondrée sur un tabouret comme si elle attendait elle-même le mystérieux enfant. Dehors, dans la salle voisine, dix femmes nues étaient assises le long du mur, attendant leur tour d'être exami-nées. Elles venaient de se laver, leurs cheveux pendaient en mèches humides. Monika Bergner était assise dans une autre pièce. Une surveillante se tenait devant la porte, comme si la détenue était un monstre prêt à bondir.

— Je ne dirai rien! déclara Monika Bergner en ricanant. Mais on me mettra dans une autre cellule. J'aurai une meilleure nourriture, un travail moins dur et, après, je serai à l'infirmerie. Et tant que je nourrirai l'enfant au sein, j'aurai droit à un traitement spécial... Je me suis bien renseignée!

— Nous découvrirons bien comment tu as combiné l'affaire, grommela la surveillante. Attends voir la police.

— Ils pourront toujours essayer, dit Monika.

Elle entendait la voix de la Pleüel, et un air de triomphe passa sur son visage. «Ses cheveux vont se dresser sur sa tête, à celle-là! pensait-elle avec satisfaction. C'est dans sa division que ça s'est passé quand on nettoyait les caves, et quand le chauffeur est venu, comme tous les automnes, vérifier la chaufferie... Personne ne pense à lui. Il n'est resté qu'une demi-heure dans la division... juste au moment où j'étais de corvée de nettoyage... »

Monika fut interrogée pendant deux jours. Par la police judiciaire, par le procureur, par le directeur de la prison. Ni les menaces, ni l'annonce du cachot et de la privation de nourriture (illégal) — rien n'y fit. On finit par lui envoyer l'aumônier. Mais lui-même dut y renoncer. Il lui parla du péché originel et de l'enfer, du soulagement de la conscience et de la confiance en Dieu... Monika Bergner écouta tout tranquillement, et hocha la tête, lorsque le prêtre lui dit: «Nous allons maintenant entendre la confession... »

— La confession, oui. Et si je vous dis tout en confession vous serez bien obligé de vous taire et de garder le secret. Mais je ne dirai rien aux autres!

— Tu es une obstinée, dit le prêtre. Et le Seigneur te retirera Sa grâce!

— Pourquoi? (Monika se pencha vers le prêtre:) Je crois... que tout vient de Dieu. L'enfant que j'aurai viendra de Dieu! D'ailleurs, je vous promets de le faire baptiser. Il faut qu'il soit un homme bien...

L'aumônier sortit, résigné, de la cellule et rejoignit les fonctionnaires de la police.

— Rien ! dit-il, elle croit en Dieu, c'est tout !

— Cela ne nous dit pas comment cela a pu arriver ! dit le commissaire qui menait l'enquête.

Le prêtre leva les bras :

— Ce n'est pas le rôle de l'Eglise de dépister le péché, mais de délivrer du péché...

On en était au même point qu'au début. Le fait demeurait : une détenue, enfermée en cellule, attendait un enfant.

— J'en deviendrai fou ! soupirait le directeur. Peut-être n'est-ce qu'une grossesse nerveuse ? Cela existe.

— C'est ce que nous saurons au plus tard dans six mois.

Les policiers terminèrent leur procès-verbal. Il était désastreusement court et insignifiant.

Et les examens en série se poursuivirent. Les radioscopies, les auscultations, les mesures de tension, etc.

Quatre secrétaires transcrivirent sur les fiches ce que le Dr Rumholtz, ou la surveillante, avait dicté.

Et trois pièces plus loin, Erika Werner gisait, la tête bandée, une solution instillée dans la veine du bras, et toujours inconsciente.

Tout d'abord Plattner tourna autour de la clinique du Pr Rahtenau, comme un étranger qui veut se faire une idée des dimensions de l'hôpital. Il trouva rapidement la petite porte que Bruno Herwarth avait cernée d'un cercle rouge sur son plan et désignée comme le point par où Helga était entrée. Une porte branlante jamais entretenue ni remise à neuf. Un sentier désert passait devant, longeant d'un côté le mur d'enceinte de l'hôpital, de l'autre, des petits jardins ouvriers.

Plattner poussa cette vieille porte de bois. Elle céda en grinçant. Il hésita un instant, puis pénétra dans le jardin de l'hôpital. Un haut buisson d'aubépines cachait cette entrée, d'où un sentier, contournant quelques pelouses, conduisait à l'hôpital. C'est pourquoi, sans doute, la vieille porte était restée sans être fermée à clef pendant des années. Vraie porte de la Belle au bois dormant ouvrant sur un jardin magique.

Plattner se dirigea lentement vers la clinique chirurgicale nº 1. A gauche, les pavillons d'isolement, à droite, entre des buissons, une petite construction de brique aux fenêtres aveugles et barreaux rouillés. « Laboratoire du Dr Bornholm », avait indiqué Bruno Herwarth sur son plan. Plattner s'arrêta. « C'est ici qu'il travaillait, pensa-t-il. Ici qu'il poursuivait ses recherches hématologiques, ses expériences sur les singes et les rats, les cobayes et les lapins. Célébrité mondiale dans une petite bicoque en ruine. »

Quelques médecins et religieuses passèrent devant Plattner sans faire attention à lui. Ils le prenaient pour un visiteur qui se promenait dans le jardin.

« C'est donc ridiculement simple de pénétrer dans l'hôpital, pensait Plattner. Quiconque est dans le jardin peut entrer dans la maison. » Il déplia le plan et suivit le tracé de la ligne rouge. Il passa devant le labo, traversa une cour malpropre, jusqu'à la porte de la cave-garage des bicyclettes. Elle était ouverte à cette heure, mais devait sûrement être fermée la nuit. Rien de plus simple que de l'ouvrir d'ailleurs, car elle était fermée par un simple cadenas où la première clef venue pourrait tourner.

Plattner se remémora bien le tracé avant de remettre le plan dans sa poche, puis il reprit le chemin par où, pendant la nuit, Helga s'était rendue à la mort — causée par Bornholm sans doute.

Il pénétra dans une vaste pièce dont une paroi était la porte du monte-charge. Cette pièce était comme une plaque tournante de la cave. C'est là qu'arrivait tout ce que l'hôpital faisait descendre — y compris les morts... La morgue devait sans doute être un peu plus loin, au long du couloir. Plattner pressa le bouton du monte-charge et attendit. Bruit derrière la lourde porte de fer. Le signal avertisseur s'éteignit. Plattner ouvrit la porte et se trouva devant le large monte-charge. Deux civières étaient adossées à la paroi. Plattner comprit qu'elles servaient à transporter les morts. Il vit la toile cirée blanche tendue sur les civières. Il poussa le deuxième bouton, et se trouva à l'étage des salles d'opérations.

Quelques médecins en blouses blanches et calots conversaient dans le couloir lorsque l'étranger sortit du monte-charge et regarda autour de lui avec curiosité.

— Qui est-ce ? demanda un des médecins.

— Quelqu'un qui se trompe !

Le second chef de clinique se détacha du groupe et vint à Plattner :

— Puis-je vous guider ? A quel service voulez-vous aller ?

— A la station terminus !

— Comment ?

— Permettez-moi de me présenter : Me Plattner. Je suis l'avocat de votre pauvre collègue, Erika Werner.

Le médecin eut l'air contraint :

— Un scandale que nous n'aurions jamais attendu de cette petite.

— C'est aimable de votre part. D'ailleurs ce n'est pas elle qui l'a commis.

Plattner salua courtoisement le médecin éberlué, passa rapidement devant le groupe qui s'était tu, et se dirigea vers le grand escalier. C'était l'heure de la visite, et les parents et amis se hâtaient vers toutes les chambres, à tous les étages.

Adossé à l'énorme poutre autour de laquelle tournait l'escalier, Plattner déplia de nouveau son plan. Donc, on pouvait descendre de la salle d'opération à la morgue. Mais restait le mystère : comment une inconnue, une morte, dont on n'a pas signalé l'entrée, a-t-elle pénétré dans la maison ? En tout cas, il était impossible — comme l'avait affirmé Erika Werner dans sa déposition — que la mourante ait soudain frappé à sa porte !

Pour atteindre la salle d'observation où Erika Werner était de service cette nuit-là, il eût fallu que Helga Herwarth connût très exactement l'hôpital. Elle eût d'ailleurs été rencontrée, et sûrement questionnée, par les veilleuses de nuit. Cependant Helga Herwarth n'était jamais venue à l'hôpital. Seul le trajet le plus court et le moins fréquenté — c'est-à-dire *via* la cave et le monte-charge jusqu'à la salle d'opération, et de retour — était le véritable, et Helga ne pouvait le suivre qu'avec une aide étrangère.

C'était d'une logique si convaincante que cela seul devrait justifier la demande de révision.

Il remit son plan en poche et arrêta une religieuse qui courait, portant un plateau d'ampoules.

— Où pourrais-je voir la Mère Supérieure, ma Sœur ?

— Au rez-de-chaussée, chambre 19, mais je ne crois pas...

Plattner n'écouta pas la suite, descendit l'escalier en courant, chercha au rez-de-chaussée la chambre 19, et frappa à la porte. Sans attendre la réponse, il entra et vit la Supérieure assise à son bureau. Elle était en train de téléphoner.

Toute surprise, elle toisa le jeune homme derrière ses grosses lunettes.

— Me Plattner, avocat, se présenta Plattner.

Ses paroles eurent un effet surprenant : la Supérieure dit au téléphone :

— Merci. Un hasard rend mon appel inutile. Merci beaucoup. (Elle raccrocha :) Etes-vous vraiment un avocat ? lui demanda-t-elle d'un ton sévère.

Plattner fit un signe de tête affirmatif.

— Oui bien sûr. Mon cabinet est au 12, Langen-strasse, et je suis inscrit au tribunal de première instance. Puis-je vous demander, ma Mère...

— J'ai besoin de vous, maître. (La silhouette à la grande coiffe noire se leva derrière le bureau. Imposante. Une tour qui se déplace.) Je téléphonais précisément à un avocat. Il m'en faut un à l'instant. Notre sœur Lutetia est très mal... et elle demande, en même temps qu'un prêtre, un avocat. J'ignore pourquoi. Mais c'est peut-être la dernière volonté de la bonne Lutetia...

— Un testament peut-être...

— Non. Ses biens appartiennent à l'Ordre. Elle est

très agitée. Pouvez-vous venir tout de suite ? Nous pourrons ensuite nous entretenir de ce qui vous amenait chez nous.

— Je suis entièrement à votre disposition, ma Mère.

La tour noire passa devant Plattner ; comme elle tenait la poignée de la porte, elle se retourna :

— Vous allez voir une religieuse sans coiffe, et au lit, dit-elle d'un ton sévère. Ce n'est autorisé que par cette dernière volonté de la mourante et je vous considère comme un personnage officiel. Sinon, ce serait défendu.

— Je sais, ma Mère.

Me Plattner se mordit les lèvres. Il était excité. Qu'une religieuse demandât un avocat était insolite. « D'habitude, seul le prêtre et le confesseur », se disait-il.

— Je ne comprends pas pourquoi...

— Moi non plus, maître. Mais sœur Lutetia insiste. « Je veux mourir la conscience tranquille et sans mensonge », a-t-elle dit tantôt. Elle a toujours été un modèle de sincérité, je ne sais pas ce que cela signifie. Mais ce doit être quelque chose d'angoissant, et nous voulons l'en libérer avant qu'elle rejoigne Notre-Seigneur.

Ils allèrent jusqu'au bout du couloir. Sur une pancarte accrochée à une porte, on lisait : « Défense d'entrer. » Une religieuse en coiffe blanche était assise dans un fauteuil et gardait la porte de la chambre où déjà la mort attendait au pied du lit. La Supérieure ouvrit doucement la porte. Plattner entra sur la pointe des pieds. Auprès d'un lit caché par un paravent, quatre religieuses priaient. Seul leur murmure monotone emplissait la pièce. Elles ne levèrent pas les yeux de leurs livres de prières lorsque la Supérieure et Plattner entrèrent.

Lorsqu'il eut contourné le paravent, il eut peur.

Une momie jaunâtre gisait sur ses oreillers, les yeux ouverts, les cheveux épars d'un blanc de neige, les bras et les mains squelettiques.

— Voici l'avocat, sœur Lutetia, dit doucement la Supérieure. Voulez-vous être seule avec lui ?

La réponse vint, dans un souffle, très faible, mais nettement audible :

— S'il vous plaît.

— Les religieuses qui priaient sortirent. La Supérieure glissa un siège à Plattner, auprès du lit, et montra une table devant lui.

— Vous avez là du papier et un stylo. Sonnez, s'il vous plaît, lorsque vous aurez fini.

Plattner attendit que la porte fût close, puis il se pencha vers la mourante et regarda son visage de momie.

— Vous voulez dire quelque chose, ma Sœur ? demanda-t-il à voix basse.

Il était bouleversé par l'aspect de cette agonisante. « Comment mourrai-je ? » pensa-t-il soudain. Quelle bénédiction de ne pas le savoir à l'avance !

Sœur Lutetia dirigea le regard de ses grands yeux sur lui. Elle tourna légèrement la tête, et il sembla à Plattner qu'il entendait craquer ses os.

— Vous êtes avocat ? demanda-t-elle.

— Oui, ma Sœur. Jeune encore, il est vrai, mais vous pouvez avoir pleine confiance.

— J'ai une déclaration à faire, une déclaration importante. Et je ne voudrais pas mourir avec ce poids sur le cœur. Je dirai tout aussi au prêtre... Dieu me pardonnera-t-il ?

— Ce ne doit pas être si grave, ma Sœur.

Plattner avait la gorge serrée. Il voyait que la mourante luttait avec elle-même et un péché qui n'était grave peut-être que dans sa conscience de religieuse.

— Si je puis vous aider...

— Vous le pouvez.

Les yeux de sœur Lutetia s'ouvrirent encore plus grands. Ses lèvres minces et exsangues tremblèrent :

— J'ai couvert un coupable... je ne l'ai pas dénoncé, j'ai assisté à la condamnation d'un innocent et je suis restée muette.

Plattner sentait son cerveau brûler. Il serrait son stylo

comme s'il eût été de plomb et allait glisser entre ses doigts.

— Mais, ce n'est pas possible, ma Sœur, dit-il, la voix rauque d'émotion...

— Si ! Personne ne m'a interrogée, et je n'ai rien dit, c'est ma très grande faute.

— Et quand cela a-t-il eu lieu ?

— Il y a environ dix-huit mois... ici, dans cet hôpital. Il s'agissait du Dr Bornholm.

— Ce n'est pas possible, bégaya Plattner.

La mourante fixait le plafond. Son visage de momie tremblait. Ses mains squelettiques effleuraient les draps :

— C'était la nuit. J'ai vu le Dr Bornholm... je vais tout vous dire, maître.

Plattner regardait le visage parcheminé qui contenait la preuve de l'innocence d'Erika Werner, et qui mourait. Si sœur Lutetia n'avait plus la force de tout dire, puis de signer sa déclaration, la vérité mourrait avec elle...

— Parlez, ma Sœur, je vous en prie, dit-il doucement. Vous sauverez quelqu'un...

— Je n'étais pas de service cette nuit-là, dit sœur Lutetia. Alors que j'étais déjà au lit, j'ai pensé que je n'avais pas fermé à clef l'armoire des toxiques, dans le laboratoire. Depuis trente ans je fermais cette armoire tous les soirs... pas ce soir-là. J'eus grand-peur qu'on s'en aperçoive. Alors je me suis levée et suis descendue au labo...

Plattner écrivait mot pour mot. Son écriture était très lisible parce que sœur Lutetia parlait lentement, s'arrêtant parfois, pour retrouver son souffle.

— Continuez, dit Plattner à voix basse.

Il regardait anxieusement les traits ravagés de la mourante et pensa un instant à sonner et demander à un médecin une piqûre stimulante, mais il écarta cette pensée. « Oh ! dix minutes encore, pria-t-il intérieurement, dix minutes de vie encore, et un grand tort pourra être réparé. »

— Lorsque j'allai au labo, je regardai par la fenêtre. Il y avait un homme qui courait, tenant une jeune fille par la main. Il traversa le jardin vers la porte de derrière et la cave. Je me cachai dans un recoin du couloir, dans l'ombre. Peu après cet homme arriva en courant, tenant toujours la jeune fille par la main. Je l'avais reconnu lorsqu'il avait passé devant la fenêtre. C'était notre médecin-chef, le Dr Bornholm...

Le stylo dans la main de Plattner pesait une tonne.

— S'il vous plaît, ma Sœur, voulez-vous répéter cela encore une fois...

— C'était notre médecin-chef, le Dr Bonrholm. Je l'ai bien reconnu.

Plattner écrivit la déclaration deux fois pour s'assurer contre l'argument que la déclaration et le nom cité pouvaient être dus à une soudaine confusion dans l'esprit.

— Continuez, ma Sœur, dit-il doucement.

— Rien d'autre, maître. La jeune fille était la morte que nous avons trouvée plus tard à la morgue ; la jeune fille que le Dr Erika Werner aurait soi-disant tuée. Je n'ai pas vu le Dr Bornholm repartir... Après avoir fermé à clef l'armoire aux toxiques, je suis aussitôt retournée à la clôture, et dans mon lit. Je ne m'étais pas étonnée. Les médecins, vous savez, ont parfois des secrets avec les jeunes filles. Mais le lendemain matin, lorsqu'on trouva la morte... (Sœur Lutetia leva les yeux vers un crucifix accroché au mur :) C'est ma faute, murmura-t-elle, ma très grande faute. Dieu me le pardonnera-t-il ? J'ai si peur de Dieu...

Plattner se leva et recouvrit le corps de la momie. Sœur Lutetia s'était découverte en parlant.

— Dieu a bien d'autres pécheurs que vous, ma Sœur. Il ne fera qu'en sourire, croyez-moi.

Il s'assit auprès du lit et étendit la feuille de papier sur la couverture :

— Je vais vous lire ce que vous avez dit, ma Sœur, et puis vous le signerez.

— Oui ! dit la sœur en regardant le crucifix.

216

Plattner lut lentement, mot pour mot, la déclaration afin que le sens des paroles pénétrât encore jusqu'à la conscience qui s'éteignait. Lorsqu'il eût terminé, sœur Lutetia avait les yeux fermés. Une poignante frayeur traversa Plattner :

— Ma Sœur ! s'écria-t-il en se penchant sur le visage ridé. Ma Sœur, vous m'entendez ?

— J'entends tout — dans un souffle — oui, c'est ce que j'ai dit, je vais signer.

— Un instant...

Plattner courut à la porte et l'ouvrit en hâte. La Supérieure était dans le couloir, veillant. En face d'elle, trois religieuses récitaient la prière des agonisants.

— Veuillez entrer, dit Plattner. (Il attendit que les sœurs fussent toutes entrées, puis referma la porte :) Veuillez constater que sœur Lutetia a sa pleine connaissance et sait tout ce qu'elle dit. Elle voudrait signer une déclaration, et je vous prie de la contresigner à titre de témoins.

La Supérieure regardait la mourante avec surprise. Mais elle ne posa pas de questions. Sœur Lutetia avait demandé un avocat et un prêtre. Elle aborderait le Seigneur la conscience tranquille.

— J'ai ma pleine connaissance, dit la mourante dans un dernier effort.

Sa voix était creuse dans le silence.

— Nous le voyons, ma Sœur, dit la Supérieure avec bonté.

Plattner glissa la feuille de déposition à Sœur Lutetia. Deux des religieuses la soulevèrent, d'une main tremblante elle prit le stylo et signa le document. La Supérieure et les trois religieuses contresignèrent à leur tour.

— Je vous remercie, dit Plattner, bouleversé.

Il donna la main à la mourante qui lui serra les doigts.

— Réparez tout, dit-elle d'une voix étouffée.

— Je vous le promets.

Sœur Lutetia retomba dans ses oreillers avec un soupir.

— Et maintenant le prêtre, dit-elle dans un râle...

Plattner quitta doucement la pièce. Dans le couloir, il rencontra le prêtre revêtu de l'étole, et un enfant de chœur qui portait un grand crucifix.

Leurs regards se croisèrent, l'un questionnant, l'autre averti. Puis ils passèrent, muets, représentants l'un de la vérité céleste, l'autre de la vérité ici-bas.

Lorsque le prêtre entra dans la pièce, deux bras décharnés se tendirent vers lui :

— Au secours ! dit une voix qui se brisait. Oh ! aidez-moi !

Le prêtre ferma vite la porte derrière lui et leva la main dans un geste apaisant de bénédiction.

Le procureur était un peu mécontent qu'après son déjeuner — à l'heure où il buvait son café, lisait le journal, et partageait avec sa femme ses soucis quotidiens —, un visiteur se présentât de nouveau. Ce fut seulement parce qu'il s'agissait de Plattner, du fils de son ami, que le procureur le fit entrer.

— Ne venez pas me parler de cette histoire de révision du cas Werner ! s'écria-t-il dès que Plattner eut mis le pied dans la pièce, et baisé la main de la femme du procureur. L'affaire est classée. Une demande de remise de peine a été faite, et se poursuit avec succès, si bien que Mlle Werner sera libre d'ici quatre ou cinq mois. Que voulez-vous de plus ?

— La justice !

— Alors, c'est encore le cas Werner ! J'en étais sûr ! (Le procureur se laissa choir dans son fauteuil.) Et c'est avec une histoire pareille que vous me sabotez mon heure de repos ! Je vous ai dit tout ce que je sais, et tout ce que je puis faire : rien ! Que dois-je faire d'autre ?

— Lire.

— Quoi ?

— Lire ce document, rien d'autre. Dans dix minutes, nous reprendrons l'entretien. Et, je crois, sur une base nouvelle.

Plattner sortit de sa poche la feuille de la déclaration

de Sœur Lutetia et la tendit au procureur qui considéra ce papier avec méfiance :

— Qu'est-ce que c'est ?

— Lisez, je vous prie...

Le procureur mit ses lunettes et lut :

« Déclaration formelle de Sœur Lutetia, de l'Ordre de... »

Il repoussa ses lunettes sur son front :

— Qu'est-ce que cela signifie ? Nous avons interrogé toutes les religieuses. Qui est cette sœur Lutetia ?

— Une vieille religieuse de l'hôpital, qui est morte il y a une heure.

— Morte ? Vous me présentez un témoin qui est mort ? C'est un non-sens, voyons !

— Lisez plus loin. Il va sans dire qu'elle n'était pas morte quand elle a fait cette déclaration...

Le procureur ne daigna pas sourire de cette remarque. Il reprit le document et continua de lire, très lentement. Il ne s'apercevait pas combien son visage devenait rouge, et à quel point ses lèvres tremblaient. Plattner l'observait attentivement. « Tension artérielle montée à 24, pensait-il, pourvu qu'il n'éclate pas ! » La femme du procureur remarqua, elle aussi, l'altération du visage de son mari. Elle tira d'un placard une bouteille de cognac. Après vingt ans de mariage, on connaît les remèdes.

— Vous avez réussi, Plattner.

Le procureur laissa retomber le document, il fit un signe affirmatif à sa femme qui tenait la bouteille de cognac.

— Un verre aussi pour Plattner... il a accompli un exploit remarquable.

— Pur hasard. Si j'y étais allé le lendemain, ou même deux heures plus tard...

— Oui, mais vous êtes arrivé à temps ; c'est l'essentiel. (Le procureur prit son verre de cognac et le vida d'un trait :) Je crois que nous n'aurons plus à tenter d'autres démarches. Cela suffit pour la révision. Vous avez enfoncé le mur. Félicitations. Après ce procès, il faudra changer d'appartement, prendre un plus grand cabinet. Vous aurez une foule de clients. J'en suis heureux pour vous, Plattner.

— Puis-je vous prier de préparer la révision le plus tôt possible ? Chaque jour qui passe, ma cliente demeure prisonnière à la maison d'arrêt. Et chaque jour se chiffrera pour l'Etat par un dommage-intérêt...

— Erreur ! dit le procureur en glissant le document dans sa serviette. Après sa libération, le Dr Werner ne touchera pas un centime de compensation, puisque sa condamnation a été basée sur ses propres aveux.

— Vous savez pourtant pourquoi elle a fait cette stupide déclaration...

— Mais cela reste un aveu... stupide, c'est le mot qui convient. Mlle Werner aura payé cette sottise par deux ans de réclusion.

— Nous ferons un nouveau procès ! s'écria Me Plattner, prêt au combat.

Le procureur eut un sourire indulgent, tel un père auquel son fils déclare qu'il veut être dompteur de fauves.

— Vous le perdrez, à coup sûr ! Epargnez-vous cette défaite. Qui touche au magot de l'Etat se brûle les doigts. Réfléchissez avant de l'entreprendre.

Tout exalté, Plattner rentra chez lui. Il s'était passé peu de choses. La secrétaire avait inscrit deux nouveaux clients : une réclamation de dommages, s'élevant à vingt-cinq marks, et un divorce.

— Rentrez chez vous, dit Plattner. Nous fermerons le bureau plus tôt aujourd'hui. J'ai besoin de repos.

Pour se reposer, Me Plattner but une bouteille de champagne, et appela le Dr Rumholtz au téléphone.

— Peter, lui dit-il la voix un peu pâteuse, prends vite un miroir...

— Idiot, tu as un coup de trop ? (La voix de Rumholtz était sévère :) Tu ferais mieux de t'occuper d'Erika plutôt que de te saouler...

— Prends un miroir ! Tu le tiens ?

— Oui, dit Rumholtz.

— Vrai ? Regarde-toi...

— Imbécile !

— Bien, regarde-toi. Et tandis que ton visage de crétin s'y reflète, observe le changement qui s'y opère : la révision aura lieu dans quinze jours...

— Hermann ! s'écria Rumholtz.

Plattner entendit un bruit de verre brisé.

— La glace est cassée ? demanda Plattner.

— J'ai donné un coup de poing dedans. Hermann ! tu es saoul ? C'est vrai ?... la révision... tu l'as obtenue ?

— J'ai la preuve, la preuve indiscutable.

— Hermann...

Mais Plattner n'en entendit pas davantage. Il s'étendit sur son divan. Il se sentait fort mal en point. Le champagne et le cognac menaient une ronde infernale dans son cerveau. Lorsque Rumholtz se précipita au logis de son ami, il le trouva qui ronflait, la bouche ouverte. Il eut beau le secouer, lui faire une piqûre pour le dégriser, Plattner ne s'éveilla point.

Alors Rumholtz se mit à fouiller dans la serviette de l'avocat, et n'y trouva rien qui concernât Erika. Désespéré, il s'assit auprès de son ami ronflant, et attendit que la deuxième piqûre fît son effet.

Ce matin-là, lorsque le Pr Bornholm prit le courrier, déposé par la secrétaire, et qu'il l'eut annoté avant de le retourner aux divers services, il y trouva un papier qui lui glaça le cœur :

Il émanait du procureur. Une citation :

« Vous êtes prié de vous rendre jeudi prochain... » Bornholm posa le papier sur la table et appuya son visage sur ses deux mains. Il ne se faisait aucune illusion sur ce que cela signifiait... Il ne s'agissait plus d'une simple explication, pas au bout de deux ans. C'était un succès de ce jeune avocat, lequel avait semé la méfiance.

Bornholm n'entrevit rien de plus. Il n'y avait aucune preuve contre lui... La seule qui eût pu parler, c'était

Erika, et elle se taisait. Tout de même, ce serait désagréable d'avoir à confirmer devant les autorités qu'il était innocent.

Bornholm glissa la convocation dans son portefeuille. Puis il prit son grand agenda et nota pour le lendemain : Conversation avec Me Kaulen : Intenter une poursuite en diffamation contre Me Plattner. 13 h. Entretien avec mon beau-père. — 15 h. Visite à Erika. Satisfait, il s'adossa à son fauteuil. Sa contre-attaque lui semblait devoir être efficace. Puisque personne n'avait de preuve, il pourrait rendre cet avocat ridicule. Il voulait aussi avoir un entretien avec Erika et lui expliquer pourquoi il avait épousé Petra Rahtenau. Il supposait qu'elle l'avait appris. Ce répugnant médecin de la prison avait sûrement pris soin de l'en informer.

En cet instant il regretta encore qu'en dépit de toute la résistance et des menaces, il n'ait pas tenu bon et émigré en Australie. C'eût été la solution complète de tous les problèmes, un monde nouveau, une vie nouvelle... Maintenant il était trop tard. Ç'aurait l'air d'une fuite. Précédemment ce n'eût été qu'une « conséquence », et ne lui aurait pas nui.

Il regarda son bracelet-montre : dix minutes encore avant de procéder à la visite. Il y avait sept cas graves qu'il voulait examiner et diagnostiquer lui-même. Il ne pouvait ni remettre sa visite ni les confier au chef de clinique. Après une courte hésitation, il appela le directeur de la maison d'arrêt. Il cherchait une raison pour obtenir l'autorisation de visite spéciale, lorsqu'il entendit la voix du directeur.

Cela se passa plus vite et plus facilement que Bornholm ne s'y attendait : la permission fut aussitôt accordée.

— Naturellement, professeur, dit le directeur avec empressement. Toutefois quinze minutes seulement.

— Je vous serai reconnaissant de toute minute, monsieur le directeur.

— Alors, à demain, 15 heures, professeur.

— A demain.

222

A peine Bornholm avait-il raccroché, le directeur appelait l'infirmerie :

— Il vient, docteur. Vous aviez raison. Il va tenter de sauver ce qui peut être sauvé !

— Il sera surpris...

La voix du Dr Rumholtz tremblait d'ardeur combative :

— Nous préparerons tout.

— Comment va la petite Werner ?

— Mieux. Elle s'est tirée de sa crise. Mais elle parle à peine. Le monde pour lequel elle vivait s'est effondré, et rien ne le remplace...

— Pas encore. Pourquoi ne lui dites-vous pas que...

— Bonté divine ! Ce serait une erreur totale à l'heure actuelle. Peut-être quand Bornholm sera parti demain — ce sera le dernier choc.

— Vous croyez ? Et s'il l'embobeline avec son charme diabolique.

— Il ne le pourra plus maintenant. Tout est mort chez Erika. Il parlera devant un mur.

— Qui sait ce que font les femmes, docteur ?

— Personne. Mais ce que je sais, moi, c'est que rien n'est aussi ardent que la haine au cœur d'une femme.

Un peu plus tard, Rumholtz était assis au chevet d'Erika. On lui avait enlevé le pansement qui entourait sa tête. Une détenue, qui était jadis coiffeuse, lui avait coupé les cheveux et les avait ondulés avec un fer à friser. Cela avait mis Katharina Pleüel hors d'elle. Elle en jasait avec Berta Herkenrath et n'arrivait pas à se calmer.

— Se faire onduler ! grommelait-elle. Des boucles autour de ce visage d'ange. En prison ! Sommes-nous un salon de beauté ? Et ça, parce qu'on la croit innocente ! Parce qu'elle sait lever des regards attendrissants ! Les hommes sont bien tous les mêmes !

Le Dr Rumholtz prit le pouls et la tension d'Erika. Elle le regardait tandis qu'il pressait la poire de caoutchouc, sans lire le cadran. Il regardait Erika.

— Pourquoi faites-vous cela ? lui demanda-t-elle d'une voix faible. C'est la troisième fois que vous prenez ma tension aujourd'hui...

— Il faut bien que j'aie une raison de m'asseoir à votre chevet, dit Rumholtz avec un sourire un peu contraint. Je conserve l'illusion que ma présence pourrait vous persuader de croire de nouveau à la vie...

— Vous vous trouvez si beau ?

Le Dr Rumholtz replia son appareil, ses mains tremblaient un peu.

— Le fait que vous soyez si sarcastique me prouve que le monde ne vous est pas tout à fait aussi indifférent que vous voulez le faire croire.

— Il s'est toujours trouvé des gens pour plaisanter au pied de la potence.

— Mais lorsqu'on tirait la corde, ils appelaient leur mère et Dieu.

— Je n'ai plus ni l'une ni l'Autre.

— C'est affreux de dire une chose pareille. Le monde entier se réduit-il à quelques notions : Bornholm ou l'amour, ou la douleur, ou la haine, ou la trahison ?

— Le monde est tout cela, mais moi je n'ai plus rien, je ne suis qu'une épave.

— C'est ce que vous imaginez ! Faut-il que je vous apporte un miroir ?

— Une épave ondulée. Une noix creuse et fardée. Un coquillage où l'on entend encore le bruit de la mer.

— Mais la vie continue autour de vous. Demain, elle viendra vers vous. C'est pourquoi j'ai mesuré votre tension. Il faudra être vaillante. Vous allez recevoir une visite...

— Alf ! dit-elle à voix basse. (Une pâleur envahit son visage, l'angoisse parut dans ses grands yeux :) Qu'est-ce qu'il vient faire ici ?

— Probablement *sauver* ce qu'il pourra. Il veut, avec son charme menteur, entretenir encore des illusions.

— Je ne veux pas le voir ! s'écria Erika Werner. Empêchez-le de venir ! Je vous en prie...

— Impossible, Erika. Nous attendions sa venue.

Peut-être est-ce le seul moyen d'entendre son aveu fait par lui-même. Il s'agit de votre liberté !

— Que ferais-je de ma liberté ? (Erika regarda, au delà du Dr Rumholtz, la fenêtre à barreaux de sa petite chambre de malade :) Qu'est la liberté pour moi ? Qui m'attendra dehors ?...

— La vie !

— Perspective affreuse. Je désire tant la paix et l'oubli ! Je vous en prie, laissez-moi tranquille. Je ne veux pas le voir !

Le Dr Rumholtz essaya, pendant près d'une heure, de persuader Erika Werner. Il lutta désespérément pour obtenir cette ultime rencontre, dont il espérait qu'elle le rapprocherait du cœur d'Erika. Ce serait seulement lorsqu'elle se serait séparée définitivement de Bornholm, qu'après une pénible période de transition elle recommencerait à s'intéresser à l'existence.

— Soit, dit-elle faiblement, au bout d'une heure. Mais pas ici, à mon chevet. Je me lèverai et le verrai debout !

— C'est absolument impossible, Erika !

— Il ne faut pas qu'il sache que c'est à cause de lui.

— En tant que médecin, j'ai le devoir de vous l'interdire.

Rumholtz savait combien cet argument était absurde. Il regarda Erika d'un air suppliant.

— Vous sentez bien vous-même, qu'en votre état...

— Quand je serai en face de lui, j'aurai la force d'une lionne ! Ce qui arrivera ensuite, il ne le verra ni ne l'apprendra jamais. Mais je ne veux pas qu'il me voie faible et misérable dans mon lit. Ne pouvez-vous le comprendre ?

— En tant que médecin, je ne puis l'admettre.

— Et en tant qu'être humain ?

Rumholtz se leva en haussant les épaules.

— Nous préparerons tout. Mais quinze minutes seulement, Erika. Je serai derrière la porte, montre en main...

— Il ne m'en faudra pas autant. (Elle essaya de

sourire.) Je n'ai pas beaucoup à dire : « Adieu », c'est un mot bref.

— Mais Bornholm voudra parler.

— Il n'a plus rien à me dire.

Elle tourna la tête vers le mur. Rumholtz sortit doucement de la cellule de la malade.

Aussitôt après le déjeuner, l'ex-coiffeuse fut convoquée à l'infirmerie. Katharina Pleüel agitait furieusement son trousseau de clefs.

— La demoiselle te demande ! cria-t-elle à la détenue. Voilà où nous en sommes. Salon de beauté derrière les barreaux. Je me demande vraiment pourquoi on ne te met pas aussi à la disposition des hommes !

Elle referma la cellule et poussa la détenue dans le dos.

— Allez ouste ! Mlle le docteur s'impatientera si tu la fais attendre.

Entre-temps le Dr Rumholtz s'était tout procuré en ville. Pour ne rien oublier, il avait acheté une trousse complète pour soins du visage. Une petite mallette doublée de soie, et remplie d'un arsenal de flacons et de boîtes de crèmes, poudres et fards. Parfums et rouge à lèvres.

— Vous êtes complètement fou ! dit Erika Werner lorsque Rumholtz lui apporta le petit nécessaire de beauté. Pourquoi faites-vous tout cela ? Je ne suis pourtant qu'une détenue comme toutes les autres.

— Vous êtes innocente !

— Pas encore devant la loi.

— Que m'importe la loi, en ce qui vous concerne, Erika. Si même vous étiez coupable...

Il se tut. Il savait qu'il était allé trop loin, et qu'il venait de trahir ce qu'il ne voulait révéler que bien plus tard, et prudemment.

— Si même ? dit Erika à voix basse.

— Vous ne seriez à mes yeux personne d'autre que ce que vous êtes actuellement... Pourquoi disons-nous des

226

bêtises, Erika ? Venez, il faut vous habiller, vous faire onduler, vous farder... Il sera là dans une heure.

Erika s'assit sur son lit, menue, fluette, mince comme un petit oiseau qu'on a oublié dans le nid.

— J'ai peur, dit-elle plaintivement.

— Je serai près de vous, Erika. Je serai derrière la porte du parloir. Il ne peut rien arriver...

Le Dr Rumholtz l'aida à se lever. Il la soutint alors qu'elle faisait ses premiers pas chancelants, tâtant le sol du pied, comme si elle marchait sur la corde raide et craignait, à chaque pas, de tomber dans l'abîme. Elle serra les dents. Sa tête bourdonnait, comme si elle était près d'éclater.

— Ça va déjà mieux, dit-elle, bien que tout tournoyât devant ses yeux. Encore quelques pas et ce sera comme autrefois.

Lorsqu'elle eut atteint la chaise devant le miroir, elle s'y laissa tomber avec un soupir.

Katharina Pleüel attendait dehors dans le couloir avec la coiffeuse. Elle jeta un regard de réprobation et de mépris sur le Dr Rumholtz lorsqu'il vint chercher la détenue.

— Combien de temps ça va-t-il durer ? demanda la Pleüel d'un ton venimeux.

— Une demi-heure peut-être...

— Soins de pédicure aussi ?

Le Dr Rumholtz claqua la porte.

La coiffeuse maniait son fer à friser. Elle le faisait chauffer sur deux becs Bunsen.

— Il faudra avoir l'air de sortir d'une présentation de modes, dit Rumholtz à Erika.

Elle lui envoya un sourire dans le miroir.

— Je me donnerai du mal, docteur.

On entendait un grésillement, et cela sentait les cheveux tiédis. La coiffeuse faisait les premières boucles.

De son côté, le Pr Alf Bornholm se préparait très soigneusement à sa visite ; une fois encore, il userait de tout son charme personnel et de son intelligence pour arracher à Erika le serment du silence, et sauver ainsi sa carrière. Il avait réfléchi très exactement aux mots qu'il emploierait. Il justifierait d'abord son mariage avec Petra Rahtenau ; puis il renouvellerait son serment de fidélité, et il finirait par un remerciement s'achevant en rayonnantes promesses d'avenir. Mais tout cela très exactement dosé, car Erika Werner n'était plus la petite jeune fille qu'il avait emmenée dans son chalet. Les mois passés en prison l'avaient mûrie, instruite à une école de vie où le mot d'« illusion » était changé en « vérité toute nue ».

A 15 heures, ponctuellement, Bornholm se présenta au poste central, à la haute porte de fer de la maison d'arrêt. On avait reçu les instructions de la Direction. Pas de grandes formalités. Il n'eut qu'à remplir une feuille qu'il rendrait à son retour, et on le laissa pénétrer dans le vaste ensemble de bâtiments. Une surveillante vint le chercher et le conduisit à travers les cours jusqu'au quartier de l'infirmerie.

— L'infirmerie ? demanda Bornholm, en apercevant la croix rouge sur la porte d'entrée. Mlle Werner est-elle malade ?

— Non. Mais le parloir ordinaire est en réparation. Les visites ont toutes lieu en ce moment à l'infirmerie.

On le conduisit par le couloir blanc jusqu'à une porte qui s'ouvrit sur une pièce badigeonnée de blanc, où il vit deux portes, une table, deux chaises, et une fenêtre à barreaux. Toute l'inexorable tristesse des réprouvés l'assaillit à nouveau. « Vivre là-dedans, se dit-il, pendant des mois, des années... je deviendrais fou. Je me cognerais la tête contre les murs. Ce silence me rendrait fou. »

Il s'assit à la table et regarda autour de lui ; par quelle porte Erika allait-elle entrer ? La surveillante générale était restée dehors. Il était seul, comme un détenu nouvellement écroué. Et il s'aperçut que les portes, à l'intérieur de la pièce, n'avaient pas de poignées. L'air, aussi, semblait autre, plus raréfié, on respirait plus difficilement.

228

Le Pr Bornholm se leva, courut à la fenêtre et l'ouvrit brusquement. Il appuya sa tête aux barreaux, et aspira avidement l'air qui venait de la cour.

— Il y a de quoi étouffer ici, n'est-ce pas? dit une voix derrière lui.

Bornholm se retourna vivement.

Erika était dans la pièce, jeune, florissante, d'une beauté mûrie qui coupa le souffle à Bornholm et le déconcerta. Son souvenir d'Erika était tout autre... Elle lui semblait tout à coup la plus jolie femme qu'il ait jamais vue.

— Erika, prononça-t-il lentement et haletant un peu, quelle mine tu as! Tu n'as pas du tout l'air...

Il avala le dernier mot et, quittant la fenêtre, s'avança vers Erika. Il ne s'aperçut même pas qu'il n'y avait pas de surveillante dans la pièce, épiant leurs gestes et leurs paroles, qu'ils étaient complètement seuls, à l'encontre de tous les règlements.

— ... d'une détenue, allais-tu dire, n'est-ce pas?

Erika resta debout de l'autre côté de la table. Elle le fixait de ses grands yeux. C'était là l'homme qu'elle avait aimé par-dessus tout! Pour lequel elle s'était laissé accuser d'une terrible faute! Et pour qui elle s'apprêtait à endurer encore deux ans de réclusion! Que restait-il de tout cela? Rien! Elle le sentait à présent : en son cœur tout était mort. Aucune émotion ne l'étreignait tandis qu'elle le dévisageait. Elle essayait de la retrouver, d'éprouver un sentiment pour lui. En vain!

— Comment se porte ta femme? demanda-t-elle, avant que Bornholm ait pu répondre.

— Erika!

Il lui tendit les deux bras. Il s'attendait à cette question. Tel un acteur qui attend sa réplique, il commença de jouer son rôle :

— Il faut que je t'explique...

— Expliquer? Quoi? Expliquer un mariage? Tu t'es marié avec elle. C'est un fait, comme une naissance, comme la mort, comme un mensonge, comme une femme tuée par une opération...

Bornholm sentit la chaleur monter à ses cheveux argentés. Il regarda autour de lui et constata qu'ils étaient seuls. Cela ne lui donna pas à réfléchir. Il s'approcha de la table et s'y appuya des deux mains. Penché en avant il dévisageait Erika :

— Il a fallu que je l'épouse, Erika. C'était le seul moyen d'obtenir la chaire de professeur. Tu sais l'influence que Rahtenau a dans les milieux universitaires. J'ai maintenant mon hôpital à moi, mes laboratoires. J'y suis parvenu. Et je n'attends que ta libération... je demanderai aussitôt le divorce, et je me marierai avec toi ! Le petit scandale qui s'ensuivra sera moins important que... tu sais ce que je veux dire.

— Tu mens.

Erika le dit clairement et sobrement ; sans passion, sans accusation ; comme on dirait « bonjour » ou « comment allez-vous ? ».

Bornholm se mordit la lèvre :

— Comment peux-tu dire une chose pareille, chérie ? Tu sais que je te dois une reconnaissance éternelle, et je m'acquitterai de cette dette. Tout ce qui a eu lieu jusqu'ici n'est qu'une transition. La vie ne commencera que lorsque tu seras libérée...

— Comment peut-on être aussi hypocrite ?

— Erika !

Bornholm se rassit pesamment. Il leva les yeux vers elle. Le regard d'Erika était froid. Il ne l'avait jamais vue ainsi, aussi indifférente, comme si elle ne le reconnaissait pas, comme un automate parlant.

— Je comprends ton amertume, continua-t-il, après plus d'un an entre ces murs affreux. La nouvelle de mon mariage avec Petra... tu n'as pas pu la supporter. C'est pourquoi je suis venu. Il faut reprendre courage. Il faut croire à l'avenir.

— C'est ce que je ferai. (Elle abaissa son regard sur lui, sur ce visage anguleux et mâle, ces cheveux blanchissants, ces yeux gris. Et plus elle le regardait, plus elle se sentait envahie de froideur.) J'ai un avenir, moi, dit-elle. Mais moi seulement ! J'ai dit la vérité.

— Tu m'as... (La voix de Bornholm s'étranglait :) Tu m'as trahi, Erika, tu as...

— J'ai tout dit !

— Tu perds l'esprit, Erika ?

Son visage était devenu livide :

— Vas-tu tout anéantir ? Tu es folle !

Il avait retrouvé la voix. « Oui, c'est cela, pensa-t-il en toute hâte, elle est folle ! Psychose de prisonnière. Je consulterai trois psychiatres connus, ils attesteront l'irresponsabilité d'Erika. Schizophrène, sa déclaration sera à jamais entachée de nullité. » L'idée de cet expédient, de ce salut dans la dernière et la plus grave vilenie, lui rendit son assurance... Il essaya même de sourire.

— On ne te croira pas, dit-il lentement.

— On me croira !

— As-tu des preuves ? Les serments s'opposeront !

— Quel salaud tu es ! dit-elle avec calme, sans passion.

Elle vint vers Bornholm, se pencha au-dessus de la table, le regarda en face, puis écartant la main droite, elle gifla en plein ce visage au sourire perfide.

— Voilà ce que j'ai attendu depuis plus d'un an, dit Erika en se redressant. Et maintenant tout suivra son cours...

Elle se détourna et se dirigea vers la porte.

Bornholm s'était levé, il lui tendait les deux bras. La gifle lui brûlait la joue et laissait une marque rouge. Il tenta encore une fois d'éveiller en elle un sentiment mort depuis longtemps. Il essayait de faire lever une étincelle de cendres froides.

— Ne nous sommes-nous pas aimés ? s'écria-t-il. Erika ! On ne peut pourtant pas l'oublier !

— Tu nous a tous trahis, sacrifiés à ta carrière : Petra, Helga Herwarth, moi, le vieux Rahtenau, et combien d'autres ! Tu n'avais pas d'autre but que ton ascension ; et tous ceux qui pouvaient t'aplanir la voie, tu t'en es servi, quitte à t'en débarrasser ensuite ; et ceux qui venaient en travers de tes projets, tu les as écrasés, et ils t'ont servi de tremplin jusqu'au succès. Tu n'as jamais éprouvé ni amour ni reconnaissance. Tu n'es capable que d'une seule passion : plus haut, toujours plus haut. Comme à un moteur il faut le courant électrique et l'essence, tu emploies, toi, les humains. Tu n'es qu'une machine dévorante. On me sera reconnaissant de la faire sauter.

— Tu es démente ! cria Bornholm d'une voix stridente.

Erika ne répondit plus. Elle ouvrit la porte et sortit de la pièce. Dans la chambre voisine, elle regarda, surprise, le Dr Rumholtz assis auprès d'un magnétophone. La bobine tournait lentement.

— Je n'en peux plus, murmura Erika.

Elle s'affaissa comme si elle n'avait plus d'os. Le Dr Rumholtz la porta vers un divan et l'y déposa avec précaution.

— Tu as été merveilleuse, Erika, dit-il doucement en lui caressant le visage.

Il pouvait se le permettre, car Erika avait perdu connaissance...

Le Pr Bornholm quitta rapidement la maison d'arrêt, escorté de la surveillante générale. Il avait l'air irrité, dangereusement excité. Lorsque le grand portail de fer se fut refermé derrière lui, il tressaillit et se retourna.

« Je la ferai déclarer aliénée, pensait-il de nouveau, ce sera la sécurité définitive. »

Sa voiture était parquée au premier tournant, elle était conduite par un chauffeur de l'hôpital.

— Chez le Pr Berrenrath ! dit-il en montant dans l'auto. Mais arrêtez-vous en route à la première cabine téléphonique, afin que j'annonce ma visite.

Au même instant, le Dr Rumholtz déroulait son ruban. Le directeur de la prison et le commissaire de la police judiciaire, qui avaient attendu dans une autre pièce, regardaient la bande sonore.

— Vous avez tout enregistré, docteur ? demanda Flecken.

— Tout ! nous tenons son aveu !

— Ce n'est pas très régulier.

Le commissaire pressa sur le bouton « reproduction ».

On entendit une porte se fermer. Bornholm entra dans le parloir, toussa, fit quelques pas, ouvrit la fenêtre.

— Je ne crois pas que le Tribunal accepte cette bande qui a été enregistrée clandestinement.

— Alors il nous restera la déclaration de la sœur Lutetia.

— Là encore nous aurons des difficultés. (Le commissaire Flecken écouta les deux voix qui sortaient du diffuseur :) Il ne faudra jamais dire, si on ne nous le demande pas, que c'est la déposition d'une mourante.

— Et que va-t-il arriver maintenant ? demanda Rumholtz, penché sur Erika qui bougeait et soupirait faiblement.

— Ça, c'est l'affaire du procureur. On ne pourra pas empêcher la révision. Mais la lutte sera très dure... Et notre position n'est nullement aussi solide qu'elle le paraît...

Bornholm s'adonna, avec l'énergie du désespoir, à son projet, c'est-à-dire à faire mettre Erika hors du circuit avant qu'un nouveau procès soit entamé. Il avait appris, après sa première consultation avec le Dr Berrenrath, qu'il n'était pas du tout aussi facile de délivrer un certificat attestant la schizophrénie. Il faut faire quantité d'observations avant d'assumer la grave responsabilité de bannir définitivement un être humain de la société.

— Ce que vous me décrivez là, mon cher professeur, dit Berrenrath d'un air méditatif, ne sont que des moments d'une confusion mentale qui donnent beaucoup à réfléchir. Cela peut être tout autre chose qu'un dédoublement de la personnalité ; cela peut être de la haine, un désir de vengeance ; une volonté féminine de destruction... Ce ne sont pas des maladies psychiatriques, mais des traits caractériels.

— Je proposerai, avec l'autorisation du procureur,

qu'un groupe d'experts, sous votre direction, professeur, examine Mlle Werner... Je crois que vous arriverez à une conclusion incontestable. Remarquez qu'elle rétracte ses aveux au bout de dix-huit mois, et qu'elle prétend que c'est moi qui ai tué la jeune fille. Alors qu'il a été prouvé que je ne suis arrivé à l'hôpital que le lendemain matin à 11 heures, et me suis trouvé devant le fait accompli. On ne peut mesurer le dommage causé à ma réputation et à celle du corps universitaire tout entier, si on en vient à un procès fondé sur cette déclaration insensée. Il faut y penser aussi : le public est présent. Cela peut conduire à une crise de confiance à l'égard des médecins...

Le Pr Berrenrath considérait son cigare. Son long visage de vieillard était très troublé.

— C'est vraiment un problème très grave, dit-il, pensif. J'en parlerai avec plusieurs de mes collègues, et ensuite au procureur...

Bornholm, se sentant un peu plus à l'aise, mais pas encore pleinement rassuré, se fit conduire à son hôpital. Il discuta avec ses chefs de service le plan des opérations pour le lendemain, se rendit auprès des cas graves qu'il avait opérés lui-même dans la matinée, retourna en ville, et acheta pour Petra un bracelet d'or et de rubis.

Il passa la soirée avec elle à l'Opéra. Petra, ravie de son nouveau bracelet, était assise dans la loge et regardait la scène où la bohémienne Azuzcena raconte l'origine des troubadours. Bornholm, adossé à son fauteuil, fixait le plafond de la loge. A le voir, on aurait pu le croire captivé par la musique de Verdi. En réalité, il réfléchissait, cherchait de nouveaux expédients pour sortir du garrot, un moyen d'empêcher le procès de commencer...

« Lanterner, se disait-il, c'est une vieille tactique toujours efficace. Gagner du temps. Oui, c'est là ce qu'il faut. Dans l'intervalle, il pourra se passer beaucoup de choses qu'on ne peut prévoir à l'avance. Erika peut être déclarée irresponsable. Le procureur peut être persuadé.

Un avocat peut réussir. Ce qu'il faut, c'est gagner du temps. »

A l'entracte, au-dessus d'une coupe de champagne, Bornholm dit soudain :

— Je te réserve une autre surprise, Petra.

— Une autre ? (Elle regarda son superbe bracelet :) Des surprises tombées du ciel ? Qu'est-ce qui t'arrive, Alf

— J'ai reçu une invitation du Canada. On me propose une série de conférences pendant six mois à Toronto. C'est une offre magnifique. Partons-nous pour le Canada ?

Petra le considéra d'un air critique :

— Pour six mois ?

Il savait à quoi elle pensait : à son projet d'Australie. Il eut un geste d'apaisement :

— Je te le jure, pour six mois seulement. (Il eut un rire juvénile :) Je te montrerai la lettre à la maison. Les dates y sont précisées.

— Et notre maison ? Et ton hôpital ?

— Nous fermerons la maison. Et mon chef de clinique se chargera de l'hôpital. C'est un bon chirurgien.

— Est-ce que papa est au courant ?

— Non. Je considère de mon devoir de parler d'abord à ma femme. Cela ne dépend que de toi, Petra. Puisqu'il faudra que tu passes, toi aussi, six mois à Toronto.

— Naturellement. (Elle vida sa coupe de champagne à petites gorgées rapides :) Nous en discuterons après le théâtre, Alf. Et il faut aussi que j'en parle à papa.

— En quoi cela concerne-t-il ton père ? dit Bornholm avec humeur.

— Je suis son enfant unique.

— Et tu es ma femme ! Il faudrait que tu te rendes compte enfin envers qui tu as plus de devoirs...

Ils prirent moins de plaisir au dernier acte de l'opéra. Petra fixait la scène, les lèvres tremblantes. Mais elle se maîtrisa et ne pleura point. Bornholm se mordillait la lèvre, comme toujours lorsqu'il réfléchissait. « Gagner du temps, se répétait-il. Il faut déclarer qu'Erika Werner est folle. »

Son espoir ne se réalisa pas. Le vieux Rahtenau avait cependant approuvé le voyage au Canada. Et Petra était plus heureuse que jamais. Mais le procureur travailla plus vite que Bornholm ne s'y attendait. Après vérification de la déposition de la sœur Lutetia, et audition de la bande enregistrée — qui ne serait pas admise à titre de preuve —, le procureur, sur l'avis du procureur général, qu'il avait consulté au préalable, n'entreprit pas la révision. Il y alla plus fort. Il accusa le Pr Bornholm de parjure, homicide par négligence aux termes du paragraphe 218, imposture et chantage. Il renonça à une arrestation, de peur que Bornholm cherche à cacher quelque chose ou prenne la fuite. Il n'y avait plus rien à cacher.

Petra était seule à la maison lorsque le facteur apporta la lettre du tribunal, avec accusé de réception. Elle hésita à regarder la lettre, mais finit par ouvrir l'enveloppe. Immobile, elle lut cette monstrueuse accusation. Elle ne comprenait même pas qu'il fût possible d'écrire des choses pareilles. Ce qu'elle ignorait, et que Bornholm lui avait caché, c'étaient les enquêtes et interrogatoires précédents que le commissaire Flecken lui avait fait subir à l'hôpital depuis une quinzaine. Interrogatoires que Bornholm considérait comme autant d'offenses, et qu'il écartait en arguant de l'irresponsabilité d'Erika Werner.

— J'exige une expertise psychiatrique ! avait-il crié à la fin. Je ne veux plus de cette comédie grotesque pour rien.

Les avocats que Bornholm avait choisis s'efforçaient, eux aussi, de gagner du temps. Ils reçurent l'acte d'accusation le même jour que Bornholm et se rendirent aussitôt à l'hôpital. Impossible de voir Bornholm, il était en train d'opérer et ne pouvait être dérangé.

Lorsque le Pr Bornholm rentra chez lui pour déjeuner, il trouva la maison vide. Il ne restait que la femme de chambre, assise, toute décontenancée, dans sa chambre. Elle venait d'être congédiée.

— Qu'est-ce qui se passe ? s'écria Bornholm. Où est ma femme ?

— Chez M. le professeur, son père...

— Et qu'est-ce que vous faites assise ici ?

— On viendra me chercher dans une heure.

— Vous chercher ?

— Oui, puisque j'ai été congédiée...

— Congédiée ? Ah ça, tout le monde est fou dans cette maison !

Bornholm claqua la porte, courut à sa voiture et fila à toute allure jusqu'à la villa de son beau-père.

Le Pr Rahtenau l'attendait. Très digne, il était assis à son bureau et ne se leva pas lorsque Bornholm se précipita dans la pièce.

— Quelle est cette histoire ? s'écria-t-il. Peut-on me l'expliquer ? Où est Petra ?

Le vieux Rahtenau regarda son gendre d'un air surpris :

— On pourrait croire que tu sais de quoi il s'agit.

— Pas idée !

— Tout de même, la lettre...

— Quelle lettre ?

— C'est Petra qui l'a reçue. Elle est sur la table chez toi. N'essaie pas de me dire que tu ne le sais pas...

— Je n'ai pas vu de lettre ! Qu'est-ce que c'est que ces âneries ? J'arrive de l'hôpital, et je trouve mon ménage sens dessus dessous, la femme de chambre congédiée...

— Et Petra déjà partie pour l'Italie.

— Pour l'Italie ? (Bornholm ouvrit son col de chemise :) Vous êtes tous fous ?

— Pas tout à fait.

Le Pr Rahtenau feuilleta l'annuaire du téléphone, composa un numéro, puis tendit le récepteur à Bornholm :

— C'est ton avocat. Écoute ce qu'il a à te dire.

Le visage blême, Bornholm raccrocha le récepteur quelques minutes plus tard.

Rahtenau s'éclaircit la voix.

— Eh bien ? dit-il.

— Cette accusation est insensée. Erika Werner est une malade mentale. Le Pr Berrenrath l'attestera. Je puis prouver...

— Qu'est-ce que tu peux prouver ?

— Tu ne crois pas, par hasard, à ces... ? bégaya Bornholm.

— Je n'ose pas y penser. En tout cas, je juge préférable que Petra reste en Italie jusqu'à l'issue du procès.

— Tu te méfies de moi ? s'écria Bornholm.

Le vieux Rahtenau hocha la tête :

— Oui.

— Alors je n'ai plus rien à dire ! (Bornholm courut à la porte, mais avant de l'ouvrir, il se retourna :) Mais lorsque le procès aura démontré le néant de ces accusations, nous reprendrons le dialogue sur un autre ton.

Le Pr Rahtenau se leva pesamment.

— Je ne le crois guère.

Furieux, Bornholm quitta la maison en courant. Il se calma un peu dans la voiture, sortit lentement de la ville, s'arrêta à la lisière du bois, alluma une cigarette et s'efforça de réfléchir sans passion à sa situation. Il était seul. Petra était partie. Peu importait, pour l'instant, que ce soit de son plein gré ou contrainte par son père. Dans le milieu médical, on représenterait cette absence comme un congé nécessaire, une convalescence après une bronchite... Sa situation de chirurgien-chef était assurée. Sa réputation de savant solidement établie. Le nom de Bornholm bien connu dans tous les centres médicaux. Ce qu'il avait rêvé jadis était devenu une réalité. Sa carrière s'était brillamment développée. Arrivé à ce stade, on pouvait se passer de beaucoup de choses qui eussent été indispensables autrefois. On pouvait se passer du Pr Rahtenau. Il avait vieilli, et n'était plus désormais qu'une remorque qu'on traînait après soi. Son influence s'était amenuisée. On pouvait se passer de Petra aussi. Elle était jeune et jolie mais avait rempli sa tâche de tremplin à la célébrité. Elle ne pouvait rien lui donner de plus maintenant, que sa jeunesse et un amour qui n'était plus nouveau. Il lui vint une inspiration désespérée qui se précisa. Une idée qui supprimait en réalité tous les problèmes, pour quelques années du moins... On verrait ce qui adviendrait dans la suite...

Divorcer d'avec Petra. Rompre tous les ponts avec Rahtenau. Nouvel entretien avec Erika à laquelle il montrerait sa demande en divorce. Lorsqu'elle verrait le document, elle ne douterait plus de son amour et rétracterait de nouveau ce qu'elle avait dit. Son silence restait le seul avenir de Bornholm.

— Si je pouvais y parvenir ! se dit Bornholm.

Il écrasa sa cigarette dans le cendrier de la voiture.

Il repartit, fit un détour et retourna en ville. Les avocats l'attendaient déjà dans la salle de consultation à l'hôpital. Ils avaient l'air soucieux lorsque Bornholm entra.

— Mais, maîtres, dit-il en riant, qu'est-ce qui vous afflige ? Cette accusation ? Elle est absurde, voyons ! Tout bonnement ridicule. C'est autre chose que j'attends de vous : un simple et rapide divorce. Je voudrais divorcer d'avec ma femme, dans les plus brefs délais.

Tandis qu'il tirait d'un placard une bouteille de cognac et trois verres, il jeta à la dérobée un regard sur ses avocats. Jamais il n'avait vu à la fois autant de perplexité et d'ahurissement.

Quand bien même l'accusation était signifiée, le procureur ne cachait pas que le cas était assez mauvais. Me Plattner était assis, en visite professionnelle, en face de l'ami paternel et écoutait ce que le procureur pourrait dire.

— Cette bande enregistrée, vous savez, maître...

— Je sais. Ecartons-la en tant que preuve. Tout de même, elle contient — à titre privé, en quelque sorte — l'aveu de Bornholm.

— Légalement, je ne dois pas en prendre connaissance...

— Tout de même, elle est dans votre mémoire, et si Bornholm la nie et prête de nouveau serment, vous saurez que c'est un parjure.

— Que je ne peux lui prouver. Alors même que je le pourrais. C'est une histoire idiote, maître Plattner.

Le procureur posa la main sur la feuille de papier où Plattner avait écrit la déclaration de la sœur Lutetia.

— Et ceci encore est douteux, dit le procureur. La religieuse est morte trois heures après avoir fait sa déposition. Nous avons un témoignage qu'elle était atteinte depuis quatre ans de sclérose cérébrale. Vous savez le parti qu'un habile avocat peut en tirer...

— Bon Dieu ! formula Plattner.

— Cette déposition peut être jugée nulle et non avenue si l'on représente la brave sœur Lutetia décédée comme une vieille femme sclérosée qui confond les noms et les lieux.

— Non. Ses déclarations sont trop précises : le lieu, l'heure, les personnes, tout est exact.

— Et par surcroît, elle est morte !

— Mais sa déclaration a été écrite devant témoins. La sœur supérieure a certifié qu'elle avait toute sa raison. Le prêtre qui est venu après moi pourra en témoigner.

— Ce sont des arguments pertinents. Néanmoins il faut tenir compte de tout. L'adversaire a l'atout en main. L'attestation donnée par un groupe de psychiatres sous la direction du Pr Berrenrath qu'Erika Werner est une malade mentale...

— Quoi ? (Plattner bondit :) Je n'en savais rien. (Il donna un coup de poing sur la table du procureur :) C'est une ignominie ! C'est...

— Un atout de l'adversaire, cher maître. Vous voyez, ils usent de tous les moyens. Et je crains que ce soient des preuves contraires qui conduiront le tribunal à prononcer l'acquittement du Dr Bornholm.

— Le plan de Bruno Herwarth qui montre exactement comment Bornholm a pu...

Le procureur, levant la main, coupa la parole à Plattner :

240

— Une théorie, rien de plus.

— Elle coïncide avec la déposition de sœur Lutetia qui a vu le même trajet.

— Bon. Ça serait un indice. Peut-être y en a-t-il un ? Personne n'avait pensé à cette vieille religieuse, et soudain elle s'est manifestée. Peut-être qu'un malade a vu Bornholm ? Il se peut que quelqu'un ait été à une fenêtre, pour prendre une bouffée d'air et ait aperçu Bornholm et la jeune fille.

— Comment le vérifier au bout de deux ans ? (Plattner hocha la tête, désespéré :) Aucun des malades, à ce moment-là, n'a été au courant de l'événement. Rahtenau a élevé un mur autour de son hôpital. La presse elle-même n'en a rien su. — C'est dire quelles mesures ont été prises ! — Et quand bien même dix malades auraient, par hasard, vu Bornholm cette nuit-là... aucun d'eux n'a eu une arrière-pensée, aucun d'eux n'a de raison de dire quelque chose, car personne, parmi les malades, n'a su ce qui s'était passé à la salle d'opération... Il faudrait revoir la liste des malades présents à l'hôpital ce jour-là, les rechercher et les interroger. Malheureusement, cela peut représenter des mois d'enquêtes...

— Si elles donnaient un résultat...

— Et tout ce temps-là, Mlle Werner est sous les verrous, et elle est innocente ! Elle en a encore pour six mois, sans compensation à sa libération. C'est impossible, voyons !

— Pourquoi aussi cette imbécile a-t-elle fait cet aveu ! cria le procureur, furieux.

— Pourquoi ? Peut-on savoir ce dont une femme est capable, lorsqu'elle aime ?

— Mais le simple bon sens...

— C'est justement ce qu'elles commencent par perdre.

— Vous avez raison. (Le procureur poussa un soupir et referma le dossier :) Plutôt dix assassins que cette femme ! Avec ceux-là, du moins, on sait à qui l'on a affaire.

Le Dr Rumholtz fut plus qu'intrigué, lorsque le directeur de la prison parut à l'infirmerie, accompagné de trois messieurs, qu'il présenta comme des psychiatres bien connus.

— Le Pr Berrenrath est chargé de procéder à quelques examens d'Erika Werner, dit le directeur.

— Des psychiatres ? (Le Dr Rumholtz serra la main des trois personnages, et regarda le Pr Berrenrath :) Je ne comprends pas très bien pourquoi...

— Il s'agit d'une demande accordée par le procureur.

Le Pr Berrenrath s'assit et jeta un regard intéressé autour de lui. C'était la première fois qu'il se trouvait dans l'infirmerie d'une prison. Jusque-là ses examens avaient toujours eu lieu dans la division fermée de son hôpital psychiatrique et sa maison de santé. Ses rapports au tribunal étaient connus pour leur clarté et leur pertinence, et la sûreté de son diagnostic.

— Il serait bon de causer d'abord entre nous. Cette Erika Werner souffre de dépression ?

— Pas que je sache, dit le Dr Rumholtz. Elle a subi un choc nerveux.

— Ah ! c'est intéressant. (Le Pr Berrenrath prit quelques notes dans un gros calepin rouge :) Après lequel elle ne voulait plus continuer à vivre, n'est-ce pas ?

— C'est compréhensible du point de vue psychologique, quand on découvre que l'homme pour lequel on est en prison est un salaud...

— Tutt tut ! (Le Pr Berrenrath regarda le jeune médecin d'un air réprobateur :) Le Dr Bornholm est au-dessus de toute question. En outre, ce n'est pas ainsi qu'on s'exprime entre collègues. Je vous le dis en ma qualité d'aîné.

— Je conserve mon opinion, professeur !

— Comme vous voudrez. (Le Pr Berrenrath haussa les épaules :) Que se passa-t-il après ce choc nerveux ? A-t-elle présenté une léthargie prononcée ? Ou une agitation motrice ? A-t-on constaté des changements dans sa manière de s'exprimer, la création de mots ou locutions nouvelles, d'associations incohérentes ?

— Où voulez-vous en venir ? (Le Dr Rumholtz jeta un regard vers le directeur, qui leva les mains d'un air de regret.) Veut-on déclarer que Mlle Werner est aliénée ? Est-ce que Bornholm, cette canaille, a vraiment demandé cela ? Il l'en a menacée à sa dernière visite... nous l'avons entendu. Et vous, professeur, vous vous prêtez à cette expertise ?

— Je désire voir la malade ! dit Berrenrath d'un ton tranchant.

Il ne disait plus « la détenue », ou bien Erika Werner... il disait nettement « la malade ». Le Dr Rumholtz nota aussitôt cette différence.

— Erika Werner n'est *pas* malade ! dit-il d'une voix forte.

— Veuillez me laisser en juger par moi-même... Le Pr Berrenrath eut l'air irrité. « Ces jeunes médecins sont intolérables, pensait-il, ils font les importants, et ne sont pas même des assistants. Des tâcherons de la médecine. Mais c'est toujours la même chose : les primaires sont des blancs-becs. »

— Je voudrais enfin voir la malade ! dit-il brutalement. Veuillez...

Le Dr Rumholtz se mordit les lèvres. A quoi bon causer un scandale. Il alla au plus pressé. D'un pas rapide, il précéda les trois hommes et ouvrit violemment la porte de la petite salle d'opérations de l'infirmerie. Le professeur et les deux autres médecins l'y suivirent.

Erika Werner se tenait près de la table d'opération. Friedel Bartnow, la meurtrière, y était étendue, sa jambe encloué dans une gouttière de plâtre. Elle tourna la tête lorsque la porte s'ouvrit brutalement, et elle toucha du bout des doigts Erika :

— Eh ! docteur ! Une curiosité ! Toute une troupe d'hommes qui entrent ici. Si Helga Pilkowski le savait ! Elle mordrait les barreaux de sa fenêtre !

— Restez tranquille, dit Erika, sans se retourner.

Elle se pencha un peu plus au-dessus de la jambe. Elle sentait qu'il n'entrait rien de bon dans la pièce.

— Qu'est-ce qu'elle fait ? demanda le Pr Berrenrath surpris.

Il s'attendait à voir une détenue dans son grossier sarrau. Il avait devant lui une jeune fille soignée en blouse de médecin.

— Elle est mon assistante, professeur. (Le Dr Rumholtz serrait les poings dans les poches de sa blouse.) Avec toutes les autorisations supérieures, d'ailleurs, Mlle Werner examine en ce moment une fracture compliquée qu'elle a enclouée, il y a trois semaines, selon la méthode de Küntscher.

Le Pr Berrenrath regarda autour de lui.

— Enclouée ici ?

— Oui ! ici. Il n'y a que des fous qui réussissent pareille entreprise.

Le Pr Berrenrath avala cette remarque acerbe. Le visage cramoisi, il s'approcha de la table d'opération et fit à Erika le même salut qu'à un laveur de latrines, au garde-à-vous avec son balai. Il regarda la jambe. Il était psychiatre et ne connaissait rien aux fractures, mais il feignit de n'avoir jamais rien fait d'autre que les enclouer.

Soudain il releva la tête. Ses yeux gris scrutaient le visage d'Erika.

— Pourquoi êtes-vous ici ?

— Parce que j'aimais une canaille, dit-elle d'un ton tranquille.

Le Pr Berrenrath acquiesça, son visage devint aimable. « Psychose des prisons, pensait-il, mutilation de l'âme. »

— Vous vous sentez innocente ?

— Je le suis.

— Que feriez-vous si l'on vous libérait et vous disait que vous êtes en effet innocente...

— Je ne sais pas.

— Vous ne savez pas ?

— Non. J'ai peur de la vie bruyante du dehors. Ici on

est tranquille... les malades, alors même qu'elles sont des criminelles, sont reconnaissantes de la moindre preuve d'amitié qu'on peut leur donner. Et le soir, dans sa cellule, derrière les barreaux, on sait qu'on ne peut pas sortir de là, mais que personne, non plus, ne peut y entrer. On est comme à l'abri...

Le Pr Berrenrath jeta à ses deux collègues un regard significatif.

— Vous appelez cela « être à l'abri » ? dit-il d'un ton appuyé. On peut en effet, le considérer ainsi. Alors vous ne voulez plus rien savoir de la vie ?

— Qu'est-ce que vous appelez « la vie » ? La haine et les luttes, le mauvais vouloir et les tromperies, ce cloaque d'infamies. Et ne m'énumérez pas les beautés que la vie nous offre. Elles ne pèsent pas lourd, en regard des quintaux d'ignominies que nous traînons avec nous...

— Merci !

Le Pr Berrenrath fit un court salut et quitta la salle d'opération. Dans la pièce voisine il ôta ses lunettes, les essuya avec soin. Le directeur et le Dr Rumholtz l'attendaient, debout.

— Il faut que je l'observe pendant une quinzaine dans mon hôpital, dit-il lentement. Elle tend à une attitude dépressive. Il faut que je l'observe pour me faire une idée claire. Je demanderai la malade pour examen psychiatrique.

Le Dr Rumholtz se raidit :

— Je l'empêcherai, dit-il.

— Qu'est-ce qui vous prend ? (Le professeur rajusta ses lunettes d'un mouvement brusque. Sa main tremblait parce qu'il maîtrisait son irritation.) Vous avez une trop haute idée de vous-même, jeune homme. Occupez-vous de vos diarrhées et angines, des simulatrices et des anémiques, mais laissez-moi le soin de juger les cas psychiatriques.

— Si Mlle Werner est une psychopathe, alors j'aurai toute raison de dire que je parle à des paranoïaques !

Berrenrath se retourna :

— Je déposerai un rapport concernant cet incident inouï! s'écria-t-il. Je refuse d'ailleurs de m'entretenir plus longtemps avec vous!

Il sortit de l'infirmerie, suivi du directeur.

— Ça va faire des complications, murmura ce dernier en passant devant Rumholtz. Comment avez-vous pu...?

Dans la salle d'opérations, Friedel Bartnow était toujours étendue sur la table, un bras passé sous la nuque.

— Qu'est-ce que c'était que ce guignol? demanda-t-elle.

— Un psychiatre.

Erika se lavait les mains. Elle s'était détournée afin que la criminelle ne vît pas les larmes qui lui venaient aux yeux.

— Ah! de chez les dingues! Et qu'est-ce qu'il venait faire ici?

— Oh! rien de spécial. (Erika baissa la tête davantage :) Il veut faire triompher la justice!

Et soudain elle se mit à pleurer. Elle ne put plus s'en empêcher.

Ce ne fut pas un procès sensationnel. Les journaux ne témoignèrent pas d'intérêt. Les négociations Est-Ouest, l'agitation en Algérie, un typhon au Japon, tout cela était beaucoup plus important qu'un procès contre un médecin dont la célébrité n'avait pas encore dépassé les milieux professionnels et gagné le grand public. D'ailleurs le Pr Bornholm serait acquitté en tout cas, pas question de sensations.

Me Plattner avait, durant cette dernière semaine avant le procès, parlé tous les jours à Erika. Il lui répétait chaque fois la tactique qu'elle devait observer : elle ne devait pas protester contre Bornholm ; elle devait demeurer réservée, mais ferme. Avant tout, ne pas s'effondrer. C'est là-dessus que Bornholm comptait. Il essaierait de l'anéantir, afin de pouvoir dire : vous le voyez vous-même, elle est malade. Elle ne sait pas ce qu'elle fait.

— Il faudra rester tout à fait calme, recommanda Plattner une dernière fois. Et quand bien même Bornholm essaierait de faire croire toutes les infamies, souriez. Ça le troublera, et le fera sortir de sa réserve : il mettra toutes les cartes sur la table.

» Alors, essayez de sourire. Vous commencerez par dire ce qui est inscrit au procès-verbal : « Je suis innocente ! J'ai fait précédemment une fausse déclaration pour couvrir le Dr Bornholm. » Puis vous décrirez l'événement tel qu'il s'est produit. Rien de plus. Il dira : « Elle ment. » Vous répondrez : « C'est la vérité ! » Alors il essaiera de vous représenter comme une malade à laquelle il ne faut pas croire.

— Et après ? demanda Erika, douloureusement. Que pouvons-nous faire contre cela ?

— Vous faire examiner. Vous faire envoyer dans un hôpital en observation. Lorsqu'on aura prouvé que ces assertions sont fausses, le Tribunal ne croira plus aux autres.

— Vous êtes si sûr de gagner, dit Erika en joignant les mains. Mais dire qu'après la prison, il faudra encore endurer un hôpital psychiatrique. Mon Dieu !

Me Plattner se leva. Il ne s'agissait pas de témoigner de la pitié. Ce dont Erika avait besoin, c'était la vérité !

— Vous oubliez que c'est vous-même qui vous êtes mise dans le pétrin, dit-il durement. Si vous voulez vous en sortir, il faudra, vous aussi, faire votre part. Je ne suis qu'un avocat, après tout, et non un magicien.

Bornholm avait vainement essayé de revoir Erika. Le Dr Rumholtz avait interdit toute visite. Là-dessus Bornholm écrivit une lettre que le directeur de la prison transmit au procureur. Comme elle avait été écrite après la signification de l'inculpation, on pouvait en faire usage à titre de preuve.

Bornholm le savait, mais cela ne le troublait pas. Ce serait un atout dont il pourrait se servir au procès. Peut-être serait-ce mieux même qu'Erika n'apprenne son divorce d'avec Petra qu'au tribunal. Elle s'effondrerait d'autant plus, et plus encore s'il déclarait qu'il l'épouserait au lendemain de sa libération.

Bornholm arriva tout souriant au tribunal à 9 h 45. Ses avocats et le Pr Berrenrath l'attendaient dans le couloir. Bornholm attira le psychiatre à l'écart :

— Vous restez à la séance, cher collègue, dit-il, pressant.

Berrenrath le regarda :

— Je ne puis me prononcer. Il eût fallu pour cela que j'observe soigneusement Mlle Werner pendant un certain temps. Toutefois, lors de notre court entretien, je n'ai pas eu l'impression qu'elle fût malade.

Mécontent, Bornholm planta là son collègue, et se tourna vers ses avocats.

Les témoins étaient assis sur un banc, près de la porte : Bruno Herwarth, la Supérieure et trois religieuses. Le commissaire Flecken, le Dr Rumholtz, la surveillante Katharina Pleüel ; même le prêtre qui avait donné l'extrême-onction à sœur Lutetia avait été convoqué. Il était lié par le secret de la confession, mais le procureur voulait lui poser d'autres questions auxquelles il pourrait répondre.

Bornholm considéra les témoins avec étonnement. Puis il salua la Supérieure comme une vieille amie, fit un signe de tête à Flecken, et ignora Plattner et Rumholtz, comme s'ils n'étaient pas là.

La porte de la salle d'audience s'ouvrit ponctuellement à 10 heures. Les experts, les témoins, la presse et le public entrèrent dans la petite salle et furent conduits à leurs places respectives par l'appariteur.

Lorsque Bornholm entra suivi de ses avocats en ondoyantes robes noires, Erika était déjà assise auprès de la surveillante au banc des témoins. Le Dr Bornholm passa la tête haute devant Erika Werner, sans la regarder. Il ne faisait aucune attention à elle. Erika baissa la tête, ses mains se crispèrent entre ses genoux. Plattner, qui était assis à côté d'elle, se pencha :

— Du calme ! murmura-t-il. Raidissez-vous. Cela fait

partie de sa tactique. Il veut vous faire fléchir. Levez la tête ! Souriez. N'oubliez pas que votre sourire fera plus d'effet que cent paroles.

Erika obéit, releva la tête et sourit.

Bornholm, qui l'observait au même instant, se mordit la lèvre.

La porte centrale s'ouvrit et la Cour entra.

Le procès commença... Le président lut l'acte d'ouverture.

Erika Werner l'écouta à peine. Les articles de loi ne lui avaient jamais rien dit. Elle ne s'intéressait qu'aux humains, c'est pourquoi elle était devenue médecin. Parce qu'elle aimait les humains et voulait leur venir en aide. C'est pourquoi aussi elle avait décidé d'aller en prison — parce qu'elle aimait un homme plus que tout au monde et voulait lui venir en aide... A lui et aux humains que ses recherches hématologiques sauveraient.

Lorsqu'elle dut quitter la salle avec les autres témoins elle tenait la tête baissée. Elle attendait en silence dans une petite pièce, tandis que dans la salle du tribunal on lisait l'acte d'accusation et que l'accusé serait interrogé.

Elle suivit l'appariteur, muette, lorsque le procureur la fit appeler. Rumholtz et Plattner qui attendaient dehors, assis sur un banc, lui firent des signes d'encouragement. Elle s'en aperçut à peine. Ce ne fut que devant le tribunal qu'elle leva la tête et regarda en face le président. Elle fit sa déposition avec précision, comme si elle discutait un cas avec un collègue. Personne ne se serait douté de la terrible tension qu'elle endurait.

Le plus âgé des défenseurs de Bornholm se leva :

— Mademoiselle Werner, commença-t-il du ton bienveillant dont on use avec les malades et les enfants têtus, vous rendez-vous compte que tout ce que vous dites actuellement est en opposition complète avec vos précédentes déclarations ?

Erika regarda le président. Il fit un signe d'acquiescement : elle devait répondre.

— Oui, dit-elle à voix basse.

— Vous avez été condamnée précédemment en raison de votre déclaration, continua l'avocat.

— Oui, certifia-t-elle.

— Vous avez fait cette déclaration en son temps, bien que vous sachiez qu'elle vous conduirait en prison ?

— Oui.

— Vous venez de dire le contraire de ce que vous avez prétendu alors dans des circonstances si aggravantes. Est-ce exact ?

— Oui, répondit Erika en hésitant.

Elle ne comprenait pas où il voulait en venir, mais elle pressentait un danger.

— Si le tribunal admettait votre nouvelle déclaration, poursuivit l'avocat, cela signifierait que vous seriez libérée.

— Je... commença-t-elle.

— Répondez à ma question, je vous prie.

— Oui, je crois.

— Vous avez dit précédemment : « C'est moi qui l'ait commis », bien que cela vous conduisît en prison. Aujourd'hui vous dites : « C'est lui qui l'a commis », parce que vous espérez ainsi vous faire libérer, n'est-ce pas ?

Erika hésitait. Avant qu'elle ait pu répondre, le procureur se leva.

— Je fais objection. La question est tendancieuse. En outre, c'est imputer au témoin une action punissable.

— L'objection est retenue.

Le défenseur s'inclina et se rassit, le visage satisfait. Il avait obtenu ce qu'il cherchait : rendre le témoin suspect. Son collègue se leva :

— Est-il vrai, demanda-t-il à Erika, qu'en prison vous avez eu une prostration nerveuse lorsque vous avez appris que le Dr Bornholm s'était marié ?

Erika fit un signe affirmatif. Ses lèvres s'agitèrent mais on n'entendit aucun son.

— Veuillez parler plus haut, dit le président.

— Oui, finit-elle par articuler.

Sa voix était voilée d'émotion.

— Est-il vrai, continua le défenseur, qu'après cette prostration, vous êtes restée longtemps en danger mortel ?

— Cela est vrai, prononça Erika avec peine.

Les larmes lui venaient aux yeux. Elle se sentait livrée à une force étrangère et malveillante.

— Cette prostration a donc été grave. Vous avez beaucoup souffert d'apprendre que le professeur s'était marié avec une autre femme. Vous ne vouliez pas continuer à vivre ? lâcha-t-il soudain.

Erika ne répondit pas. Elle tremblait si fort que le mouchoir qu'elle tenait tomba à terre.

— Dites la vérité, exigea l'avocat.

— Oui, soupira-t-elle.

— Et c'est dans cet état d'esprit, articula-t-il lentement, afin que le tribunal n'en perdît pas un mot, dans cet état d'esprit, dis-je, que vous avez, vous, la détenue, fait votre nouvelle déclaration, par laquelle vous vouliez écraser un de nos médecins les plus estimés ?

Un instant le silence régna dans la salle. Puis il s'éleva un murmure de voix. Le président réclama en vain le silence. Le coup avait trop bien porté. Bornholm vit son avocat se rasseoir devant lui et cacher son sourire satisfait derrière sa main. « Voilà le moment venu, pensa-t-il, de mon entrée en scène. Le procureur pourra jeter son acte d'accusation au panier. »

Il se leva d'un bond et étendit le bras. Sa voix couvrit la rumeur.

— Attendez !

Tous les visages se tournèrent vers lui. Le silence se fit. Tous le regardaient, attentifs. Ils semblaient ne pas se rendre compte combien il était insolite qu'un accusé intervînt ainsi dans le débat.

— Attendez ! s'écria-t-il une seconde fois, un peu moins fort. (Puis il se tourna vers le président et dit poliment :) J'ai une déclaration importante à faire. Puis-je parler ?

Le président questionna du regard le procureur qui

acquiesça d'un signe de tête. Pas d'objection. Bornholm eut un sourire séduisant, le sourire avec lequel il avait toujours eu des succès. Un sourire chaleureux qui s'adressait à toute la salle.

— Je voudrais dire que tout cela me fait une grande peine, expliqua-t-il, cela me fait peine que vous soyez tous trompés. Cela me peine que le haut tribunal soit saisi d'une affaire qui ne concerne en réalité que deux personnes : Mlle Werner et moi. Avant tout, je suis désolé que Mlle Werner ait tant souffert à cause de moi, à cause de mon mariage...

Il fit une pause du plus grand effet, puis continua :

— Mlle Werner n'a fait la déclaration qui a motivé ce procès, que parce qu'elle m'aimait. Elle m'aime encore aujourd'hui...

Il fit un grand geste vers Erika qui, tremblante et complètement déconcertée, se trouva soudain au centre de l'attention.

Impuissante, elle baissa la tête. Il n'y avait personne dans la salle qui n'eût pris ce geste pour la confirmation des paroles de Bornholm. Personne, hormis le procureur qui suivait la grande entrée en scène avec un dégoût admiratif.

Bornholm toussa ; tous les visages se tournèrent docilement vers lui.

— Je ne puis pardonner à Mlle Werner les désagréments qu'elle m'a causés car... — nouvelle pause pour faire monter la tension —, car je n'ai en réalité rien à lui pardonner. Faut-il lui pardonner de m'aimer ? Faut-il lui pardonner d'être malheureuse de mon mariage avec Petra Rahtenau ? Elle avait raison. Mon mariage a été une erreur. Nous nous sommes séparés, ma femme et moi. Nous allons divorcer. Mlle Werner avait raison. Je n'ai rien à lui pardonner. C'est le haut tribunal qui lui pardonnera que dans un état passager d'irresponsabilité que mon collègue Berrenrath, le célèbre psychiatre, tient pour probable, elle ait créé cette confusion. J'espère vivement qu'il ne s'ensuivra pas pour elle de suites fâcheuses.

252

Il leva la main et fit taire ainsi le murmure des voix agitées.

— J'ai encore quelque chose à dire, dans cette salle habituée à d'autres aveux. J'ai enfin compris qu'il n'existe pour moi qu'une femme. (Il se pencha en avant et jeta sur Erika un regard dominateur.) Erika, lorsque tu seras libérée et que je serai moi-même libre, je te demanderai de devenir ma femme !

Poussant un petit cri, Erika se couvrit le visage de ses deux mains.

Dans le bureau du médecin du tribunal, le Dr Rumholtz et le médecin légiste s'efforçaient de calmer Erika Werner. « Ne me parlez pas ! » furent les seuls mots qu'ils tirèrent d'elle.

— Le salaud ! Il l'a anéantie, soupirait Rumholtz. Si seulement je savais ce qui s'est passé !

Il la saisit aux épaules :

— Erika ! Soyez donc raisonnable. Ressaisissez-vous ! Qu'avez-vous ?

Pour toute réponse, un nouveau flot de larmes. Rumholtz, éperdu, regardait ses épaules tremblantes.

— C'est impossible, dit le médecin du tribunal. Il faut lui faire une piqûre...

L'effet fut rapide. Erika s'apaisa. Ses épaules ne tremblèrent plus. Elle s'allongea en poussant soupir et ferma les yeux.

— Comment va la patiente ? dit une voix sur le seuil.

Rumholtz se retourna lentement :

— Elle dort, dit-il au procureur dont les doigts tambourinaient sur la poignée de la porte.

— Pour combien de temps ? demanda-t-il soudain.

Rumholtz regarda le médecin légiste qui tenait encore la seringue :

— Je ne sais pas la dose que...

— Environ deux heures, je pense, expliqua ce dernier.

Le procureur se mordit les lèvres :

— Messieurs, vous êtes intervenus, comment dirai-je, un peu arbitrairement dans le cours du procès.

Mlle Werner est mon témoin le plus important. Nous allons être obligés d'interrompre les débats.

Rumholtz haussa les épaules :

— Nous ne pouvions malheureusement pas faire autrement. Nous sommes, en qualité de médecins, responsables de la santé du témoin, et non du cours des débats.

— Sans doute, sans doute, dit le procureur, je l'admets. Mais, excusez-moi, il va falloir...

La porte se referma derrière lui et leur coupa la parole. Les médecins se regardèrent en souriant. Mais Rumholtz se rembrunit. Le procureur n'avait pas tort. Comment allait-on poursuivre ?...

— Excusez-moi, dit-il en se dirigeant vers la porte. Je vais m'informer de ce qui s'est passé. Je reviens tout de suite.

La porte se referma et le médecin légiste se tourna de nouveau vers la patiente. Il avait renoncé depuis longtemps à comprendre le comportement des humains.

Dehors, dans le couloir, Rumholtz se fraya un passage parmi les gens qui discutaient jusqu'à ce qu'il eût rejoint Plattner.

Il prit son ami par le bras et l'attira hors de la foule.

— Mais que s'est-il passé, bonté divine ?

— J'allais te le demander, mais vous ne m'avez pas laissé entrer dans la pièce. Comment va Mlle Werner ?

— Elle dort. Nous lui avons fait une piqûre calmante. Un choc, sans doute. Comment est-ce arrivé ? Je croyais que tu l'avais préparée à tout ? demanda Rumholtz.

— D'après ce qu'on m'a dit, Bornholm lui a fait une déclaration d'amour. Il va divorcer, a-t-il dit, et il l'épousera. C'est au procès-verbal. Déposition par-devant le tribunal. Déclaration insolite en tout cas, rapporta Me Plattner. Et Erika ?

— S'est effondrée. J'ignore si c'est de désespoir devant l'infamie de cet homme qu'elle a aimé jadis...

— Oui, si c'est parce qu'elle regrette sa déposition contre lui ?

— Non, je ne puis le croire...

— Tu ne *veux* pas le croire, n'est-ce pas ? Parce que tu l'aimes. Et si c'était vrai, pourtant ? Si elle rétracte sa seconde déclaration et fait tomber tout notre château de cartes si péniblement construit ?

— Crois-tu que ce soit possible ? demanda Rumholtz à mi-voix.

— Tout est possible.

— Alors, dit Rumholtz lentement, un certain Dr Rumholtz serait un idiot. Un imbécile qui se bornera désormais à mettre des éclisses à des bras cassés, ce que le directeur de la prison lui a d'ailleurs recommandé depuis longtemps.

— Et un certain Me Plattner, jeune avocat ambitieux, reprit Plattner, ferait mieux de briguer une situation de fonctionnaire. Au ministère des Finances, peut-être. Il n'aurait plus à s'occuper que de chiffres, et non plus de femmes amoureuses. Peut-être Bornholm viendrait-il me trouver un jour avec sa déclaration de revenus...

— Saloperie ! s'écria Rumholtz si fort que plusieurs personnes se retournèrent. Ce n'est pourtant pas...

Sa phrase ne s'acheva pas. L'appariteur parut au seuil de la salle et annonça :

— La séance reprendra à 14 heures.

Puis il recula d'un pas et referma les deux battants de la haute porte.

Le Pr Rahtenau arpentait fiévreusement son cabinet de travail. Il prit un document sur la table, le feuilleta et le rejeta. Puis il alla à sa bibliothèque et regarda les titres de ses livres comme s'il les voyait pour la première fois... Finalement il alla à son coffre-fort, l'ouvrit, fouilla parmi des papiers et retira la feuille qu'il cherchait : une lettre manuscrite sans adresse, mais datée et signée en toutes lettres : « Helga Herwarth. »

La lettre demeurée des mois dans son coffre-fort, telle une bombe. La lettre qu'il avait essayé d'oublier. Parce qu'il ne voulait pas compromettre le bonheur de sa fille. Parce que lui-même, après une longue et honorable carrière, ne voulait pas être le complice d'un criminel. «Non, se disait Rahtenau, répondant au reproche de sa conscience, non, Bornholm n'est pas un criminel. C'est un salaud qui agit froidement, mais ce n'est pas un assassin. Alors même qu'on pourrait lui imputer un meurtre, il est trop avisé pour amener sa victime à l'hôpital où l'on pouvait tout découvrir. Erika Werner non plus, elle n'aurait pas couvert un assassinat. Pas même par amour. Mais cela me dispense-t-il d'agir? L'amour d'un père pour sa fille unique peut-il tout excuser? Erika Werner est responsable de sa destinée. Elle a trompé la justice, s'est accusée du crime, mais a accepté le châtiment. N'est-elle pas bien plus honnête que moi qui ne me suis accusé d'aucune faute, sinon d'une mauvaise conscience qui se rappelle à moi de temps en temps?»

Le professeur relut encore une fois la lettre de Helga Herwarth, telle qu'il l'avait lue naguère. Mais cette fois-ci les phrases ne lui semblaient plus obscures. Cette fois chaque mot de la lettre se transformait en une accusation contre Bornholm et contre lui-même, contre le célèbre Pr Rahtenau qui, sachant tout, n'avait cependant pas parlé avant qu'il fût trop tard...

Trop tard? Le vieil homme regarda la pendule. Le procès contre Bornholm était commencé depuis trois heures. Peut-être n'était-il pas trop tard? Peut-être sa déposition pourrait-elle arriver encore à temps, pour tout éclaircir et tout décider? Comme s'il y était forcé, il prit le récepteur et se fit donner le Palais de Justice.

Rumholtz et Plattner se penchaient sur Erika Werner qui dormait encore.

— Est-elle O.K.? demanda le jeune avocat, inquiet.

Rumholtz lissa la couverture:

— Un sot peut poser plus de questions que dix sages ne sauraient en résoudre. Attends s'il te plaît qu'elle soit réveillée, je ne suis pas sorcier.

— Excuse ma question idiote, je comprends que tu te tourmentes au sujet de ton Erika. Mais comprends, toi aussi, ce que j'éprouve. Tu sais combien je me suis avancé dans votre affaire. Si Bornholm est acquitté, il va probablement me poursuivre... Tu sais ce que cela représente.

— Je sais, tu pourras toujours chercher un emploi à la perception.

— Erreur. Depuis quand prennent-ils des gens qui ont eu une condamnation ?

— Arrête, parce que je n'en peux plus. Assez de ce pessimisme. Pourquoi diable penses-tu que Bornholm pourrait être acquitté ? Il y a d'autres témoins qu'Erika ! Nous deux, Herwarth, le commissaire, la Supérieure, le prêtre. Est-ce que cela ne compte pas ?

— Si, mais nous tous nous ne valons pas autant comme témoins que ton Erika. Si elle rétracte sa deuxième déclaration et confirme la première, peut-être ne nous interrogera-t-on même pas. D'ailleurs, ça ne servira pas à grand-chose : la déposition d'une mourante ; une théorie de l'architecte Herwarth dont la moitié de la ville pense que, depuis la mort de sa fille, il a un peu perdu la tête ; la déposition du commissaire qui ne connaît que la bande que tu as enregistrée... et que le tribunal ne peut même pas admettre à titre de preuve. Qu'est-ce que tout cela vaut ?

— Et nous deux ?

— Tu es son médecin, et tu as suffisamment laissé voir à Bornholm que tu es amoureux d'elle. Il ne manquera pas d'en faire état, si tu témoignes contre lui.

— Pourquoi ne me l'as-tu pas dit plus tôt !

— Peter ! (La voix de Plattner se fit soudain dure et pénétrante :) Ne commençons pas à nous adresser des reproches. Tu m'as persuadé de prendre le cas Werner et je me suis volontiers laissé persuader. Bon. Là-dessus nous sommes quittes. J'ai rassemblé des matérieux pour la révision du procès. Nous ne pouvions pas nous douter l'un et l'autre, qu'au lieu de procéder à une révision, le procureur allait inculper Bornholm. Mais nous n'en avons pas été fâchés, l'un et l'autre. Rappelle-toi. Est-ce exact ?

— Oui, mais...

— Pas de « mais ». Nous n'avons pas tenu compte de deux choses : la faiblesse d'Erika — c'est ta faute, tu devrais mieux la connaître —, et l'habileté diabolique de Bornholm. Ça, c'est mon erreur. S'il y avait révision, j'aurais été le défenseur d'Erika Werner. Bornholm n'aurait pas pu jouer sa grande scène devant moi. J'aurais trouvé moyen de l'interrompre et de protéger Erika. Mais aujourd'hui, dans ce procès contre Bornholm, elle est citée à titre de témoin. Un témoin de l'accusation n'a pas son défenseur auprès de lui. L'accusé et ses défenseurs, au contraire, sont ses ennemis. Le seul qui puisse l'assister est le procureur, et seulement dans le cadre du Code d'instruction criminelle. Compris ?

— A peu près.

— Bon, Bornholm et ses défenseurs — d'après ce que j'ai appris —, ont brillamment exploité leur chance. Leur succès, dit Plattner en montrant la dormeuse, le voilà !

Rumholtz écoutait la respiration régulière d'Erika.

— Et alors ? demanda-t-il enfin.

— Tu l'as dit : il faut attendre qu'elle soit réveillée. Après toutes les surprises qu'elle nous a réservées, je n'ose pas faire de prédiction.

Rumholtz lui jeta un regard suppliant :

— Il doit pourtant y avoir un moyen. Nous ne pouvons pas laisser aller les choses. Elle est innocente. As-tu au moins confiance en elle, Hermann ?

— Naturellement. Je suis convaincu qu'Erika Werner est innocente. Mais presque autant convaincu que, si nous la laissons de nouveau attaquer dans la salle du tribunal, elle s'effondrera pour la seconde fois.

— Et tu ne vois pas d'autre moyen ? demanda Rumholtz désespéré.

— Il y a *toujours* des moyens, dit Plattner avec un accès de son ancienne vivacité. Il faut seulement les trouver. Réfléchissons tous les deux. (La voix de Plattner se fit plus ferme :) Premièrement, il ne faut pas compter sur Erika Werner ; deuxièmement, les autres témoins ne suffisent pas. Qu'en conclure ?

— Premièrement, que nous n'avons pas d'espoir ; deuxièmement, que nous avons tout de même de l'espoir.

Plattner le regarda, ahuri :

— Comment ?

— Parce que je te connais, et qu'à ta manière de parler, je m'aperçois que ton cerveau a recommencé à fonctionner.

— Bon, dit Plattner, je ne vais pas te torturer plus longtemps. Mais ne fonde pas trop espoir là-dessus. Je viens de penser qu'il y a encore quelqu'un qui sait quelque chose sur Bornholm. Un homme qui m'a fait comprendre indirectement qu'il croit lui-même à la culpabilité de Bornholm. Je suppose même qu'il a en main des preuves concrètes. Un homme respecté. Je lui ai dit en pleine figure que je tenais Bornholm pour le coupable. Il m'a répondu : « Vous me demandez de sacrifier le bonheur de ma fille. » C'est tout. Il n'a rien nié et il ne m'a pas mis à la porte.

— Le Pr Rahtenau, dit lentement Rumholtz.

— Lui-même. C'est l'homme qui pourrait nous venir en aide.

— Mais il ne le veut pas, tu viens de le dire.

— J'ai dit qu'il ne le voulait pas à ce moment-là. Aujourd'hui c'est différent. Bornholm demande le divorce. Le bonheur de la fille de Rahtenau — si jamais ce fut un bonheur — est donc détruit. Il n'aura plus besoin de le ménager.

— Et sa réputation ? Il sera liquidé s'il avoue aujourd'hui qu'il savait depuis tout ce temps que Bornholm est un criminel.

— Tu as mauvaise opinion de ton illustre collègue, n'est-ce pas ? Le connais-tu ?

— De nom seulement. Je ne l'ai jamais vu.

— Mais moi, je le connais. J'ai parlé avec lui. A mon avis, c'est un magnifique vieillard, qui sa vie durant a été honnête et conscient de ses responsabilités ; et auquel, cette fois seulement, son amour pour sa fille a joué un mauvais tour.

Rumholtz sursauta :

— Pourquoi ne lui téléphones-tu pas ?

— Je l'aurais fait depuis cinq minutes, si tu ne me retenais pas par tes questions idiotes, dit Plattner qui sortit.

Le Pr Bornholm était assis avec ses avocats dans le meilleur restaurant de la ville.

— Savez-vous, professeur, dit le plus âgé des deux défenseurs en ouvrant avec précaution une truite, que vous m'avez fait peur, tantôt ? Nous avions ébranlé la confiance en Mlle Werner, et tout à coup vous intervenez et envoyez tout promener ! sans doute, le succès vous a donné raison ; mais c'était tout de même... — il toussota — un procédé que je qualifierais d'assez extraordinaire...

— Qui m'a valu le succès, comme vous le dites très justement.

— Sans doute, mais nous sommes cependant vos avocats. Je ne veux pas vous faire de remontrances, professeur, mais ça ne se fait pas. Vous nous avez lâchés, mon collègue et moi. Nous avions conduit votre défense correctement et, à mon avis, avec succès. Je regrette, mais je fais toutes réserves si vous assumez vous-même votre défense, de si curieuse manière...

Bornholm sourit, triomphant :

— Vous ne parlez pas sérieusement ? Au moment même où nous avons réalisé d'aussi considérables progrès, vous avez ces hésitations ? Je vous en prie, maître, faites appel à votre raison. Nous tenons la victoire ! D'ici quelques semaines personne ne dira plus comment nous l'avons gagnée. Ce sera vous qui serez en vedette, vous serez les victorieux défenseurs du Pr Bornholm injustement inculpé... et vous aurez en poche de confortables honoraires.

Le plus âgé des avocats se dressa, fort raide. Mais

avant qu'il ait pu dire un mot, son confrère posa d'un geste brusque sa fourchette sur la table :

— Garçon ! L'addition ! dit-il à haute voix.

Bornholm le regarda, stupéfait.

— Qu'est-ce qui vous prend tout à coup ? railla-t-il.

L'avocat se pencha en avant :

— Je vous le dirai volontiers, professeur, et suis certain d'être d'accord avec mon confrère, que seule la politesse empêche de formuler plus clairement sa pensée. J'ai entendu ce que vous avez dit tantôt au Pr Berrenrath : vous lui demandiez de faire une fausse déclaration alors qu'il est expert juré.

— Ce n'est pas vrai !

— C'est bel et bien vrai, rétorqua froidement l'avocat. Vous vous êtes exprimé en d'autres termes, mais le but final était celui-là. J'ai d'ailleurs entendu votre déposition et suis arrivé à la conclusion suivante : qu'un homme qui agit de cette manière n'est pas innocent !

Les yeux de Bornholm étincelèrent, son menton anguleux s'avança, donnant à son visage l'expression brutale masquée d'ordinaire par son sourire chaleureux.

— Que voulez-vous dire ? demanda-t-il d'un ton acerbe.

— C'est vous-même qui possédez la réponse à cette question, répliqua l'avocat, impassible.

Il sortit un billet de son portefeuille et le tendit au garçon.

— Je ne suis pas un juge. En tant qu'avocat, j'ai défendu des innocents comme des coupables. Il n'y a qu'une sorte de gens que je ne défends pas ; ceux qui rendent leurs propres défenseurs ridicules.

Il se leva tranquillement et son confrère suivit son exemple :

— Nous renonçons à assurer votre défense, au revoir !

Bornholm ne répondit pas à leur bref salut. Il regardait fixement la nappe. Ce ne fut que lorsque le garçon eut dit pour la troisième fois : « Monsieur le professeur », qu'il leva les yeux. Le Pr Rahtenau se tenait debout devant lui.

261

— Tu permets que je m'asseye, dit-il avec dignité.

— Naturellement.

Tout troublé, Bornholm allait se lever, mais le garçon avait déjà tiré la chaise et le vieil homme s'était assis.

— J'ai appelé le Palais de Justice et me suis informé de la séance du procès, commença-t-il aussitôt. J'ai appris que ton... éloquence avait remporté cette fois encore une victoire...

Bornholm l'écoutait, le visage figé. Seuls ses yeux brillaient d'un éclat fiévreux. Le fait que ses avocats, qu'il considérait comme des serviteurs d'un échelon supérieur, aient renoncé à le défendre, avait porté un coup dur à son assurance. Sans parler de l'effet que cette décision produirait sur le tribunal. Il lui aurait fallu du temps pour digérer cette nouvelle ; pour inventer quelque chose, voir comment il pourrait reprocher aux avocats leur vanité blessée, les dénigrer, et redevenir le héros injustement accusé. Mais il n'en avait pas. Rahtenau était assis en face de lui. Nouveau danger. Plus grave que tous les autres peut-être... Pourquoi le vieux ne pouvait-il la boucler ?

— En outre, j'ai parlé avec Me Plattner, continuait Rahtenau. Il m'a décrit d'une manière très pressante les conséquences morales et humaines que tes actes ont eues jusqu'ici, et auront encore à l'avenir.

— Ce diffamateur ! je vais...

Rahtenau ne le laissa pas poursuivre :

— Plattner m'a dit la vérité.

— Il a menti ! cria Bornholm.

Ses lèvres tremblaient, des taches rouges montaient à son visage.

— Domine-toi ! commanda Rahtenau. Tu n'es pas dans ton hôpital, et je ne suis pas un interne que tu peux injurier.

— Mais, je...

— A moins, l'interrompit Rahtenau, tendu, à moins que tu tiennes à ce qu'on entende notre conversation. Ces messieurs, assis là-bas près de la fenêtre, nous écoutent déjà avec beaucoup d'intérêt.

262

Bornholm s'adossa à son siège. Il ouvrait et refermait les paumes dans une rage impuissante.

— Si tu crois me pousser dans une impasse, grinça-t-il, tu te trompes... J'ai d'autres moyens...

Sa voix se perdit dans un murmure indistinct.

— Personne n'a à te pousser dans une impasse, dit le vieux professeur. Tu t'y es mis toi-même. Par tes actes dont tu es seul responsable. Je sais... (Il leva la main, écartant une protestation :) Jusqu'il y a quelques instants, tu croyais que tout allait bien. Tu pensais que le procès était déjà gagné. Te voilà surpris et ébranlé ! Mais je t'en prie, ne joue pas la scène de l'innocent meurtri, car je sais que tu es le seul coupable...

— 1 heure moins 5, dit Plattner, regardant son bracelet-montre. Je commence lentement à m'énerver.

Le Dr Rumholtz détourna son regard d'Erika, qui dormait toujours.

— Il n'y a qu'un instant, tu étais sûr que tout allait bien. Et te voilà de nouveau tout agité.

— Excuse-moi, Peter. C'est tout de même mon premier procès. Si seulement je savais ce que Rahtenau est en train de dire à Bornholm.

— Je croyais que tu avais confiance en lui ?

— Certainement. Mais il a été si peu explicite. « Ne vous faites pas de souci, a-t-il dit, je mènerai l'affaire à bonne fin. »

— Assez mystérieux, tu ne trouves pas ?

— Précisément, soupira Plattner. Par ailleurs, il semblait tout changé. Tout décidé, comme quelqu'un qui sait ce qu'il a à faire, et que cela soulage bougrement.

— N'est-ce pas bon signe ? Il vaut mieux qu'il soit énergique, sûr de lui...

— Possible que tu aies raison.

Erika respira profondément et se détendit dans son sommeil.

— Va-t-elle bientôt se réveiller ? demanda l'avocat. Sinon, nous la réveillerons. Il faut que nous lui parlions. Je... Qu'est-ce que tu as ? Parle.

— Inutile de nous faire des illusions, Hermann. Dans la meilleure hypothèse, elle sera très troublée, et dans l'autre cas, dit Rumholtz à voix basse et désespérée, elle rétractera sa déclaration parce qu'elle est à jamais éprise de ce salaud.

Derrière lui, le lit craqua.

— Ne dites donc pas tant de bêtises, dit une voix faible.

— N'écarquille pas les yeux et ferme la bouche, dit le Pr Rahtenau posément. Tu donnes un spectacle aux serveurs dont ils se souviendront pendant des années. Quel homme es-tu ? Tu conquiers tous les cœurs et tu fascines nos collègues en leur proposant une théorie dont l'application pratique n'est pas encore prouvée, mais qui a, en tout cas, une valeur scientifique ; entretemps tu commets un crime et trouves tout naturel que le monde entier te préserve du châtiment mérité. Et maintenant que, par ta propre faute, tu es en danger, tu te conduis comme le méchant d'un film muet. Tâche du moins d'être un homme ! Ne peux-tu avoir l'envergure d'un salaud, sinon d'un homme ?

Bornholm serra les dents. Les veines de ses tempes saillirent, tant il se contraignait.

— Tu as raison, dit-il d'une voix enrouée. Sur ce point, tu as raison : je me maîtriserai. Mais sur l'autre point, tu es injuste. Je ne suis pas un assassin, je n'ai pas tué Helga Herwarth. Erika Werner n'est pas une innocente sous les verrous. C'est *elle* qui a Helga sur la conscience. Crois-tu que je sois aussi maladroit ? Dans une intervention aussi facile ? C'est ridicule ! Je ne suis pas un bousilleur !

Rahtenau secoua la tête :

— Je ne vais pas entrer dans des discussions techniques avec toi ; ni souligner que la froideur dont tu témoignes en parlant de la morte montre bien quelle est ta nature. Pour moi, il s'agit d'autre chose, et je te prie — tu entends, moi le vieux Rahtenau —, je te prie de m'écouter...

264

Bornholm eut un sourire ironique. Il avait repris espoir. « Si le vieux me prie, tant mieux ! C'est qu'il n'a pas de preuves. Je n'ai jamais « prié » personne. J'ai toujours pris ce que je voulais... Cette fois encore, je réussirai... » Son sourire séduisant reparut un instant sur son visage.

— Bien, dit-il, je te promets d'écouter tranquillement ce que tu as à me dire. Mais fais vite, il faut que je parte dans une demi-heure. L'audience reprend à 2 heures.

— Il ne me faudra pas si longtemps...

Le visage de Rahtenau était grave, pas inamical, plutôt triste. C'était le visage d'un homme qui ne laissera plus troubler par rien ni personne la claire résolution à laquelle il est parvenu. Mais Bornholm ne s'en apercevait pas. Lui, le manœuvrier par excellence, ne s'en rendait pas compte. Ennuyé, il alluma une cigarette :

— Tant mieux ! Alors vas-y ! intima-t-il avec une légèreté factice.

— Une question d'abord : Tu crois avoir gagné ton procès, n'est-ce pas ?

— La justice triomphera, répondit Bronholm, avec un sourire cynique.

— Elle triomphera en effet, confirma Rahtenau. Mais autrement que tu ne l'imagines. Tu ne connais pas les preuves relevées contre toi.

— Les... (Bornholm voulut protester, mais se retint :) Continue, je te prie.

— Tu crois, poursuivit Rahtenau que ces preuves se bornent au plan de l'architecte Herwarth — que je connais depuis longtemps et juge exact —, aux assertions de Plattner et Rumholtz, et à la déclaration d'Erika Werner, que, à ton avis, tu as mise hors du circuit. Tu vois que je suis bien renseigné...

Bornholm acquiesça, railleur.

— Ce que tu ignores, continua Rahtenau, c'est que le procureur détient des preuves bien meilleures : une bande enregistrée du dernier entretien que tu as eu avec Erika Werner. Cette bande n'est pas une preuve valable en justice, mais tu conviendras que ce n'est pas la même chose d'avoir affaire à quelqu'un qui tient en main ton aveu, ou à un ministère public qui n'est pas sûr de ta culpabilité.

Bornholm regarda sa montre :

— Si c'est tout...

— Ce n'est pas tout : il y a un témoin qui t'a vu lorsque tu amenais Helga Herwarth à l'hôpital.

Bornholm le regarda, interdit. Il lui fallut plusieurs secondes pour comprendre la portée de cette phrase.

— Mais ce n'est pas possible, balbutia-t-il.

— Si. Une religieuse. J'ai oublié son nom, mais on a sa déclaration signée devant témoins.

La cigarette s'éteignit lentement dans la main de Bornholm sans qu'il en sentît la brûlure. Ses pensées tournaient dans un cercle infernal, sans but, sans issue. Pour la première fois, il était éperdu. Il ne pensa pas un instant qu'on pourrait contester ce témoignage. Il lui semblait qu'il l'avait pressenti depuis longtemps ; que cela devait arriver. Toute l'anxiété qu'il avait si long-temps refoulée, rejaillit et se concentra sur ce fait. « C'est le point faible de ma défense. Voilà ce que je craignais tout le temps. Une religieuse ! Personne ne mettra sa déclaration en doute. Pourquoi cela devait-il arriver ? Pourquoi tout ce que j'avais si adroitement édifié va-t-il s'écrouler ? Pourquoi... ? »

— Ce n'est pas tout, entendit-il Rahtenau poursuivre.

Il se contraignit à l'écouter, ses paroles lui parvenaient comme à travers un rideau...

— Si tu ne sais pas ce qui te reste à faire, je serai, moi aussi, obligé de déposer. En qualité de nouveau témoin, qui se présente spontanément.

La voix de Rahtenau ne faiblit pas. Sa résolution était prise. Ce qu'il exprimait était décidé depuis longtemps.

— Je remettrai cette lettre au juge, dit-il, en sortant un papier de sa poche. Non, ne tends pas la main, je ne te la donnerai pas. Mais je vais te la lire. Helga Her-warth l'a écrite peu de jours avant sa mort :

« Alf est le père de mon enfant, et le voilà qui

m'abandonne. Il y a des semaines que je ne sais rien de lui. Il prétexte toujours son travail, ses conférences, ses recherches. Je suis désespérée. J'ai même entendu dire dernièrement qu'il allait se marier avec la fille de son patron. Si c'est vrai, il y aura un scandale. Tout de même, je ne suis pas une p... Je croyais qu'Alf m'aimait réellement, sinon rien de tout cela ne serait arrivé. »

Bornholm n'éprouvait plus de frayeur : il était comme paralysé. Le choc était trop fort, et le rendait incapable d'avoir peur.

— Je déposerai au tribunal cette lettre dont l'authenticité ne peut être contestée... *si c'est nécessaire,* conclut Rahtenau en accentuant ces derniers mots.

Bornholm n'éprouvait toujours rien. Il s'étonnait lui-même de se sentir comme allégé. Il ne s'apercevait pas que ce soulagement lui venait soudain de n'être plus contraint de mentir, mentir à chaque mot, et à chaque mensonge de préparer le suivant. Il sentait en lui un vide infini. Il eût voulu fermer les yeux et ne plus jamais les rouvrir. Pour la première fois depuis son enfance, il souhaitait de pouvoir pleurer...

Le silence se prolongeait, énervant pour Bornholm. La tentation devenait de plus en plus forte : « Avoue ! pensait-il, dis-lui tout ! Tu en seras débarrassé. Tu auras la paix. Enfin la paix... »

Il regarda Rahtenau, les yeux voilés :

— C'est tout ce que tu voulais me dire ? demanda-t-il d'une voix atone.

— Oui. C'est tout ce qu'il *fallait* que je te dise.

Bornholm se leva avec la raideur d'un robot. Le mouvement sembla lui rendre vie. Son regard s'éclaircit.

— Oui, cela vaut mieux dit-il, s'étonnant de parler si posément. Tu as raison. Je te remercie de me l'avoir dit. C'eût été terrible à l'audience...

Il fit demi-tour sans un salut, et se dirigea, à pas lents d'abord, puis de plus en plus rapides vers la sortie.

On frappa. Un appariteur passa la tête par la porte entrebâillée :

— Je suis chargé de demander si le témoin... Mais où est donc notre médecin ? dit-il en regardant autour de lui.

— Le médecin légiste n'est pas ici, l'avertit Rumholtz, mais je suis, moi, médecin de Mlle Werner...

Il regarda Erika, elle acquiesça d'un signe de tête.

— Le témoin est en état de continuer sa déposition, conclut-il.

— Merci. Je voulais seulement vous aviser que la séance reprendra dans cinq minutes. La collègue, là dans le couloir, attend depuis un bon moment pour conduire le témoin dans la salle. Elle est sur des charbons ardents, murmura-t-il en clignant des yeux.

— Alors allons-y ! dit Plattner lorsque la porte se fut refermée. (Les deux autres ne bougeaient pas.) Qu'est-ce qui vous prend ? demanda-t-il surpris. (Pas de réponse.) Hé ! vous autres ! on continue...

Rumholtz alla vers Erika, l'entoura de son bras :

— Courage, dit-il, quelques minutes encore, et l'épreuve sera terminée.

Ils sortirent, l'air grave. Plattner trottait derrière eux. Dans le couloir, la surveillante se joignit à eux et ils gagnèrent en silence la salle du tribunal.

Mais la séance n'eut pas lieu. Après leur explication avec leur client, les deux avocats avaient, d'un commun accord, renoncé à représenter le Pr Bornholm, ce qui causa une petite sensation. Le tribunal s'ajourna jusqu'à ce que Bornholm ait désigné un nouvel avocat ; au plus tard d'ici deux jours.

— C'est le quart d'heure de grâce, dit Me Plattner à Erika et Rumholtz. Il est enfermé dans un cercle infernal et il n'en sortira plus. Il est peut-être, à l'heure actuelle, l'homme le plus seul au monde.

Le Pr Bornholm se tenait debout devant sa voiture. Personne, à le voir, n'aurait pu se douter que la décision était prise en lui-même et en ce qui le concernait. A la veille de la fin, il avait une attitude digne d'un meilleur sort. Il n'était pas anxieux, ni apitoyé. Son visage même n'était pas altéré. Il avait toujours l'air de l'homme vainqueur.

Il monta dans la voiture et partit à vive allure, levant derrière lui un nuage de poussière. Il fonça, sans s'arrêter, vers la montagne, cahoté sur le chemin raboteux qui menait à son chalet. Il traversa les murs de brouillard et les nuages bas qui enveloppaient les monts, puis s'assit à sa fenêtre, contemplant cette masse blanche mouvante qui le séparait de la terre. Il lui semblait être libéré de tout souci.

Lorsque la nuit descendit dans les ravins, le Pr Bornholm dressa le bilan de son existence. Elle avait été remplie de grands projets et de magnifiques réalisations, d'honneurs et de succès, un essor jusqu'à la célébrité. Il y avait eu aussi un égoïsme sans bornes, un absence de scrupules, et une passion d'arriver qui frôlaient la folie. Ce vaste édifice de son existence s'effondrait. La possibilité de retourner à la vie par une porte de derrière était murée. Non par la déposition de sœur Lutetïa ; on aurait pu la contester. Mais la lettre que possédait le Pr Rahtenau était un argument irréfutabe.

Bornholm regarda une fois encore la vaste pièce de son chalet, le lit, les toisons de moutons blanches étalées sur le sol, les sièges d'osier suspendus, le coin de la cuisine, les nombreux petits souvenirs des heures heureuses passées là... Puis il ferma soigneusement la porte à clef, suivit le raidillon jusqu'à l'emplacement du parking et redescendit lentement la route étroite jusqu'au village, de retour dans la vie.

Il regagna son hôpital tard dans la nuit. Le portier de nuit se précipita hors de sa loge vitrée lorsqu'il vit s'arrêter la voiture du Patron. Dans son établissement, il n'avait plus eu le temps d'alerter les services de garde. L'équipe médicale s'était couchée et dormait. Même les religieuses de la salle d'observation, où reposaient les récents opérés, s'étaient allongées. Il était 3 heures du matin, le point mort de toutes les veilles.

— Monsieur, monsieur, bredouilla le portier : il y a quelque chose ?... Faut-il que... ?

— Laissez tout le monde tranquille. (Bornholm tapa sur l'épaule du bonhomme affolé :) Je sais que tout pionce dans la maison. J'ai fait de même autrefois ! Mais qu'on ait besoin d'eux, et ils seront tous là !

Il entra dans le hall de l'hôpital et jeta un regard vers la grande image de la Vierge qui, dans la lueur vacillante des lampes, se reflétait dans le mur opposé, tel un fantôme...

Il se retourna :

— Qu'on ne me dérange pas, j'ai à travailler.

— Bien entendu, monsieur.

— Quoi qu'il puisse arriver, ce sera le service de garde qui s'en occupera. Je ne suis pas là.

— J'ai compris. Monsieur n'est pas dans la maison.

— Exactement.

Bornholm tira de sa poche un paquet de cigarettes et le mit dans la main du portier.

Avant que ce dernier ait pu le remercier, Bornholm était déjà dans l'ascenseur et montait au premier étage aux salles d'opérations.

Le portier courut à sa cabine vitrée. La vieille règle qui consiste à alerter les services dès que le Patron est dans l'hôpital devait être observée, même à cette heure-là. Il pressa sur tous les boutons du service de nuit et annonça aux voix ensommeillées qui lui répondaient :

— Le chirurgien-chef vient d'arriver.

— Vous êtes soûl ? protesta le troisième chef de service. Vous devriez être plus sobre, Schmidt. Le Patron, à 3 heures du matin !

— Il vient de monter. Il m'a donné un paquet de cigarettes.

— Vous n'avez pas rêvé ?

— Non, voyons. Mettez-vous à la fenêtre, vous verrez sa voiture devant la porte.

— Bon Dieu ! (Le médecin bâilla :) Quand les patrons s'ennuient... Merci, Schmidt.

L'hôpital s'éveilla. Discrètement, silencieusement,

sans se faire remarquer. Dans les salles d'observation, les religieuses lisaient ; dans la salle de garde, les médecins jouaient aux cartes ; à la tisanerie, l'eau bouillait pour le café. Quand le Patron passerait, tout serait paré.

Mais le Pr Bornholm ne vint pas.

Il était entré par la porte en verre dépoli, dans le bloc opératoire. Le couloir aux parois de faïence n'était faiblement éclairé que par quelques lampes de secours. Toutes les portes ouvertes. Salle de pré-narcose et salle aseptique ; salle de pansements ; salle des plâtres ; pharmacie de la salle d'opération, les lavabos ; le bureau des médecins et les casiers de radios ; le bureau des religieuses.

Bornholm passait d'un pas nerveux de pièce en pièce, allumant partout la lumière. Un des médecins, qui de sa place voyait le bloc opératoire, jeta ses cartes sur la table.

— Le vieux est dans la salle d'opération et fait une illumination. Qu'est-ce qu'il y a ?

Le chef de service haussa les épaules :

— Il veut peut-être s'assurer que les ampoules sont en état. Peut-on savoir ce que ces hommes supérieurs inventent à 3 heures du matin ? (Il posa ses cartes :) Atout, je gagne.

Le Pr Bornholm avait parcouru par trois fois le bloc opératoire. Il avait de la peine à se représenter que ce monde où il avait vécu n'existerait plus pour lui au petit matin. Sa fin serait parfaite. Défait de la chaire de professeur, du poste de médecin-chef, du titre de médecin, il ne serait plus qu'un être anonyme, lequel quitterait la salle du tribunal le lendemain...

Bornholm laissa les lumières allumées, descendit dans l'ascenseur et cria au portier :

— Je vais revenir tout de suite.

Puis il traversa la ville endormie jusqu'au Palais de Justice et jeta une lettre dans la grande boîte aux lettres : un aveu, qu'il avait rédigé là-haut dans son chalet, regardant les nuages étendus au-dessous de lui, seul avec lui-même.

Une demi-heure plus tard, il était de retour à son hôpital. Le portier alerta tous les services :

— Le vieux est revenu. Il est de nouveau à la salle d'opération.

— Ecœurant ! dit le troisième chef de service. On ne fermera plus l'œil cette nuit ! Et c'était justement si calme...

Bornholm avait fermé les portes des différentes salles d'opérations. Dans la salle aseptique, il avait déployé la table d'opération, mis son veston sur le tabouret. Vêtu de sa blouse de chirurgien et en souliers de toile blanche, tel qu'il se tenait depuis des années auprès des corps gisant sur la table, il alla à l'armoire à pharmacie, en tira un grand flacon d'éther pour anesthésies, poussa dans la salle un appareil à goutte-à-goutte et remplit soigneusement d'éther le récipient de verre dont il boucha l'entrée avec d'épaisses compresses de gaze. Il approcha l'appareil de la table d'opération où il s'étendit et appliqua un masque d'anesthésie sur son nez. Il plaça exactement le robinet sur le masque, s'assura que le goutte-à-goutte fonctionnait régulièrement, le déplaça encore un peu, puis rouvrit le robinet.

Etendu de tout son long, tout paisible, les yeux clos, il demeura sur la table d'opération, attendant de glisser dans l'au-delà.

Il ne pensait à rien dans ces dernières minutes qui lui restaient encore, à rien du tout... Ni à Erika Werner, ni à Helga Herwarth, ni à Petra Rahtenau, ni à son procès, ni à ses recherches, il n'avait pas d'autre pensée que de s'observer soi-même.

Le masque d'anesthésie sur son nez commença à être humide. Bornholm sentait maintenant les gouttes d'éther tomber régulièrement, ce léger toup, toup, toup, par où la mort, sous la forme la plus exquise, venait à lui. Un glissement bienheureux, indolore, au néant. Bornholm retint sa respiration. Il sentait le monde alentour devenir léger, flottant, inexistant. « La vie était belle, pensa-t-il soudain, tonnerre, qu'elle était belle ! »

Puis il fit une profonde aspiration...

Il était environ 4 heures du matin lorsque le signal d'alarme retentit. On amenait les blessés d'un terrible accident d'auto. Collision sur l'autoroute.

Un mort, trois blessés graves. L'appel venait de l'autoroute, les ambulances arriveraient dans dix minutes.

— Préparez tout pour opérer, dit le troisième chef de service. Quand les blessés arriveront, nous nous en occuperons aussitôt. Je vais trouver le Patron. Peut-être même opérera-t-il, lui aussi? Ma foi, je suis presque content qu'il soit là, je n'aime guère la chirurgie d'urgence.

Il monta à l'étage supérieur, cependant que l'assistant téléphonait, alertant les religieuses préposées à la salle d'opération.

Cinq minutes plus tard, le signal d'alarme strident résonnait dans tout l'hôpital.

Alerte générale. Tous les médecins accoururent au bloc opératoire. Soudain toutes les religieuses parurent, dix, quinze visages, lourds de sommeil. Sur le seuil de la salle d'opération aseptique, se tenait le troisième chef de service, blême! Il s'écarta, pour laisser voir dans la salle.

Le Pr Bornholm gisait sur la table d'opération; près de lui, brisé en morceaux, le flacon du goutte-à-goutte dans son support de métal. Le médecin de service l'avait renversé lorsque, dans l'air saturé d'éther, il avait couru à la fenêtre et fait remonter la lourde vitre. Le vent soufflait maintenant à travers la salle balayant les mèches argentées de Bornholm.

— L'appareil d'oxygénation! commanda l'assistant.

— Trop tard! (Le chef de service baissa la tête :) Il y a déjà une demi-heure qu'il...

Sa voix se brisa, il se détourna, et entra dans la salle d'opération.

La deuxième journée d'audience n'eut pas lieu. Le tribunal avait reçu la lettre où Bornholm faisait son aveu et déclarait son intention de mettre fin à ses jours.

Lorsque le président, épouvanté, appela le procureur, la nouvelle était déjà connue. Dès 4 heures du matin la police était accourue, avertie par le médecin-chef. Le corps avait été saisi. L'examen, pratiqué à la police judiciaire, conclut au suicide prémédité, par l'éther.

Le commissaire Flecken, de grand matin, tira Rumholtz et Plattner du lit. Il le fit en dehors du service, car il n'y avait plus de nécessité.

— Il est... mort ? dit Plattner en se frottant les yeux. Il s'est effondré...

Le Dr Rumholtz ne dit rien. Il pensa aussitôt à Erika Werner. Il ne fallait pas le lui dire, pas tout de suite. Il fallait d'abord l'y préparer. Il savait qu'elle se sentirait en partie responsable de cette mort. Ce serait un nouveau choc, que Rumholtz voulait lui épargner à tout prix. Il pensait au précédent retour d'Erika à la maison d'arrêt. « Soyez la bienvenue ! » s'était écriée la Pleüel qui pâlit en apprenant qu'Erika Werner n'était pas encore acquittée, que le procès se poursuivrait, au contraire.

— M...! cria la Pleüel dans la grande salle de réunion. Témoignez donc de l'amitié ! On va se moquer de moi. Je suis ridicule. Qui diable a eu cette idée idiote de suspendre des guirlandes ? Qui a dit qu'elle reviendrait libérée ? Qui m'a soufflé cette idée ?

Comme personne n'en prenait la responsabilité, la Pleüel eut une réaction typique : elle désigna deux détenues, se rendit avec elles à l'infirmerie et fit arracher les guirlandes suspendues. Puis elle entra dans la chambre d'Erika, retira, sans dire un mot, le grand bouquet qui ornait un vase, et le jeta par la fenêtre, dans la cour.

Rumholtz la rencontra tandis qu'elle s'en allait.

— Vous êtes folle ! lui cria-t-il.

— Non, ce n'est pas *moi* qui le suis, répondit la Pleüel avec raideur.

Elle écarta le médecin d'un geste brusque, et retourna fièrement à sa division.

Rumholtz pensait à l'amertume de la situation : Erika serait libérée, mais à quel prix cette liberté et cette réhabilitation étaient-elles acquises ! Ce n'était qu'une

274

demi-victoire. Une amère victoire. Qu'on ne pouvait célébrer, seulement la déplorer.

Avant même qu'Erika se lève, Rumholtz était à l'infirmerie, assis à son bureau. On venait de notifier au directeur de la maison d'arrêt la suspension du procès. Le ministère public préparait l'ordonnance de non-lieu, et la demande d'acquittement par une rapide procédure interne, sans séance publique. L'innocence d'Erika Werner était prouvée. Il n'y avait plus maintenant qu'un règlement d'administration. On demandait la levée d'écrou immédiate. Chaque jour de prison de plus augmentait l'indemnité que Me Plattner s'apprêtait à réclamer.

Le Dr Rumholtz, après une conversation avec le directeur de la prison, s'était chargé d'apprendre lui-même la nouvelle à Erika. Personne ne connaissait encore la nouvelle situation. Erika était encore traitée en détenue. On l'enfermait le soir, et elle était réveillée le matin par la surveillante de l'infirmerie. Elle mettait la robe grossière de la prison, et enfilait par-dessus sa blouse de médecin.

Rumholtz se leva en sursaut lorsqu'elle entra dans la pièce.

— Il y a deux mauvais cas de furonculose, dit-elle. Il va falloir en inciser une encore ce matin.

Elle regarda la pendule :

— A quelle heure commence le procès ? De nouveau à 11 heures ? Nous opérons tout de suite ?

— J'ai quelque chose à vous dire, Erika...

Le Dr Rumholtz tournait entre ses doigts son crayon qui se cassa, tant ses mains se crispaient.

— Il est arrivé quelque chose ?

— Oui.

— Il n'y pas de séance ?

— Non.

— Bornholm a découvert la déposition de la sœur Lutetia ?

Rumholtz regarda désespérément le plafond.

— Non.

— Mais comment cela ?

Elle était debout, au milieu de la pièce, si abasourdie qu'elle semblait ne rien comprendre.

— Le procès n'aura pas lieu. (Rumholtz essayait de s'exprimer :) je...

— Bornholm a avoué ? dit-elle, incrédule.

Rumholtz respira, elle venait à son aide.

— Oui, il a fait des aveux. Vous serez libérée dès demain, acquittée. J'en suis si heureux pour vous, Erika...

— Et Bornholm ?

— Tout suivra son cours pour lui, dit Rumholtz cherchant un faux-fuyant.

— Je n'aurais pas cru qu'il céderait ainsi sans se défendre.

— Aucun de nous ne s'y attendait.

Le Dr Rumholtz se tourna vers les dossiers des malades rangés sur sa table :

— C'est votre dernier jour à l'infirmerie de la prison, Erika. Bien. Opérons la furonculose. D'ailleurs il y a une appendicite à la division E. Pas aiguë encore, mais...

— Opérons-la aussi. Je suis encore là aujourd'hui. Demain vous serez de nouveau... (Elle s'arrêta, puis reprit à voix basse :) de nouveau seul.

Rumholtz se détourna. « Ce serait le moment de lui dire combien je l'aime. Mais le destin est cruel. Il y a maintenant la mort de Bornholm entre nous. Je ne puis rien lui dire avant qu'elle l'apprenne. Il ne faut pas qu'il y ait la moindre tromperie entre nous. »

— Oui, ç'a été une période heureuse... pour mes malades aussi, dit-il d'une voix sourde. Pour les détenues, vous avez été un rayon de soleil, filtrant entre les barreaux. Les criminelles, les voleuses, les prostituées et les faussaires vous regretteront, presque autant que leur liberté.

— J'ai beaucoup appris, reprit Erika, regardant ses bas épais, ses souliers rapiécés. J'ai plus appris sur l'être humain que dans tous mes semestres d'études et d'hôpital. Là-bas, nous avions affaire à des corps malades, parfois à moins encore, à un numéro sur une liste d'observations. Ici, j'ai appris à connaître le malade, ses misères secrètes, ses nostalgies cachées. Ç'a été une belle période, malgré tout. Je pourrai même y repenser sans amertume.

Le Dr Rumholtz sentit sa gorge se serrer :

— Et si vous vouliez bien m'inclure de loin en loin dans ces pensées.

— Sûrement, Peter.

C'était la première fois qu'elle l'appelait par son prénom. Rumholtz laissa tomber sur la table les feuilles qu'il avait en main.

— Erika, dit-il très bas.

Elle secoua la tête et eut un pâle sourire :

— Non, Peter... Je sais depuis des mois ce que vous allez me dire. Non, je vous prie, pas maintenant. Il faut d'abord que je respire l'air du dehors. Que je descende dans la rue sans la crainte que Pleüel me suive... Je veux m'asseoir dans un café et y prendre un verre, entrer dans un magasin et m'y acheter des souliers à très hauts talons... et une robe claire, et des bas bien fins, et je désire être ondulée, avoir du rouge à lèvres... et tout... ce qu'on ne pouvait avoir ici, pendant deux ans. Pouvez-vous le comprendre ? Et quand je sentirai, quand je comprendrai que je suis libre, que je peux faire ce que je veux, qu'il n'y a plus une Pleüel derrière moi... alors nous nous reverrons. Je vous le promets, Peter.

Le Dr Rumholtz acquiesça d'un signe de tête, les mots s'étranglaient dans sa gorge.

— J'attendrai, Erika. Et maintenant allons voir nos malades, pour votre dernière visite dans la maison d'arrêt.

Le lendemain matin, tout était réglé. La détenue Erika Werner, n° matricule 12 456 était libérée, son innocence étant prouvée.

Katharina Pleüel était en proie à un grand conflit de sentiments. La veille encore, elle avait fait décrocher les guirlandes et jeté le bouquet par la fenêtre. Aujourd'hui, voilà que cette Werner était réellement innocente et allait être libérée...

— C'est toujours sur nous autres, petites gens, que cela retombe ! Nous qu'on rend ridicules ! s'écria-t-elle. De quoi ai-je l'air maintenant ? Je demanderai un changement de division. Cette honte...

Et soudain elle se mit à pleurer. Oui, la Pleüel pleurait !

— Si j'étais homme, dit Berta Herkenrath, d'un ton sec, je me soûlerais à rouler sous la table.

Personne n'avait encore révélé à Erika la tragédie qui avait eu lieu à l'hôpital de Bornholm. On voulait l'en informer lorsqu'elle serait sortie de prison. Plattner s'en était chargé, après que Rumholtz lui avait avoué qu'il se sentait incapable d'annoncer cette nouvelle à Erika avec les ménagements nécessaires.

Tout se passa ce matin-là comme au jour de l'incarcération, mais à rebours.

Le Dr Rumholtz examina Erika et rédigea le certificat pour la levée d'écrou. Puis elle passa à la douche et au bain. Et, escortée de la Pleüel, qui avait les yeux rouges, elle entra au vestiaire. Cette fois, au lieu du « Ote tes frusques », l'employé chercha la liste des vêtements personnels dans les archives, ouvrit le paquet cacheté des objets précieux, demanda qu'Erika en vérifiât le contenu et signât le retour. Il y avait même un espace ménagé derrière un rideau où Erika put se changer sans gêne. Lorsqu'elle enfila son linge fin, ses bas nylon, ses souliers à talons hauts, elle se sentit déplacée. Elle sortit en trébuchant de derrière son rideau, et regarda la Pleüel comme si elle s'excusait.

— Le directeur voudrait vous voir, docteur, dit la Pleüel.

« Docteur, pensa Erika, c'est moi. Vraiment. » Elle vit que ses vêtements de détenue étaient tassés dans un grand sac à linge. Son sarrau, sa jupe, son linge grossier, deux années d'existence qui n'étaient plus qu'un tas de linge sale.

Après les adieux du directeur qui lui remit les papiers

de la levée d'écrou, Erika passa, avec le Dr Rumholtz, par toutes les portes fermées à clef et verrouillées jusqu'au portail d'entrée.

Plattner les attendait dans une voiture, et agita gaiement son chapeau.

Erika tendit les deux mains à Rumholtz :

— Au revoir, Peter, dit-elle émue. Et ce n'est pas un vain mot...

— J'attendrai, dit-il. Bonne chance dans votre vie nouvelle. Et commencez par partir en vacances à la montagne, à la mer. Jouissez de la liberté.

— J'essaierai.

Elle se détourna vite, alla à Me Plattner, qui ouvrit la portière, fit un clin d'œil à son ami et débraya.

— Où allons-nous ? demanda-t-il. Je n'ai aucune expérience dans ce domaine. Où une femme a-t-elle envie d'aller d'abord, lorsqu'elle sort de prison ? Chez le coiffeur ? Au café ? Chez la couturière ? Renseignez-moi.

— Au premier kiosque à journaux.

Plattner étreignait le volant, sa gaieté s'était évanouie.

— C'est ce à quoi je n'avais pas pensé. Mais est-ce urgent ? Rien de neuf en politique. On joue *Le roi Lear* au théâtre. Collision d'autos dans la Rüngestrasse.

— Je voudrais un journal.

Plattner se résigna à son sort. Il arrêta la voiture devant un kiosque à journaux. Erika descendit, revint, rapportant un journal qu'elle allait déplier lorsque, à la dernière page, un avis en gros caractères lui sauta aux yeux : « Mort du Pr Bornholm. Un tragique accident... enlevé à ses travaux... nous perdons en lui un savant connu du monde entier... un collègue estimé... notre chef vénéré... mon gendre... »

Erika replia le journal. Son visage avait la rigidité d'un masque, Plattner s'était assis comme un écolier fautif derrière son volant. Il osait à peine respirer.

— Il s'est... dit Erika si bas que c'était presque un soupir.

— Oui, dit Plattner. Dans la salle d'opération. A l'éther...

Erika Werner ferma les yeux et s'adossa à son siège. Ses lèvres tremblèrent, et de ses paupières closes coulèrent des larmes.

— Depuis vingt-quatre heures, Peter a essayé de vous l'annoncer, sans y parvenir, dit Plattner. Mais ce que je peux vous dire, c'est que vous n'êtes pour rien dans cette tragédie. Bornholm s'était trop empêtré dans ses torts. Il ne voyait plus aucune issue. Il ne pouvait supporter une existence qui ne soit illuminée de succès.

— Je sais. (Erika se couvrit le visage de ses mains :) Rentrons, dit-elle d'une voix à peine perceptible.

— Où ça ?

Plattner respira profondément.

— Rentrons à la maison d'arrêt.

— Mais...

— S'il vous plaît.

Ne voulant pas la contredire, Plattner fit demi-tour et regagna lentement la prison.

Rumholtz était encore devant le portail, comme s'il avait prévu ce retour. Il vint au-devant d'Erika, l'aida à descendre, sans dire un mot, claqua la portière, et fit un signe à Plattner, qui hésita un instant, puis partit en hâte et disparut au premier tournant.

— Je voudrais rester auprès de toi, dit Erika en s'appuyant à l'épaule de Rumholtz. Que ferais-je toute seule au monde ? J'ai peur tout à coup de cette solitude.

— Viens, dit-il.

Et, l'entourant de son bras, il la conduisit au portail. Mais il se heurta à un employé qui leva la main.

— Où allez-vous ? Vous voulez revenir en prison ? C'est impossible sans instructions. Où en serions-nous si tout le monde voulait habiter la prison. Vous avez été libérée, il faut rester dehors.

— Mlle Werner vient chez moi. Elle sera d'ici peu ma femme.

— Les visites privées à la maison d'arrêt doivent être préalablement annoncées. Il faut que je parle à M. le directeur.

La main dans la main, ils étaient assis dans la salle de

garde et attendaient la permission de retourner à la maison d'arrêt.

Le directeur vint en personne, tout agité et incrédule, et les conduisit dans son bureau.

— Que signifie cette comédie ? s'écria-t-il. Une escouade d'hommes s'évertue à vous faire libérer, et vous...

— Nous allons nous marier, dit Rumholtz, serrant Erika contre lui. Et d'ailleurs j'ai le plus grand besoin d'une assistante à l'infirmerie. Je ne peux plus y suffire seul...

— Mais l'emploi n'a pas été prévu.

— Alors il faudra le créer. Je vais adresser une demande au ministère.

— Faites-le docteur. (Le directeur soupira :) Et dire qu'on prétend que l'existence est monotone...

Deux mois plus tard, le Dr Erika Werner fut nommée assistante auprès du Dr Rumholtz. La nomination arriva le jour même de la publication des bans, à la mairie.

Il y avait de nouveau des guirlandes aux portes de l'infirmerie lorsque Erika Werner rentra volontairement à la maison d'arrêt en qualité de médecin, d'aide, d'amie des réprouvées et des âmes en peine qui cherchent un secours. Elle revint comme un rayon de lumière qui éclairait les ténèbres.

Toute fière, la Pleüel accompagnait la femme médecin dans sa division. Berta Herkenrath trottait derrière elle, portant la grande boîte aux instruments.

— Tu vois ! cria Helga Pilkowski aux autres quand Erika lui donna la main à elle aussi et lui sourit. Je vous l'ai bien dit qu'elle s'habituerait à moi aussi...

La Pleüel ne dit rien cette fois. Elle eut même un sourire.

ROMANS-TEXTE INTÉGRAL

ÉDITIONS J'AI LU

31, rue de Tournon, 75006-Paris

Exclusivité de vente en librairie
FLAMMARION

IMPRIMÉ EN FRANCE PAR BRODARD ET TAUPIN
7, bd Romain-Rolland - Montrouge.
Usine de La Flèche, le 08-08-1975.
6749-5 - Dépôt légal 3ᵉ trimestre 1975.